KB075604

1천 동사 5천 문장을 듣고 따라 하면 저절로 암기되는 일본어 회화(MP3)

1천 동사 5천 문장을 듣고 따라하면 저절로 암기되는 일본어 회화(MP3)

머리말

1천 동사의 5천 문장들 듣고 따라하면 저절로 암기되는 일본어 회화(한국어와 일본어 MP3 파일)

일본어 회화 마스터하기: 단계별 학습으로 완성하는 언어의 여정

어서 오십시오, 일본어 학습의 새로운 차원으로의 초대입니다. "일본어 회화 마스터하기"는 기초부터 심화 학습까지, 여러분의 일본어 회화 능력을 체계적으로 발전시킬 수 있는 완벽한 가이드입니다.

이 책과 함께 제공되는 MP3 파일들은 한국어와 일본어 학습자를 위해 특별히 설계되었습니다.

1천 개의 동사와 명사를 활용하여 구성된 5천여 문장들은 일상생활에서 자주 접할 수 있는 표현들로, 초등학교 수준의 기본 문장부터 시작하여 점차 난이도를 높여갑니다.

소개글

학습자 중심의 혁신적인 접근법

"일본어 회화 마스터하기"는 1천개의 동사의 문장들 듣고 따라하면서, 자연스럽게 암기할 수 있도록 설계되었습니다.

이 책은 암기 훈련, 말하기 훈련, 듣기 훈련을 통합적으로 할 수 있도록 구성되어 있으며, 학습자가 한국어로 단어를 듣고 머릿속으로 이미지를 연상한 후, 일본어로 동시에 따라하며 학습할 수 있도록 돕습니다.

말하기와 듣기 능력의 동시 향상

이 책과 함께 제공되는 MP3 파일들은 말하기와 듣기 능력을 동시에 향상시키는데 중점을 두고 있습니다.

일본어가 주어진 횟수만큼 반복됨으로써, 학습자는 일본어의 정확한 발음을 익히고, 한국어와의 비교를 통해 단어의 의미를 더욱 명확히 이해할 수 있습니다.

이 과정을 통해, 학습자는 자신도 모르는 사이에 일본어 회화 능력을 자연스럽게 개발하게 됩니다.

일본어 학습의 새로운 시작

이제 "일본어 회화 마스터하기"와 함께라면, 일본어 학습이 더 이상 어렵지 않습니다.

학습자 중심의 접근법과 효과적인 학습 지원 도구를 통해, 여러분은 일본어를 보다 쉽고 재미있게 배울 수 있을 것입니다.

MP3 파일을 통한 효과적인 학습 지원

본 교재에 포함된 MP3 파일들은 한국어 단어를 한 번 듣고, 일본어로 3번, 2번, 1번 반복하여 듣는 패턴으로 구성되어 있습니다.

또한 듣기 훈련을 위해 일본어 3번, 한국어1, 일본어 2번, 한국어 1번, 일본어 1번, 한국어 1번으로 나오도록 구성되어 있습니다.

이는 학습자가 일본어 발음과 억양을 정확히 익히고, 단어의 뜻을 깊이 이해할 수 있게 함으로써, 보다 효과적으로 언어를 습득할 수 있도록 합니다.

또한, 여러분이 단어와 문장을 외울 수 있도록 MP3 파일들이 한 단어(문장)으로 나누어져 있어서 학습자가 이미 알고 있는 단어는 건너뛰고, 모르는 단어는 반복하여 들을 수 있도록 하여 개별적인 학습이 가능합니다.

그리고 먼저 명사, 동사의 단어들을 외우고, 그 다음 이 단어들을 가지고 문장들을 암기하도록 구성되어 있습니다.

하나의 동사마다 5문장이 있습니다. 문장은 과거, 현재, 미래, 의문문, 의문문의 대답, 인칭대명사(나는, 너는, 그는, 그녀는, 우리는, 당신들은, 그들은)이 나오도록 구성되어 있습니다.

mp3 샘플- 밑의 주소를 클릭하시면 보실 수 있습니다.
https://naver.me/FTqvmVgd
또는 큐알코드를 스마트폰으로 찍으시면 보실 수 있습니다.

MP3 파일들 다운로드는 맨 마지막 페이지에 있습니다.

1. 1. 명사 단어들 외우기, 필수 10개 동사의 단어들을 가지고 50문장 연습하기 -
1. 名詞の単語の暗記、必須10動詞の単語で50文の練習
2. 학교 - 学校
3. 공원 - 公園
4. 집 - 家
5. 여기 - ここ
6. TV - テレビ
7. 전시회 - 展示会
8. 주말 - 週末
9. 영화 - 映画
10. 음악 - 音楽
11. 콘서트 - コンサート
12. 클래식 - クラシック
13. 친구 - 友人
14. 이야기 - ストーリー
15. 회의 - ミーティング
16. 발표 - プレゼンテーション
17. 여행 - 旅行
18. 경험 - 体験
19. 저녁 - ディナー
20. 점심 - 昼食
21. 아침 - モーニング
22. 피자 - ピザ
23. 물 - 水
24. 커피 - コーヒー
25. 주스 - ジュース
26. 음료 - 飲み物
27. 녹차 - 緑茶
28. 의자 - 椅子
29. 소파 - ソファ
30. 벤치 - ベンチ
31. 창가 - 窓
32. 시간 - 時間
33. 문 - ドア

34. 줄 - ライン
35. 해변 - ビーチ
36. 산책로 - トレイル
37. 가다 - 行く
38. 나는 학교에 갔다. - 学校へ行った
39. 너는 지금 가고 있다. - 今から行くんだ。
40. 그는 내일 공원에 갈 것이다. - 彼は明日公園に行きます。
41. 그녀는 언제 학교에 가나요? - 彼女はいつ学校に行きますか。
42. 그녀는 매일 학교에 갑니다. - 彼女は毎日学校に行きます。
43. 오다 - 帰る
44. 나는 집에 왔다. - 私は家に帰ります。
45. 너는 지금 오고 있다. - あなたは今から来ます。
46. 그녀는 내일 여기에 올 것이다. - 彼女は明日来ます。
47. 당신들은 언제 집에 오나요? - 君たちはいつ帰ってくるの？
48. 우리는 저녁에 집에 옵니다. - 夕方帰ってくる。
49. 보다 - 見る
50. 나는 TV를 봤다. - テレビを見ました。
51. 너는 지금 무언가를 보고 있습니다. - あなたは今何かを見ています。
52. 우리는 내일 전시회를 볼 것이다. - 明日は展覧会を見る予定です。
53. 그들은 주말에 무엇을 보나요? - 彼らは週末に何を見ますか？
54. 그들은 주말에 영화를 봅니다. - 週末は映画を見ます。
55. 듣다 - 聴く
56. 나는 음악을 들었다. - 私は音楽を聴いた。
57. 너는 지금 무언가를 듣고 있습니다. - あなたは今何かを聴いている。
58. 그는 내일 콘서트에서 음악을 들을 것이다. - 彼は明日のコンサートで音楽を聴くでしょう。
59. 그녀는 어떤 음악을 듣고 싶어하나요? - 彼女はどんな音楽を聴きたいのですか。
60. 그녀는 클래식 음악을 듣고 싶어합니다. - 彼女はクラシック音楽を聴きたがっている。
61. 말하다 - 話す
62. 나는 친구와 이야기했다. - 私は友人と話した。
63. 너는 지금 무언가를 말하고 있습니다. - あなたは今何かを話している。
64. 우리는 내일 회의에서 발표할 것이다. - 明日の会議で発表します。

65. 그는 무엇에 대해 말하고 싶어하나요? - 彼は何を話したいのですか？
66. 그는 여행 경험에 대해 말하고 싶어합니다. - 彼は自分の旅行経験について話したがっている。
67. 먹다 - 食べる
68. 나는 저녁을 먹었다. - 私は夕食を食べた。
69. 너는 지금 점심을 먹고 있다. - あなたは今昼食を食べています。
70. 그는 내일 아침을 먹을 것이다. - 彼は明日朝食を食べます。
71. 그녀는 무엇을 먹고 싶어하나요? - 彼女は何を食べたいのですか。
72. 그녀는 피자를 먹고 싶어합니다. - 彼女はピザを食べたい。
73. 마시다 - 飲む
74. 나는 물을 마셨다. - 私は水を飲んだ。
75. 너는 지금 커피를 마시고 있다. - あなたは今コーヒーを飲んでいます。
76. 우리는 내일 주스를 마실 것이다. - 明日はジュースを飲みます。
77. 너는 어떤 음료를 마시나요? - あなたは何を飲みますか？
78. 나는 녹차를 마십니다. - 緑茶を飲みます。
79. 앉다 - 座る
80. 나는 의자에 앉았다. - 私は椅子に座った。
81. 너는 지금 소파에 앉아 있다. - あなたは今ソファに座っています。
82. 그녀는 내일 벤치에 앉을 것이다. - 彼女は明日ベンチに座るでしょう。
83. 그들은 어디에 앉고 싶어하나요? - 彼らはどこに座りたいのですか。
84. 그들은 창가에 앉고 싶어합니다. - 彼らは窓際に座りたがっている。
85. 서다 - 立つ
86. 나는 한 시간 동안 서 있었다. - 私は1時間立っています。
87. 너는 지금 문 앞에 서 있다. - あなたは今ドアの前に立っている。
88. 그는 내일 줄에서 서 있을 것이다. - 彼は明日も並んでいる。
89. 그녀는 얼마나 오래 서 있었나요? - 彼女はどのくらい立っているのですか。
90. 그녀는 30분 동안 서 있었습니다. - 彼女は30分立っています。
91. 걷다 - 歩く
92. 나는 공원을 걸었다. - 私は公園を歩いた。
93. 너는 지금 집으로 걷고 있다. - あなたは今歩いて帰っています。
94. 우리는 내일 해변을 걸을 것이다. - 明日は浜辺を歩きます。
95. 그들은 어디를 걷고 싶어하나요? - 彼らはどこを歩きたいのですか？
96. 그들은 산책로를 걷고 싶어합니다. - 彼らは遊歩道を歩きたい。
97. 2. 명사 단어들 외우기, 필수 10개 동사의 단어들을 가지고 50문장 연습하기

- 2. 名詞の単語を覚え、10の必須動詞の単語を使って50の文を練習する。
98. 10킬로미터 - 10キロメートル
99. 그림 - 絵画
100. 꽃 - 花
101. 농담 - 冗談
102. 댄스(춤) - ダンス
103. 마라톤 - マラソン
104. 무엇 - 何
105. 백화점 - デパート
106. 보고서 - レポート
107. 샌드위치 - サンドイッチ
108. 소설 - 小説
109. 소식 - ニュース
110. 쇼 - ショー
111. 수학 - 数学
112. 신문 - 新聞
113. 신발 - 靴
114. 아침 - モーニング
115. 영어 - 英語
116. 영화 - 映画
117. 옷 - 洋服
118. 요가 - ヨガ
119. 요리 - 料理
120. 운동장 - 遊び場
121. 이야기 - ストーリー
122. 인사 - 挨拶
123. 일기 - 日記
124. 자전거 - 自転車
125. 작년 - 昨年
126. 잡지 - 雑誌
127. 정원 - 庭
128. 책 - 本
129. 편지 - 手紙
130. 프로젝트 - プロジェクト

131. 피아노 - ピアノ
132. 한국어 - 韓国語
133. 달리다 - 走る
134. 나는 마라톤을 달렸다. - 私はマラソンを走った。
135. 너는 지금 운동장을 달리고 있다. - あなたは今、運動場を走り回っています。
136. 그는 내일 아침에 달릴 것이다. - 彼は明日の朝走るでしょう。
137. 그녀는 얼마나 빨리 달릴 수 있나요? - 彼女はどのくらいの速さで走れるのですか？
138. 그녀는 시속 10킬로미터로 달릴 수 있습니다. - 彼女は時速10キロで走れる。
139. 웃다 - 笑う
140. 나는 친구의 농담에 웃었다. - 私は友人の冗談に笑った。
141. 너는 지금 행복해 보인다. - あなたは今幸せそうです。
142. 우리는 내일 코미디 쇼에서 웃을 것이다. - 明日のお笑いショーで笑いましょう。
143. 너는 무엇에 웃나요? - 何を笑うの？
144. 나는 유머러스한 이야기에 웃습니다. - ユーモラスな話で笑う。
145. 울다 - 泣く
146. 나는 영화를 보고 울었다. - 私は映画を見て泣きました。
147. 너는 지금 슬픈 이야기에 울고 있다. - あなたは今、悲しい話で泣いています。
148. 그녀는 내일 작별 인사를 할 때 울 것이다. - 彼女は明日の別れの時に泣くだろう。
149. 그는 왜 울었나요? - 彼はなぜ泣いたのですか？
150. 그는 감동적인 소식에 울었습니다. - 彼は感動的なニュースで泣いた。
151. 사다 - 買う
152. 나는 새 신발을 샀다. - 新しい靴を買いました。
153. 너는 지금 옷을 사고 있다. - あなたは今服を買っています。
154. 그들은 내일 선물을 살 것이다. - 明日プレゼントを買うそうです。
155. 그녀는 어디서 쇼핑하나요? - 彼女はどこで買い物をしますか？
156. 그녀는 백화점에서 쇼핑합니다. - 彼女はデパートで買い物をします。
157. 팔다 - 売る
158. 나는 자전거를 팔았다. - 私は自転車を売った。

159. 너는 지금 꽃을 팔고 있다. - あなたは今花を売っている。
160. 그는 내일 책을 팔 것이다. - 彼は明日本を売る。
161. 당신들은 무엇을 팔고 싶어하나요? - 君たちは何を売りたいんだい？
162. 우리는 그림을 팔고 싶어합니다. - 絵を売りたい。
163. 만들다 - 作る
164. 나는 샌드위치를 만들었다. - 私はサンドイッチを作った。
165. 너는 지금 프로젝트를 만들고 있다. - あなたは今プロジェクトを作っている。
166. 우리는 내일 정원을 만들 것이다. - 明日は庭を作ります。
167. 그들은 어떤 케이크를 만든나요? - 彼らはどんなケーキを作るのですか。
168. 그들은 초콜릿 케이크를 만듭니다. - チョコレートケーキです。
169. 쓰다 - 書く
170. 나는 편지를 썼다. - 私は手紙を書いた。
171. 너는 지금 보고서를 쓰고 있다. - あなたは今レポートを書いています。
172. 그녀는 내일 일기를 쓸 것이다. - 彼女は明日日記を書きます。
173. 그는 언제 소설을 썼나요? - 彼はいつ小説を書きましたか。
174. 그는 작년에 소설을 썼습니다. - 彼は去年小説を書いた。
175. 읽다 - 読む
176. 나는 소설을 읽었다. - 私は小説を読んだ。
177. 너는 지금 신문을 읽고 있다. - あなたは今新聞を読んでいる。
178. 그녀는 내일 잡지를 읽을 것이다. - 彼女は明日雑誌を読むでしょう。
179. 너는 어떤 책을 좋아하나요? - どんな本が好きですか？
180. 나는 모험 소설을 좋아합니다. - 冒険小説が好きです。
181. 배우다 - 学ぶ
182. 나는 피아노를 배웠다. - 私はピアノを習いました。
183. 너는 지금 한국어를 배우고 있다. - あなたは今韓国語を勉強しています。
184. 우리는 내일 요가를 배울 것이다. - 明日はヨガを習います。
185. 너는 무엇을 배우고 싶어하나요? - 何を習いたいですか？
186. 나는 댄스를 배우고 싶어합니다. - ダンスを習いたい。
187. 가르치다 - 教える
188. 나는 수학을 가르쳤다. - 私は数学を教えました。
189. 너는 지금 영어를 가르치고 있다. - あなたは今英語を教えています。
190. 그는 내일 요리를 가르칠 것이다. - 明日は料理を教えます。
191. 그들은 어디에서 가르치나요? - 彼らはどこで教えるのですか？

192. 그들은 학교에서 가르칩니다. - 学校で教えています。
193. 3. 명사 단어들 외우기, 필수 10개 동사의 단어들을 가지고 50문장 연습하기 - 3. 名詞の単語を覚え、10個の必須動詞の単語を使って50の文を練習する。
194. 열쇠 - キー
195. 안경 - 眼鏡
196. 지갑 - 財布
197. 책 - 本
198. 전화기 - 携帯電話
199. 시계 - 時計
200. 선물 - ギフト
201. 문서 - 書類
202. 기부금 - 寄付
203. 편지 - 手紙
204. 이메일 - 電子メール
205. 상 - 賞
206. 프로젝트 - プロジェクト
207. 운동 - ワークアウト
208. 여행 - 旅行
209. 숙제 - 宿題
210. 회의 - ミーティング
211. 작업 - 仕事
212. 창문 - ウィンドウ
213. 상자 - ボックス
214. 전시회 - 展示会
215. 문 - ドア
216. 컴퓨터 - コンピューター
217. 가게 - 店舗
218. 라이트 - ライト
219. 텔레비전 - テレビ
220. 에어컨 - エアコン
221. 라디오 - ラジオ
222. 불 - 火
223. 난방 - 暖房
224. TV - テレビ

225. 찾다 - 見つける
226. 나는 열쇠를 찾았다. - 鍵を見つけた。
227. 너는 지금 안경을 찾고 있다. - あなたは今メガネを探している。
228. 그녀는 내일 그녀의 지갑을 찾을 것이다. - 彼女は明日財布を見つけるだろう。
229. 그는 무엇을 찾았나요? - 彼は何を見つけましたか？
230. 그는 그의 책을 찾았습니다. - 彼は本を見つけた。
231. 잃다 - なくす
232. 나는 전화기를 잃었다. - 携帯電話をなくしました。
233. 너는 지금 무언가를 잃었습니다. - あなたは何かを失くしました。
234. 그는 내일 그의 시계를 잃을 것이다. - 彼は明日腕時計をなくします。
235. 그녀는 자주 무엇을 잃나요? - 彼女はよく何を失くしますか。
236. 그녀는 자주 열쇠를 잃습니다. - 彼女はよく鍵をなくします。
237. 주다 - 贈る
238. 나는 친구에게 선물을 주었다. - 私は友人に贈り物をした。
239. 너는 지금 문서를 주고 있다. - あなたは今書類を渡している。
240. 우리는 내일 기부금을 줄 것이다. - 明日寄付をします。
241. 그는 누구에게 도움을 주나요? - 彼は誰に援助していますか。
242. 그는 어린이 병원에 도움을 줍니다. - 彼は子供の病院に援助している。
243. 받다 - 受け取る
244. 나는 편지를 받았다. - 私は手紙を受け取った。
245. 너는 지금 이메일을 받고 있다. - あなたは今Eメールを受け取っている。
246. 그녀는 내일 상을 받을 것이다. - 彼女は明日賞を受け取ります。
247. 그는 어떤 상을 받았나요? - 彼はどんな賞をもらったのですか。
248. 그는 최우수 학생 상을 받았습니다. - 彼は最優秀学生賞を受賞した。
249. 시작하다 - 始める
250. 나는 새로운 프로젝트를 시작했다. - 私は新しいプロジェクトを始めた。
251. 너는 지금 운동을 시작하고 있다. - あなたは今運動を始めています。
252. 우리는 내일 여행을 시작할 것이다. - 明日から旅行を始めます。
253. 당신들은 언제 공부를 시작했나요? - 君たちはいつ勉強を始めたのですか。
254. 우리는 오늘 아침에 공부를 시작했습니다. - 今朝勉強を始めました。
255. 끝내다 - 終わらせる
256. 나는 숙제를 끝냈다. - 私は宿題を終えた。
257. 너는 지금 회의를 끝내고 있다. - あなたは今会議を終えています。

258. 그는 내일 그의 작업을 끝낼 것이다. - 彼は明日仕事を終えるでしょう。
259. 그녀는 책을 언제 끝냈나요? - 彼女はいつ本を読み終えましたか。
260. 그녀는 어제 책을 끝냈습니다. - 彼女は昨日本を読み終えた。
261. 열다 - 開く
262. 나는 창문을 열었다. - 私は窓を開けた。
263. 너는 지금 상자를 열고 있다. - あなたは今箱を開けています。
264. 그들은 내일 전시회를 열 것이다. - 彼らは明日展覧会を開きます。
265. 그는 문을 언제 열었나요? - 彼はいつドアを開けましたか。
266. 그는 아침에 문을 열었습니다. - 彼は朝ドアを開けた。
267. 닫다 - 閉じる
268. 나는 책을 닫았다. - 私は本を閉じた。
269. 너는 지금 컴퓨터를 닫고 있다. - あなたは今コンピュータを閉じている。
270. 우리는 내일 가게를 닫을 것이다. - 明日店を閉めます。
271. 그녀는 왜 창문을 닫았나요? - なぜ彼女は窓を閉めたのですか。
272. 추워서 창문을 닫았습니다. - 彼女は寒かったので窓を閉めた。
273. 켜다 - つける
274. 나는 라이트를 켰다. - 私は電気をつけた。
275. 너는 지금 텔레비전을 켜고 있다. - あなたは今テレビをつけています。
276. 그는 내일 에어컨을 켤 것이다. - 彼は明日エアコンをつけるでしょう。
277. 그들은 언제 라디오를 켰나요? - 彼らはいつラジオをつけましたか。
278. 그들은 점심 때 라디오를 켰습니다. - 彼らは昼食時にラジオをつけた。
279. 끄다 - 消す
280. 나는 컴퓨터를 껐다. - 私はコンピューターの電源を切った。
281. 너는 지금 불을 끄고 있다. - あなたは今電気を消しています。
282. 그녀는 내일 난방을 끌 것이다. - 彼女は明日暖房を切ります。
283. 그는 왜 TV를 껐나요? - なぜ彼はテレビを消したのですか。
284. 잠자려고 TV를 껐습니다. - 寝るためにテレビを消した。
285. 4. 명사 단어들 외우기, 필수 10개 동사의 단어들을 가지고 50문장 연습하기 - 4. 名詞の単語を覚え、10個の必須動詞の単語を使って50文練習する。
286. 결과 - 結果
287. 공부 - 勉強
288. 날씨 - 天気
289. 날 - 私
290. 남 - その他

291. 답 - 回答
292. 도움 - ヘルプ
293. 눈 - 目
294. 봉사활동 - ボランティア
295. 부엌 - キッチン
296. 사람 - 人
297. 사무실 - オフィス
298. 소파 - ソファー
299. 손 - 手
300. 어르신 - 高齢者
301. 얼굴 - 顔
302. 음식 - 食べ物
303. 일 - 日
304. 일정 - スケジュール
305. 자 - ルーラー
306. 정원 - 庭
307. 조언 - アドバイス
308. 차 - 車
309. 친구 - 友人
310. 침대 - ベッド
311. 책 - 本
312. 추위 - 寒い
313. 휴식 - 休息
314. 해답 - 解決策
315. 회의 - 会議
316. 씻다 - 洗う
317. 나는 손을 씻었다. - 手を洗いました。
318. 너는 지금 얼굴을 씻고 있다. - あなたは今顔を洗っています。
319. 우리는 내일 차를 씻을 것이다. - 明日洗車します。
320. 그들은 언제 차를 씻나요? - いつ洗車するの？
321. 그들은 매주 일요일에 차를 씻습니다. - 毎週日曜日に洗車します。
322. 청소하다 - 掃除する
323. 나는 방을 청소했다. - 私は部屋を掃除しました。
324. 너는 지금 사무실을 청소하고 있다. - あなたは今オフィスを掃除していま

す。
325. 그들은 내일 정원을 청소할 것이다. - 彼らは明日庭を掃除します。
326. 그녀는 언제 부엌을 청소했나요? - 彼女はいつ台所を掃除しましたか。
327. 그녀는 오늘 아침에 부엌을 청소했습니다. - 彼女は今朝台所を掃除しました。
328. 일어나다 - 起きる
329. 나는 일찍 일어났다. - 私は早く起きた。
330. 너는 지금 침대에서 일어나고 있다. - あなたは今ベッドから出ています。
331. 우리는 내일 아침 6시에 일어날 것이다. - 明日の朝は6時に起きます。
332. 그는 보통 몇 시에 일어나나요? - 彼はいつも何時に起きますか。
333. 그는 보통 7시에 일어납니다. - 彼はいつも7時に起きます。
334. 자다 - 眠る
335. 나는 깊이 잤다. - 私は深く眠った。
336. 너는 지금 소파에서 자고 있다. - あなたは今ソファーで寝ています。
337. 그녀는 내일 일찍 자러 갈 것이다. - 明日は早く寝るでしょう。
338. 너는 얼마나 오래 잤나요? - どのくらい寝ましたか？
339. 나는 8시간 잤습니다. - 8時間眠った。
340. 알다 - 知る
341. 나는 답을 알았다. - 私は答えを知っていた。
342. 너는 지금 비밀을 알고 있다. - あなたは今その秘密を知っている。
343. 우리는 내일 결과를 알 것이다. - 結果は明日わかる。
344. 그는 그녀의 전화번호를 알고 있나요? - 彼は彼女の電話番号を知っていますか？
345. 네, 알고 있습니다. - はい、彼は知っています。
346. 모르다 - 私は知らない
347. 나는 그 사람을 몰랐다. - 私はその人を知らない。
348. 너는 지금 답을 모르고 있다. - 今は答えを知らない。
349. 그들은 내일 일정을 모를 것이다. - 明日の予定も知らないだろう。
350. 그녀는 왜 해답을 모르나요? - なぜ彼女は答えを知らないのですか？
351. 그녀는 공부하지 않았습니다. - 彼女は勉強しなかった。
352. 좋아하다 - 好きなこと
353. 나는 여름을 좋아했다. - 私は夏が好きだった。
354. 너는 지금 책을 좋아하고 있다. - あなたは本が好きになった。
355. 우리는 내일 바베큐를 좋아할 것이다. - 明日のバーベキューが好きです。

356. 그들은 어떤 음식을 좋아하나요? - 彼らはどんな食べ物が好きですか？
357. 그들은 일식을 좋아합니다. - 日本食が好きです。
358. 싫어하다 - 嫌い
359. 나는 눈을 싫어했다. - 私は雪が嫌いだ。
360. 너는 지금 추위를 싫어하고 있다. - あなたは今寒いのが嫌いです。
361. 그는 내일 회의를 싫어할 것이다. - 彼は明日の会議を嫌うだろう。
362. 그녀는 어떤 날씨를 싫어하나요? - 彼女はどんな天気が嫌いですか。
363. 그녀는 비오는 날씨를 싫어합니다. - 彼女は雨の天気が嫌いだ。
364. 필요하다 - 必要とする
365. 나는 도움이 필요했다. - 私は助けが必要だ。
366. 너는 지금 휴식이 필요하다. - あなたは今休息が必要です。
367. 그녀는 내일 조언이 필요할 것이다. - 彼女は明日アドバイスが必要です。
368. 그들에게 무엇이 필요한가요? - 彼らは何を必要としているのですか？
369. 그들은 지원이 필요합니다. - サポートが必要です。
370. 돕다 - 助ける
371. 나는 이웃을 도왔다. - 私は隣人を助けた。
372. 너는 지금 친구를 돕고 있다. - あなたは今、友人を助けている。
373. 우리는 내일 봉사활동을 할 것이다. - 明日ボランティアに行くんだ。
374. 당신은 누구를 도와주고 싶어하나요? - 誰を助けるのが好きですか？
375. 나는 어르신들을 도와주고 싶어합니다. - お年寄りを助けるのが好きです。
376. 5. 명사 단어들 외우기, 필수 10개 동사의 단어들을 가지고 50문장 연습하기 - 5. 名詞の単語を覚え、10の必須動詞の単語を使って50の文を練習する。
377. 가족 - 家族
378. 공원 - 公園
379. 길 - 道
380. 날 - 日
381. 누구 - 誰
382. 늦은 - 遅い
383. 도로 - 道
384. 만남 - 出会い
385. 무례함 - 失礼
386. 사람 - 人々
387. 사랑 - 愛
388. 사무실 - オフィス

389. 삶 - 人生
390. 서울 - ソウル
391. 시골 - 田舎
392. 슬픔 - 悲しみ
393. 약속 - 約束
394. 어디 - どこ
395. 영원 - 永遠
396. 오랜 - 長い
397. 오후 - 午後
398. 의사 - 博士
399. 일 - 日
400. 전화 - 電話
401. 주말 - 週末
402. 지난달 - 先月
403. 집 - ホーム
404. 친구 - 友人
405. 해변 - ビーチ
406. 행복 - ハッピー
407. 헤어짐 - 解散
408. 놀다 - 遊ぶ
409. 나는 공원에서 놀았다. - 公園で遊んだ。
410. 너는 지금 친구들과 노는 중이다. - 今、友達と遊んでいるね。
411. 우리는 내일 해변에서 놀 것이다. - 明日はビーチで遊ぼう。
412. 당신들은 주말에 어디에서 노나요? - 週末はどこで遊ぶの？
413. 우리는 주말에 공원에서 논다. - 週末は公園で遊びます。
414. 일하다 - 働く
415. 나는 늦게까지 일했다. - 遅くまで仕事をしていました。
416. 너는 지금 사무실에서 일하고 있다. - あなたは今オフィスで働いています。
417. 그는 내일 집에서 일할 것이다. - 明日は家で仕事をします。
418. 그녀는 어떤 일을 하나요? - 彼女はどんな仕事をしていますか。
419. 그녀는 선생님이다. - 彼女は教師です。
420. 살다 - 住む
421. 나는 서울에서 살았다. - 私は以前ソウルに住んでいました。
422. 너는 지금 어디에 살고 있나요? - 今はどこに住んでいますか。

423. 우리는 내일 새 집에서 살 것이다. - 明日から新しい家に住みます。
424. 그들은 어디에서 살고 싶어하나요? - 彼らはどこに住みたいのですか？
425. 그들은 시골에서 살고 싶어한다. - 田舎に住みたいそうです。
426. 죽다 - 死ぬ
427. 나는 거의 죽을 뻔했다. - もう少しで死ぬところだった。
428. 너는 지금 삶을 살고 있다. - あなたは今、人生を生きている。
429. 그는 오래 살 것이다. - 彼は長生きするだろう。
430. 그녀는 어떻게 살고 싶어하나요? - 彼女はどう生きたいのだろう？
431. 그녀는 행복하게 살고 싶어한다. - 彼女はいつまでも幸せに暮らしたいと思っている。
432. 사랑하다 - 愛するために
433. 나는 너를 사랑했다. - 私はあなたを愛した。
434. 너는 지금 누군가를 사랑하고 있다. - あなたは今、誰かを愛している。
435. 그녀는 영원히 사랑할 것이다. - 彼女は永遠に愛するだろう。
436. 그는 누구를 사랑하나요? - 彼は誰を愛しているの？
437. 그는 그의 가족을 사랑한다. - 彼は家族を愛している。
438. 미워하다 - 嫌いに
439. 나는 어제 늦은 약속을 미워했다. - 昨日、約束の時間に遅れたのが嫌だった。
440. 너는 지금 막힌 도로를 미워한다. - あなたは今通行止めになっている道路が嫌いだ。
441. 그는 내일 일찍 일어나는 것을 미워할 것이다. - 彼は明日早起きするのが嫌いだろう。
442. 그녀는 무엇을 미워하나요? - 彼女は何が嫌いですか？
443. 그녀는 무례함을 미워합니다. - 彼女は無礼が嫌いだ。
444. 기다리다 - 待つこと
445. 나는 어제 너를 오랫동안 기다렸다. - 私は昨日長い間あなたを待った。
446. 너는 지금 친구를 기다린다. - あなたは今友達を待っている。
447. 그는 내일 중요한 전화를 기다릴 것이다. - 彼は明日重要な電話を待つだろう。
448. 우리는 얼마나 더 기다려야 하나요? - あとどれくらい待てばいいのですか？
449. 5분만 더 기다려 주세요. - あと5分お待ちください。
450. 만나다 - 会うために
451. 나는 지난 주에 그를 만났다. - 私は先週彼に会った。

452. 너는 지금 새로운 사람을 만난다. - あなたは今新しい人に会う。
453. 그녀는 내일 오랜 친구를 만날 것이다. - 彼女は明日旧友に会います。
454. 그들은 언제 만나기로 했나요? - 彼らはいつ会うのですか。
455. 그들은 내일 오후에 만나기로 했습니다. - 彼らは明日の午後に会う予定です。
456. 헤어지다 - 別れる
457. 나는 지난달에 그녀와 헤어졌다. - 私は先月彼女と別れた。
458. 너는 지금 슬픔을 헤어진다. - あなたは今その悲しみと決別するのです。
459. 그들은 내일 서로 헤어질 것이다. - 彼らは明日別れます。
460. 왜 그들은 헤어지기로 결정했나요? - なぜ彼らは別れることにしたのですか？
461. 그들은 서로 다른 길을 가기로 결정했습니다. - 彼らは別々の道を歩むことにした。
462. 전화하다 - 電話する
463. 나는 어제 그에게 전화했다. - 私は昨日彼に電話した。
464. 너는 지금 의사에게 전화한다. - 今すぐドクターに電話してください。
465. 그녀는 내일 저녁에 나에게 전화할 것이다. - 明日の夕方、彼女から電話があります。
466. 그는 언제 나에게 전화할 거예요? - 彼はいつ電話をくれるのですか？
467. 그는 저녁에 전화할 거예요. - 彼は夕方私に電話するでしょう。
468. 6. 명사 단어들 외우기, 필수 10개 동사의 단어들을 가지고 50문장 연습하기 - 6. 名詞の単語を覚え、10個の必須動詞の単語を使った50の文を練習する。
469. 길 - 方法
470. 질문 - 質問
471. 조언 - アドバイス
472. 시간 - 時間
473. 문제 - 問題
474. 상자 - ボックス
475. 책 - 本
476. 가방 - バッグ
477. 펜 - ペン
478. 열쇠 - 鍵
479. 서류 - 書類
480. 캐리어 - キャリア
481. 장난감 - おもちゃ

482. 바구니 - バスケット
483. 카트 - カート
484. 문 - ドア
485. 의자 - 椅子
486. 책장 - 本棚
487. 로프 - ロープ
488. 커튼 - カーテン
489. 끈 - ひも
490. 손잡이 - ハンドル
491. 방 - 部屋
492. 집 - ハウス
493. 회의실 - 会議室
494. 건물 - 建物
495. 영화관 - 映画館
496. 사무실 - オフィス
497. 도서관 - 図書館
498. 언덕 - ヒル
499. 계단 - 階段
500. 탑 - タワー
501. 산 - 山
502. 묻다 - 尋ねる
503. 나는 어제 길을 물었다. - 昨日は道を尋ねた。
504. 너는 지금 질문을 한다. - あなたは今質問をする。
505. 그는 내일 조언을 물을 것이다. - 彼は明日アドバイスを求めるでしょう。
506. 그녀는 무엇을 물어봤나요? - 彼女は何を尋ねたのですか？
507. 그녀는 시간을 물어봤습니다. - 彼女は時間を尋ねた。
508. 대답하다 - 答えるために
509. 나는 그의 질문에 대답했다. - 私は彼の質問に答えた。
510. 너는 지금 내 질문에 대답한다. - 私の質問に答えてください。
511. 그녀는 내일 문제에 대답할 것이다. - 彼女は明日その質問に答えるでしょう
512. 그들은 어떻게 대답했나요? - 彼らはどう答えたか？
513. 그들은 친절하게 대답했습니다. - 親切に答えてくれた。
514. 들다 - 持ち上げる
515. 나는 무거운 상자를 들었다. - 私は重い箱を持ち上げた。

516. 너는 지금 책을 든다. - あなたは今、本を運んでいます。
517. 그는 내일 가방을 들 것이다. - 彼は明日バッグを持ち上げるでしょう。
518. 그녀는 무엇을 들 수 있나요? - 彼女は何を持ち上げられますか？
519. 그녀는 큰 가방을 들 수 있습니다. - 彼女は大きなバッグを持ち上げることができる。
520. 놓다 - 置く
521. 나는 펜을 책상 위에 놓았다. - 私はペンを机の上に置いた。
522. 너는 지금 열쇠를 놓는다. - あなたは今鍵を置きます。
523. 그들은 내일 서류를 책상 위에 놓을 것이다. - 明日、机の上に書類を置くでしょう。
524. 그는 어디에 그것을 놓았나요? - 彼はどこに置いたのですか？
525. 그는 문 앞에 그것을 놓았습니다. - ドアの前に置いた。
526. 끌다 - 引きずる
527. 나는 캐리어를 끌었다. - 私はスーツケースを引きずった。
528. 너는 지금 장난감을 끈다. - あなたは今そのおもちゃを引きずっている。
529. 그녀는 내일 바구니를 끌 것이다. - 彼女は明日バスケットを引きずるでしょう。
530. 그들은 무엇을 끌었나요? - 彼らは何を引きずったのですか。
531. 그들은 작은 카트를 끌었습니다. - 彼らは小さな荷車を押した。
532. 밀다 - 押す
533. 나는 문을 밀었다. - 私はドアを押した。
534. 너는 지금 의자를 밀고 있다. - あなたは今椅子を押している。
535. 그는 내일 상자를 밀 것이다. - 彼は明日箱を押すでしょう。
536. 그녀는 어떤 것을 밀어야 하나요? - 彼女は何を押さなければならないのですか？
537. 그녀는 책장을 밀어야 합니다. - 彼女は本棚を押す必要がある。
538. 당기다 - 引っ張る
539. 나는 로프를 당겼다. - 私はロープを引いた。
540. 너는 지금 커튼을 당긴다. - あなたは今カーテンを引く。
541. 그들은 내일 끈을 당길 것이다. - 彼らは明日ひもを引くだろう。
542. 그는 무엇을 당겼나요? - 彼は何を引いたのですか？
543. 그는 문 손잡이를 당겼습니다. - 彼はドアの取っ手を引いた。
544. 들어가다 - 入る
545. 나는 방에 들어갔다. - 私は部屋に入った。

546. 너는 지금 집에 들어간다. - あなたは今家に入ります。
547. 그녀는 내일 회의실에 들어갈 것이다. - 彼女は明日会議室に入ります。
548. 그들은 언제 건물에 들어갔나요? - 彼らはいつ建物に入ったのですか。
549. 그들은 아침에 건물에 들어갔습니다. - 彼らは朝そのビルに入った。
550. 나오다 - 出て来る
551. 나는 어제 영화관에서 나왔다. - 私は昨日映画館から出てきました。
552. 너는 지금 사무실에서 나온다. - あなたは今オフィスから出てきました。
553. 그는 내일 도서관에서 나올 것이다. - 彼は明日図書館から出てきます。
554. 너는 어디에서 나왔나요? - あなたはどこから出てきましたか。
555. 나는 회의실에서 나왔습니다. - 会議室から出てきました。
556. 올라가다 - 登る
557. 나는 언덕을 올라갔다. - 私は丘を登った。
558. 너는 지금 계단을 올라간다. - あなたは今階段を上っています。
559. 우리는 내일 탑에 올라갈 것이다. - 私たちは明日塔に登ります。
560. 그들은 어디로 올라갔나요? - 彼らはどこへ登ったのですか？
561. 그들은 산으로 올라갔습니다. - 彼らは山に登った。
562. 7. 명사 단어들 외우기, 필수 10개 동사의 단어들을 가지고 50문장 연습하기 - 7.名詞の単語を覚え、10個の必須動詞の単語を使って50の文を練習する。
563. 지하 - 地下
564. 계단 - 階段
565. 지하철역 - 地下鉄の駅
566. 지하실 - 地下室
567. 자전거 - 自転車
568. 버스 - バス
569. 기차 - 電車
570. 배 - 船
571. 역 - 駅
572. 비행기 - 飛行機
573. 정류장 - 駅
574. 중앙 정류장 - 中央駅
575. 계약서 - 契約
576. 메뉴 - メニュー
577. 계획 - プラン
578. 문서 - ドキュメント

579. 보고서 - レポート
580. 미래 - 将来
581. 결정 - 決定
582. 직업 변경 - 転職
583. 대학 - 大学
584. 저녁 메뉴 - 夕食メニュー
585. 여행지 - 旅行先
586. 색깔 - 色
587. 파란색 - 青
588. 문제 - 問題
589. 어려움 - 難易度
590. 수수께끼 - なぞなぞ
591. 상황 - 状況
592. 팀워크 - チームワーク
593. 순간 - 瞬間
594. 날짜 - デート
595. 대화 - 会話
596. 숫자 - 番号
597. 전화번호 - 電話番号
598. 생일 - 誕生日
599. 약속 - 約束
600. 회의 - ミーティング
601. 회의 시간 - 待ち合わせ時間
602. 말 - 言葉
603. 소식 - ニュース
604. 기적 - 奇跡
605. 운명 - 運命
606. 내려가다 - 降りる
607. 나는 지하로 내려갔다. - 私は地下に降りた。
608. 너는 지금 계단을 내려간다. - あなたは今階段を降りている。
609. 그녀는 내일 지하철역으로 내려갈 것이다. - 彼女は明日地下鉄の駅に降りる。
610. 그는 어디로 내려갔나요? - 彼はどこへ降りて行ったのですか？
611. 그는 지하실로 내려갔습니다. - 彼は地下に行きました。

612. 타다 - 乗る
613. 나는 자전거를 탔다. - 私は自転車に乗った。
614. 너는 지금 버스를 탄다. - あなたは今バスに乗っています。
615. 그들은 내일 기차를 탈 것이다. - 明日は電車に乗ります。
616. 그녀는 무엇을 타고 싶어하나요? - 彼女は何に乗りたいのですか？
617. 그녀는 배를 타고 싶어합니다. - 彼女はボートに乗りたがっている。
618. 내리다 - 降りる
619. 나는 역에서 기차에서 내렸다. - 私は駅で電車を降りました。
620. 너는 지금 버스에서 내린다. - あなたは今すぐバスを降りなさい。
621. 그는 내일 비행기에서 내릴 것이다. - 彼は明日飛行機を降りる。
622. 그들은 어느 정류장에서 내렸나요? - 彼らはどの駅で降りましたか。
623. 그들은 중앙 정류장에서 내렸습니다. - 彼らは中央駅で降りました。
624. 살펴보다 - 目を通す
625. 나는 계약서를 살펴보았다. - 私は契約書に目を通した。
626. 너는 지금 메뉴를 살펴본다. - あなたは今メニューに目を通す。
627. 그녀는 내일 계획을 살펴볼 것이다. - 彼女は明日の計画に目を通すでしょう。
628. 그들은 어떤 문서를 살펴보고 있나요? - 彼らはどんな書類に目を通しているのですか？
629. 그들은 보고서를 살펴보고 있습니다. - 報告書に目を通しています。
630. 생각하다 - 考える
631. 나는 우리의 미래에 대해 생각했다. - 私たちの将来について考えていました。
632. 너는 지금 무엇에 대해 생각한다. - あなたは今何を考えているのですか。
633. 그는 내일 결정에 대해 생각할 것이다. - 彼は明日自分の決断について考えるだろう。
634. 그녀는 무엇에 대해 생각하고 있나요? - 彼女は何を考えているのですか？
635. 그녀는 직업 변경에 대해 생각하고 있습니다. - 彼女は転職について考えている。
636. 결정하다 - 決める
637. 나는 대학을 결정했다. - 大学を決めました。
638. 너는 지금 저녁 메뉴를 결정한다. - あなたは今夕食のメニューを決めています。
639. 그들은 내일 여행지를 결정할 것이다. - 彼らは明日の旅行先を決める。

640. 그는 어떤 색깔을 결정했나요? - 彼は何色に決めたのですか？
641. 그는 파란색을 결정했습니다. - 彼は青に決めた。
642. 해결하다 - 解決する
643. 나는 그 문제를 해결했다. - 私はその問題を解いた。
644. 너는 지금 어려움을 해결한다. - あなたは今その難問を解く。
645. 그녀는 내일 그 수수께끼를 해결할 것이다. - 彼女は明日その謎を解くだろう。
646. 그들은 어떻게 그 상황을 해결했나요? - 彼らはどうやってその状況を解決したのですか？
647. 그들은 팀워크로 해결했습니다. - チームワークで解決した。
648. 기억하다 - 思い出す
649. 나는 그 순간을 기억했다. - 私はその時のことを思い出しました。
650. 너는 지금 중요한 날짜를 기억한다. - あなたは今、重要な日付を覚えています。
651. 우리는 내일 그 대화를 기억할 것이다. - 明日、その会話を思い出そう。
652. 그녀는 어떤 숫자를 기억하나요? - 彼女は何番を覚えていますか？
653. 그녀는 그의 전화번호를 기억합니다. - 彼女は彼の電話番号を覚えている。
654. 잊다 - を忘れる
655. 나는 그의 생일을 잊었다. - 彼の誕生日を忘れてしまった。
656. 너는 지금 약속을 잊는다. - あなたは今約束を忘れています。
657. 그는 내일 중요한 회의를 잊을 것이다. - 彼は明日の重要な会合を忘れるでしょう。
658. 그들은 무엇을 잊어버렸나요? - 彼らは何を忘れたのですか？
659. 그들은 그 회의 시간을 잊어버렸습니다. - 彼らはその会議の時間を忘れた。
660. 믿다 - 信じる
661. 나는 그녀의 말을 믿었다. - 私は彼女の言葉を信じた。
662. 너는 지금 그 소식을 믿는다. - あなたは今ニュースを信じている。
663. 그들은 내일 기적을 믿을 것이다. - 彼らは明日の奇跡を信じるだろう。
664. 그는 무엇을 믿나요? - 彼は何を信じているのですか？
665. 그는 운명을 믿습니다. - 彼は運命を信じている。
666. 8. 명사 단어들 외우기, 필수 10개 동사의 단어들을 가지고 50문장 연습하기 - 8. 名詞の単語を覚え、10個の必須動詞の単語を使って50文練習する。
667. 말 - 単語
668. 소식 - ニュース

669. 계획 - 計画
670. 이야기 - ストーリー
671. 결과 - 結果
672. 평화 - 平和
673. 성공 - 成功
674. 미래 - 未来
675. 건강 - 健康
676. 안전 - 安全
677. 가족 - 家族
678. 행복 - 幸福
679. 세계 평화 - 世界平和
680. 차 - 車
681. 집 - 家
682. 여행 - 旅行
683. 시골 - 田舎
684. 활동 - 活動
685. 신호등 - 交通信号
686. 새벽 - 夜明け
687. 학교 - 学校
688. 아침 - 朝
689. 회사 - 会社
690. 목적지 - 目的地
691. 오후 - 午後
692. 편지 - 手紙
693. 메일 - 郵便
694. 선물 - ギフト
695. 친구 - 友人
696. 길 - 道
697. 강 - 川
698. 다리 - 足
699. 보트 - ボート
700. 과거 - 過去
701. 결정 - 決断
702. 무언가 - 何か

703. 의심하다 - 疑う
704. 나는 그의 말을 의심했다. - 彼の言葉を疑った。
705. 너는 지금 그 소식을 의심한다. - あなたは今、ニュースを疑っている。
706. 그는 내일 그 계획을 의심할 것이다. - 彼は明日、計画を疑うだろう。
707. 너는 왜 그를 의심하나요? - なぜ彼を疑うのですか？
708. 나는 그의 이야기가 일관되지 않기 때문입니다. - 彼の話に一貫性がないからだ。
709. 희망하다 - 望む
710. 나는 좋은 결과를 희망했다. - 私は良い結果を望んだ。
711. 너는 지금 평화를 희망한다. - あなたは今、平和を願っている。
712. 그들은 내일 성공을 희망할 것이다. - 彼らは明日の成功を願うだろう。
713. 우리는 무엇을 희망해야 하나요? - 私たちは何を願うべきか？
714. 우리는 더 나은 미래를 희망해야 합니다. - より良い未来を願うべきだ。
715. 기도하다 - 祈る
716. 나는 건강을 위해 기도했다. - 私は健康を祈った。
717. 너는 지금 안전을 기도한다. - あなたは今、安全を祈る。
718. 그녀는 내일 가족의 행복을 기도할 것이다. - 明日は家族の幸せを祈ります。
719. 너는 무엇을 위해 기도하나요? - あなたは何を祈りますか？
720. 나는 세계 평화를 위해 기도합니다. - 世界の平和を祈ります。
721. 운전하다 - 運転する
722. 나는 어제 차를 운전했다. - 私は昨日車を運転しました。
723. 너는 지금 집으로 운전한다. - あなたは今家まで運転します。
724. 그는 내일 여행을 운전할 것이다. - 彼は明日運転します。
725. 그녀는 어디로 운전해 가나요? - 彼女はどこへ向かって運転しているのですか。
726. 그녀는 시골로 운전해 갑니다. - 彼女は車で田舎へ行きます。
727. 멈추다 - 止まる
728. 나는 갑자기 멈췄다. - 私は急に止まった。
729. 너는 지금 멈춘다. - 今すぐ止めなさい。
730. 우리는 내일 활동을 멈출 것이다. - 私たちは明日活動を停止します。
731. 그들은 왜 멈췄나요? - なぜ彼らは止まったのですか？
732. 그들은 신호등에서 멈췄습니다. - 彼らは信号で止まった。
733. 출발하다 - 出発

734. 나는 새벽에 출발했다. - 私は夜明けに出発した。
735. 너는 지금 여행을 출발한다. - あなたは今旅に出ている。
736. 그녀는 내일 학교로 출발할 것이다. - 彼女は明日学校に出発します。
737. 그들은 언제 출발할 예정인가요? - 彼らはいつ出発する予定ですか。
738. 그들은 내일 아침에 출발할 예정입니다. - 彼らは明日の朝出発する予定です。
739. 도착하다 - 到着する
740. 나는 어젯밤에 도착했다. - 私は昨夜到着しました。
741. 너는 지금 회사에 도착한다. - あなたは今仕事に着きました。
742. 그들은 내일 목적지에 도착할 것이다. - 彼らは明日目的地に到着します。
743. 너는 언제 도착했나요? - いつ到着しましたか？
744. 나는 오후에 도착했습니다. - 午後に到着しました。
745. 보내다 - 送る
746. 나는 편지를 보냈다. - 手紙を送りました。
747. 너는 지금 메일을 보낸다. - あなたは今手紙を送ります。
748. 그는 내일 선물을 보낼 것이다. - 彼は明日プレゼントを送ります。
749. 우리는 누구에게 선물을 보내나요? - 私たちは誰にプレゼントを送りますか。
750. 우리는 친구에게 선물을 보냅니다. - 私たちは友人に贈り物を送ります。
751. 건너다 - 渡る
752. 나는 길을 건넜다. - 私は道を渡った。
753. 너는 지금 강을 건넌다. - あなたは今川を渡る。
754. 그녀는 내일 다리를 건널 것이다. - 彼女は明日橋を渡ります。
755. 당신들은 어떻게 강을 건넜나요? - どうやって川を渡ったのですか。
756. 우리는 보트를 이용해서 건넜습니다. - 船で渡りました。
757. 돌아보다 - 振り返る
758. 나는 뒤를 돌아보았다. - 私は振り返った。
759. 너는 지금 과거를 돌아본다. - あなたは今振り返る。
760. 우리는 내일 결정을 돌아볼 것이다. - 明日、私たちの決断を振り返ります。
761. 그녀는 왜 주저하며 돌아보나요? - なぜ彼女は振り返るのをためらうのか？
762. 그녀는 무언가를 잊었기 때문입니다. - 忘れ物をしたから。
763. 9. 명사 단어들 외우기, 필수 10개 동사의 단어들을 가지고 50문장 연습하기 - 9. 名詞の単語を覚え、10個の必須動詞の単語を使って50文の練習をする。
764. 위험 - 危険
765. 갈등 - 衝突

766. 교통 체증 - 渋滞
767. 논쟁 - 議論
768. 제품 - 製品
769. 가격 - 価格
770. 옵션 - オプション
771. 대학 프로그램 - 大学プログラム
772. 시험 - テスト
773. 발표 - プレゼンテーション
774. 파티 - パーティー
775. 저녁 식사 - ディナー
776. 방 - 部屋
777. 책상 - テーブル
778. 창고 - 収納
779. 서류 - ドキュメント
780. 자전거 - 自転車
781. 컴퓨터 - コンピューター
782. 시계 - 時計
783. 옥상 - 屋上
784. 신발 - シューズ
785. 문 - ドア
786. 안경 - 眼鏡
787. 자동차 - 自動車
788. 피아노 - ピアノ
789. 공 - ボール
790. 골프 - ゴルフ
791. 드럼 - ドラム
792. 돌 - 石
793. 종이비행기 - 紙飛行機
794. 나비 - 蝶
795. 물고기 - 魚
796. 꽃 - 花
797. 화분 - 鉢
798. 정원 - 庭
799. 피하다 - 避ける

800. 나는 위험을 피했다. - 私は危険を避けた。
801. 너는 지금 갈등을 피한다. - あなたは今、争いを避けている。
802. 그들은 내일 교통 체증을 피할 것이다. - 彼らは明日の渋滞を避けるだろう。
803. 그는 무엇을 피하려고 하나요? - 彼は何を避けようとしているのですか？
804. 그는 불필요한 논쟁을 피하려고 합니다. - 彼は不必要な口論を避けようとしている。
805. 비교하다 - 比較する
806. 나는 두 제품을 비교했다. - 私は2つの製品を比較した。
807. 너는 지금 가격을 비교한다. - あなたは今価格を比較する。
808. 그녀는 내일 옵션을 비교할 것이다. - 彼女は明日オプションを比較します。
809. 그들은 어떤 것들을 비교하나요? - 彼らはどんなことを比較するのですか？
810. 그들은 다양한 대학 프로그램을 비교합니다. - 彼らは異なる大学のプログラムを比較します。
811. 준비하다 - 準備する
812. 나는 시험을 준비했다. - 私はテストの準備をした。
813. 너는 지금 발표를 준비한다. - あなたは今プレゼンテーションの準備をします。
814. 우리는 내일 파티를 준비할 것이다. - 明日のパーティーの準備をします。
815. 그녀는 무엇을 준비하고 있나요? - 彼女は何を準備していますか。
816. 그녀는 저녁 식사를 준비하고 있습니다. - 彼女は夕食の準備をしている。
817. 정리하다 - 整理する
818. 나는 내 방을 정리했다. - 私は部屋を整理した。
819. 너는 지금 책상을 정리한다. - あなたは今机を整理しています。
820. 그들은 내일 창고를 정리할 것이다. - 彼らは明日倉庫を整理します。
821. 그는 언제 서류를 정리할까요? - 彼はいつ書類を整理するのですか。
822. 그는 이번 주말에 서류를 정리할 것입니다. - 彼は今週末に書類を整理します。
823. 수리하다 - 修理する
824. 나는 자전거를 수리했다. - 私は自転車を修理した。
825. 너는 지금 컴퓨터를 수리한다. - あなたは今コンピュータを修理しています。
826. 그녀는 내일 시계를 수리할 것이다. - 彼女は明日時計を修理します。
827. 그들은 무엇을 수리하고 있나요? - 彼らは何を修理しているのですか。
828. 그들은 옥상을 수리하고 있습니다. - 屋根を修理しています。

829. 고치다 - 修理する
830. 나는 신발을 고쳤다. - 私は靴を直した。
831. 너는 지금 문을 고친다. - あなたは今ドアを直してください。
832. 그는 내일 안경을 고칠 것이다. - 彼は明日眼鏡を直すでしょう。
833. 그녀는 언제 자동차를 고쳤나요? - 彼女はいつ車を直しましたか。
834. 그녀는 지난 주에 자동차를 고쳤습니다. - 彼女は先週車を直した。
835. 치다 - 弾く
836. 나는 피아노를 쳤다. - 私はピアノを弾いた。
837. 너는 지금 공을 친다. - あなたは今ボールを打ちました。
838. 그들은 내일 골프를 칠 것이다. - 彼らは明日ゴルフをします。
839. 너는 언제 드럼을 쳤나요? - いつドラムを叩きましたか。
840. 나는 어제 드럼을 쳤습니다. - 昨日ドラムを叩きました。
841. 던지다 - 投げる
842. 나는 공을 던졌다. - 私はボールを投げた。
843. 너는 지금 돌을 던진다. - あなたは今石を投げます。
844. 그는 내일 종이비행기를 던질 것이다. - 彼は明日紙飛行機を投げます。
845. 그녀는 무엇을 던졌나요? - 彼女は何を投げましたか？
846. 그녀는 공을 던졌어요. - 彼女はボールを投げた。
847. 잡다 - 捕まえる
848. 나는 나비를 잡았다. - 私は蝶を捕まえた。
849. 너는 지금 공을 잡는다. - あなたは今ボールをキャッチします。
850. 우리는 내일 물고기를 잡을 것이다. - 明日は魚を捕まえよう。
851. 그들은 무엇을 잡았나요? - 彼らは何を捕まえましたか？
852. 그들은 큰 물고기를 잡았어요. - 大きな魚を捕まえました。
853. 피다 - 花を咲かせる
854. 나는 꽃을 피웠다. - 私は花を咲かせました。
855. 너는 지금 화분에서 꽃이 피는 것을 본다. - 今、鉢の中で花が咲いているでしょう。
856. 그녀는 내일 정원에서 꽃을 피울 것이다. - 明日には庭に花が咲くでしょう。
857. 그들은 어디에서 꽃을 피웠나요? - どこで咲いたの？
858. 그들은 정원에서 꽃을 피웠어요. - 庭で咲きました。
859. 침대 - ベッド
860. 소파 - ソファ
861. 잔디밭 - 芝生

862. 꿈 - 夢
863. 몸 - 身体
864. 병 - ボトル
865. 물 - 水
866. 수프 - スープ
867. 차 - お茶
868. 친구들 - 友達
869. 파티 - パーティー
870. 모임 - ギャザリング
871. 공원 - 公園
872. 집 - 家
873. 여행 - 旅行
874. 학교 - 学校
875. 방 - 部屋
876. 비밀 - 秘密
877. 진실 - 真実
878. 이야기 - 物語
879. 서랍 - 引き出し
880. 책 - 本
881. 가방 - バッグ
882. 지갑 - 財布
883. 상자 - 箱
884. 선물 - ギフト
885. 편지 - 手紙
886. 눕다 - 横になる
887. 나는 일찍 누웠다. - 私は早く横になった。
888. 너는 지금 침대에 눕는다. - あなたは今ベッドで横になっています。
889. 그는 내일 소파에 누울 것이다. - 彼は明日ソファーで横になります。
890. 그녀는 어디에 누웠나요? - 彼女はどこで横になったのですか?
891. 그녀는 잔디밭에 누웠어요. - 彼女は芝生に横になった。
892. 꿈꾸다 - 夢を見る
893. 나는 행복한 꿈을 꿨다. - 私は幸せな夢を見た。
894. 너는 지금 꿈을 꾼다. - あなたは今夢を見ている。
895. 우리는 내일 큰 꿈을 꿀 것이다. - 明日は大きな夢を見よう。

896. 그들은 무슨 꿈을 꿨나요? - 彼らはどんな夢を見たのだろう？
897. 그들은 여행하는 꿈을 꿨어요. - 彼らは旅行を夢見ていた。
898. 움직이다 - 動く
899. 나는 천천히 움직였다. - 私はゆっくり動いた。
900. 너는 지금 몸을 움직인다. - あなたは今、体を動かしている。
901. 그들은 내일 더 빠르게 움직일 것이다. - 明日はもっと速く動くだろう。
902. 그녀는 왜 움직이지 않나요? - なぜ彼女は動かないのか？
903. 그녀는 피곤해서 움직이지 않아요. - 疲れているから動かないんだ。
904. 흔들다 - 揺らす
905. 나는 나무를 흔들었다. - 私は木を揺らした。
906. 너는 지금 의자를 흔든다. - あなたは今椅子を揺する。
907. 그는 내일 우산을 흔들 것이다. - 彼は明日傘を振るだろう。
908. 그들은 무엇을 흔들었나요? - 彼らは何を振ったのですか？
909. 그들은 병을 흔들었어요. - 彼らは瓶を振った。
910. 끓이다 - 沸騰させる
911. 나는 물을 끓였다. - 私はお湯を沸かした。
912. 너는 지금 수프를 끓인다. - あなたは今スープを沸かします。
913. 그녀는 내일 차를 끓일 것이다. - 彼女は明日お茶を沸かすでしょう。
914. 그들은 언제 물을 끓였나요? - 彼らはいつお湯を沸かしましたか。
915. 그들은 아침에 물을 끓였어요. - 朝にお湯を沸かしました。
916. 어울리다 - 仲良くする
917. 나는 친구들과 잘 어울렸다. - 私は友達と仲良くなった。
918. 너는 지금 파티에서 잘 어울린다. - あなたは今パーティーによく似合う。
919. 우리는 내일 모임에서 잘 어울릴 것이다. - 私たちは明日の集まりで仲良くなるでしょう。
920. 그들은 어디에서 어울렸나요? - 彼らはどこでつるんでいましたか？
921. 그들은 공원에서 잘 어울렸어요. - 彼らは公園で仲良くなった。
922. 떠나다 - 出発する
923. 나는 새벽에 떠났다. - 私は夜明けに出発した。
924. 너는 지금 집을 떠난다. - あなたは今家を出るところです。
925. 그는 내일 여행을 떠날 것이다. - 彼は明日旅に出ます。
926. 그녀는 언제 떠났나요? - 彼女はいつ出発したのですか。
927. 그녀는 어제 떠났어요. - 彼女は昨日出発しました。
928. 돌아오다 - 帰る

929. 나는 저녁에 돌아왔다. - 私は夕方帰って来ました。
930. 너는 지금 학교에서 돌아온다. - あなたは今学校から帰るところです。
931. 우리는 내일 여행에서 돌아올 것이다. - 明日旅行から戻ります。
932. 그들은 언제 돌아올까요? - 彼らはいつ帰りますか。
933. 그들은 내일 돌아올 거예요. - 明日戻ります。
934. 밝히다 - 点灯する
935. 나는 방에 불을 밝혔다. - 私は部屋の明かりをつけた。
936. 너는 지금 비밀을 밝힌다. - あなたは今秘密を明かします。
937. 그녀는 내일 진실을 밝힐 것이다. - 彼女は明日真実を明かすだろう。
938. 그는 왜 이야기를 밝혔나요? - なぜ彼はその話を明かしたのですか？
939. 그는 솔직하고 싶어서 밝혔어요. - 彼は正直に話したかったからだ。
940. 꺼내다 - 取り出す
941. 나는 서랍에서 책을 꺼냈다. - 私は引き出しから本を取り出した。
942. 너는 지금 가방에서 지갑을 꺼낸다. - バッグから財布を取り出しなさい。
943. 그는 내일 상자에서 선물을 꺼낼 것이다. - 彼は明日箱からプレゼントを取り出すでしょう。
944. 그녀는 무엇을 꺼냈나요? - 彼女は何を取り出したのですか？
945. 그녀는 편지를 꺼냈어요. - 彼女は手紙を取り出した。
946. 10. 명사 단어들 외우기, 필수 10개 동사의 단어들을 가지고 50문장 연습하기 - 10.名詞の単語を覚え、10の必須動詞の単語を使って50の文を練習する。
947. 상자 - 箱
948. 사진 - 絵
949. 서류 - 紙
950. 파일 - ファイル
951. 책 - 本
952. 책장 - 本棚
953. 서랍 - 引き出し
954. 신문 - 新聞
955. 컵 - コップ
956. 물건 - オブジェ
957. 저녁 - ディナー
958. 식탁 - 食卓
959. 아침 - 朝食
960. 식사 - 食事

961. 파티 - パーティー
962. 테이블 - テーブル
963. 정리 - オーガナイズ
964. 책상 - デスク
965. 방 - 部屋
966. 장난감 - おもちゃ
967. 친구 - 友人
968. 연필 - 鉛筆
969. 텐트 - テント
970. 선생님 - 先生
971. 돈 - お金
972. 도구 - 道具
973. 소식 - ニュース
974. 소리 - サウンド
975. 선물 - プレゼント
976. 밤 - ナイト
977. 시험 - テスト
978. 결과 - 結果発表
979. 발표 - アナウンス
980. 높은 - ハイ
981. 건강 - 健康
982. 여행 - 旅行
983. 날씨 - 天候
984. 메시지 - メッセージ
985. 넣다 - 挿入する
986. 나는 상자에 사진을 넣었다. - 写真を入れました。
987. 너는 지금 서류를 파일에 넣는다. - 書類をファイルに入れなさい。
988. 우리는 내일 책을 책장에 넣을 것이다. - 本は明日本棚に入れよう。
989. 그들은 어디에 넣었나요? - 彼らはどこに置いたの？
990. 그들은 서랍에 넣었어요. - 引き出しに入れました。
991. 버리다 - 捨てる
992. 나는 오래된 신문을 버렸다. - 私は古新聞を捨てた。
993. 너는 지금 깨진 컵을 버린다. - その割れたコップを捨てなさい。
994. 그는 내일 불필요한 물건을 버릴 것이다. - 彼は明日不要な物を捨てるで

しょう。
995. 그녀는 왜 그것을 버렸나요? - なぜ彼女はそれを捨てたのですか？
996. 그녀는 필요 없어서 버렸어요. - 彼女はそれを捨てた。
997. 차리다 - テーブルセッティング
998. 나는 저녁 식탁을 차렸다. - 私は夕食のテーブルセッティングをしました。
999. 너는 지금 아침 식사를 차린다. - あなたは今朝食を準備します。
1000. 우리는 내일 파티를 위해 테이블을 차릴 것이다. - 明日のパーティーのテーブルセッティングをします。
1001. 그들은 언제 식탁을 차렸나요? - 彼らはいつテーブルセッティングをしたのですか？
1002. 그들은 방금 차렸어요. - ちょうどテーブルをセットしたところです。
1003. 치우다 - 片付ける
1004. 나는 파티 후에 정리를 했다. - パーティーの後片付けをしました。
1005. 너는 지금 책상을 치운다. - あなたは今机を片付けています。
1006. 그녀는 내일 방을 치울 것이다. - 彼女は明日部屋を片付けるでしょう。
1007. 그들은 무엇을 치웠나요? - 彼らは何を片付けたのですか。
1008. 그들은 장난감을 치웠어요. - おもちゃを片づけました。
1009. 빌리다 - 借りる
1010. 나는 친구에게 책을 빌렸다. - 私は友達から本を借りました。
1011. 너는 지금 연필을 빌린다. - あなたは今鉛筆を借ります。
1012. 우리는 내일 텐트를 빌릴 것이다. - 明日テントを借ります。
1013. 그녀는 누구에게 빌렸나요? - 彼女は誰から借りましたか。
1014. 그녀는 선생님에게 빌렸어요. - 彼女は先生から借りました。
1015. 갚다 - 返す
1016. 나는 친구에게 돈을 갚았다. - 私は友達にお金を返した。
1017. 너는 지금 빌린 책을 갚는다. - 借りた本を今返しなさい。
1018. 그는 내일 빌린 도구를 갚을 것이다. - 彼は明日借りた道具を返します。
1019. 그들은 언제 갚을까요? - 彼らはいつ返すのですか。
1020. 그들은 내일 갚을 거예요. - 明日返すでしょう。
1021. 놀라다 - 驚く
1022. 나는 소식에 놀랐다. - 私はそのニュースに驚いた。
1023. 너는 지금 갑작스러운 소리에 놀란다. - あなたは今突然の音に驚いている。
1024. 그녀는 내일 깜짝 선물에 놀랄 것이다. - 彼女は明日その驚きに驚くだろ

う。
1025. 그는 왜 놀랐나요? - なぜ彼は驚いたのですか？
1026. 그는 선물을 받아서 놀랐어요. - 彼はプレゼントを受け取って驚いた。
1027. 두렵다 - おびえた
1028. 나는 어두운 밤이 두려웠다. - 私は暗い夜が怖かった。
1029. 너는 지금 시험 결과가 두렵다. - あなたは今試験の結果を恐れている。
1030. 우리는 내일 발표가 두려울 것이다. - 明日のプレゼンテーションが怖い。
1031. 그녀는 무엇이 두렵나요? - 彼女は何を恐れているのですか？
1032. 그녀는 높은 곳이 두려워요. - 彼女は高所恐怖症です。
1033. 걱정하다 - 心配する
1034. 나는 시험 결과를 걱정했다. - 試験の結果が心配です。
1035. 너는 친구의 건강을 걱정한다. - あなたは友人の健康を心配している。
1036. 그는 여행의 날씨를 걱정할 것이다. - 彼は旅行の天気を心配する。
1037. 걱정이 많나요? - あなたはよく心配しますか。
1038. 네, 걱정이 많아요. - はい、よく心配します。
1039. 안심하다 - 安心する
1040. 나는 메시지를 받고 안심했다. - 私はメッセージを受け取ってほっとした。
1041. 너는 결과를 듣고 안심한다. - 結果を聞いて安心した。
1042. 그녀는 확인 후 안심할 것이다. - 確認して安心した。
1043. 안심됐나요? - 安心しましたか？
1044. 네, 안심됐어요. - はい、安心しました。
1045. 11. 명사 단어들 외우기, 필수 10개 동사의 단어들을 가지고 50문장 연습하기 - 11.名詞の単語を覚え、10個の必須動詞の単語を使って50文練習する。
1046. 실수 - 間違い
1047. 지연 - 遅れ
1048. 문제 - 問題
1049. 친구 - 友達
1050. 아이 - 子供
1051. 동료 - 同僚
1052. 동생 - 兄弟姉妹
1053. 졸업 - 卒業式
1054. 생일 - 誕生日
1055. 성공 - 成功
1056. 도움 - ヘルプ

1057. 선생님 - 先生
1058. 지원 - サポート
1059. 오해 - 誤解
1060. 잘못 - 誤解
1061. 서류 - ドキュメント
1062. 파일 - ファイル
1063. 책 - 書籍
1064. 책장 - 本棚
1065. 돈 - お金
1066. 저금통 - 貯金箱
1067. 그릇 - ボウル
1068. 신문 - 新聞
1069. 옷 - 洋服
1070. 저녁 - 夕食
1071. 식탁 - 食卓
1072. 아침 - 朝食
1073. 식사 - 食事
1074. 파티 - パーティー
1075. 테이블 - テーブル
1076. 화내다 - 怒る
1077. 나는 실수를 하고 화냈다. - 私はミスをして怒った。
1078. 너는 지연에 화낸다. - 遅れて怒る
1079. 그들은 문제를 보고 화낼 것이다. - 問題を見て怒る
1080. 화났나요? - 怒っていますか？
1081. 네, 화났어요. - はい、怒っています。
1082. 달래다 - なだめるために
1083. 나는 친구를 달랬다. - 私は友人をなだめた。
1084. 너는 아이를 달랜다. - 子供をなだめる。
1085. 그녀는 동료를 달랠 것이다. - 同僚をなだめる。
1086. 달랐나요? - 違った？
1087. 네, 달랐어요. - はい、違いました。
1088. 축하하다 - 祝うために
1089. 나는 동생의 졸업을 축하했다. - 私は弟の卒業を祝った。
1090. 너는 친구의 생일을 축하한다. - 友人の誕生日を祝う。

1091. 우리는 성공을 축하할 것이다. - 私たちは成功を祝う。
1092. 축하할까요? - お祝いしましょうか？
1093. 네, 축하해요. - はい、お祝いしましょう。
1094. 감사하다 - 感謝する
1095. 나는 도움을 받고 감사했다. - 私は助けられ、感謝された。
1096. 너는 선생님께 감사한다. - 先生に感謝される。
1097. 그들은 지원에 감사할 것이다. - 感謝される。
1098. 감사해요? - あなたは感謝していますか？
1099. 네, 감사해요. - はい、感謝しています。
1100. 사과하다 - 謝罪する
1101. 나는 실수에 대해 사과했다. - 私は自分の間違いを謝罪した。
1102. 너는 지각에 대해 사과한다. - 遅刻したことを謝る。
1103. 그는 오해에 대해 사과할 것이다. - 彼は誤解を謝罪する。
1104. 사과할까요? - 謝りましょうか？
1105. 네, 사과해요. - はい、謝ります。
1106. 용서하다 - 許す
1107. 나는 친구의 실수를 용서했다. - 私は友人の過ちを許した。
1108. 너는 그의 잘못을 용서한다. - あなたは彼の過ちを許す。
1109. 그녀는 오해를 용서할 것이다. - 彼女は誤解を許すだろう。
1110. 용서할까요? - 許そうか？
1111. 네, 용서해요. - はい、許します。
1112. 선물하다 - 贈り物をする
1113. 나는 친구에게 선물을 했다. - 私は友人に贈り物をした。
1114. 너는 선생님께 선물한다. - あなたは先生に贈り物をする。
1115. 그들은 기념일에 선물할 것이다. - 彼らは記念日に贈り物をします。
1116. 선물할까요? - 贈り物をしましょうか。
1117. 네, 선물해요. - はい、贈り物をします。
1118. 넣다 - 入れる
1119. 나는 서류를 파일에 넣었다. - 私は書類をファイルに入れる。
1120. 너는 책을 책장에 넣는다. - あなたは本を本棚に入れる。
1121. 그는 돈을 저금통에 넣을 것이다. - 彼は貯金箱にお金を入れる。
1122. 넣을까요? - 入れましょうか。
1123. 네, 넣어요. - はい、入れてください。
1124. 버리다 - 捨てる

1125. 나는 깨진 그릇을 버렸다. - 私は割れた茶碗を捨てた。
1126. 너는 오래된 신문을 버린다. - あなたは古新聞を捨てます。
1127. 그녀는 사용하지 않는 옷을 버릴 것이다. - 彼女は使わない服を捨てます。
1128. 버릴까요? - 捨てましょうか。
1129. 네, 버려요. - はい、捨てます。
1130. 차리다 - テーブルセッティング
1131. 나는 저녁 식탁을 차렸다. - 私は夕食のテーブルセッティングをします。
1132. 너는 아침 식사를 차린다. - あなたは朝食の準備をします。
1133. 우리는 파티를 위해 테이블을 차릴 것이다. - パーティーのテーブルセッティングをします。
1134. 차릴까요? - テーブルセッティングをしましょうか？
1135. 네, 차려요. - はい、テーブルセッティングをしましょう。
1136. 12. 명사 단어들 외우기, 필수 10개 동사의 단어들을 가지고 50문장 연습하기 - 12. 名詞の単語を覚え、10の必須動詞の単語を使って50の文を練習する。
1137. 저녁 - 夕食
1138. 식사 - 食事
1139. 방 - 部屋
1140. 책상 - 机
1141. 이웃 - 隣人
1142. 사다리 - はしご
1143. 친구 - 友人
1144. 책 - 本
1145. 차 - 車
1146. 빚 - 借金
1147. 은행 - 銀行
1148. 대출 - ローン
1149. 돈 - お金
1150. 소식 - ニュース
1151. 소리 - サウンド
1152. 발표 - 発表
1153. 어둠 - 暗闇
1154. 높이 - 高さ
1155. 실패 - 失敗
1156. 시험 - テスト

1157. 결과 - 結果
1158. 여행 - 旅行
1159. 계획 - プランニング
1160. 답장 - 返信
1161. 확인 - チェック
1162. 해결 - 解く
1163. 지각 - 遅刻
1164. 실수 - ミス
1165. 지연 - 遅刻
1166. 아이 - 子供
1167. 동료 - 同僚
1168. 승진 - 昇進
1169. 성공 - 成功
1170. 기념일 - 記念日
1171. 치우다 - 片付ける
1172. 나는 저녁 식사 후에 정리했다. - 夕食の後片付けをした
1173. 너는 방을 치운다. - あなたは部屋を片付ける。
1174. 그는 책상을 치울 것이다. - 机の上を片付ける。
1175. 치울까요? - 片付けましょうか？
1176. 네, 치워요. - はい、片付けてください。
1177. 빌리다 - 借りる
1178. 나는 이웃에게 사다리를 빌렸다. - 私は隣人からはしごを借りました。
1179. 너는 친구에게 책을 빌린다. - あなたは友人から本を借ります。
1180. 그들은 차를 빌릴 것이다. - 車を借ります。
1181. 빌릴까요? - 借りましょうか。
1182. 네, 빌려요. - はい、借りましょう。
1183. 갚다 - 返済する
1184. 나는 친구에게 빚을 갚았다. - 私は友人に借金を返済した。
1185. 너는 은행에 대출을 갚는다. - あなたは銀行に借金を返します。
1186. 그는 돈을 갚을 것이다. - 彼がお金を返す。
1187. 갚을까요? - 彼に返そうか？
1188. 네, 갚아요. - はい、返済します。
1189. 놀라다 - 驚く
1190. 나는 소식을 듣고 놀랐다. - 私はその知らせを聞いて驚いた。

1191. 너는 갑작스러운 소리에 놀란다. - あなたは突然の音に驚いた。
1192. 그녀는 발표를 듣고 놀랄 것이다. - 彼女は発表を聞いて驚くだろう。
1193. 놀랐나요? - 驚きましたか？
1194. 네, 놀랐어요. - はい、驚きました。
1195. 두렵다 - おびえた
1196. 나는 어둠이 두려웠다. - 私は暗闇が怖かった。
1197. 너는 높이가 두렵다. - あなたは高いところが怖い。
1198. 그들은 실패가 두려울 것이다. - 失敗を恐れている
1199. 두려워요? - 怖いですか？
1200. 네, 두려워요. - はい、怖いです。
1201. 걱정하다 - 心配する
1202. 나는 시험을 걱정했다. - 私は試験が心配でした。
1203. 너는 결과를 걱정한다. - あなたは結果を心配する。
1204. 그는 여행 계획을 걱정할 것이다. - 彼は旅行の計画を心配する。
1205. 걱정이 많으세요? - とても心配ですか？
1206. 아니요, 조금요. - いいえ、少しです。
1207. 안심하다 - 安心する
1208. 나는 답장을 받고 안심했다. - 返事をもらってほっとした。
1209. 너는 확인하고 안심한다. - 確認が取れて安心した。
1210. 그녀는 해결되면 안심할 것이다. - 解決すれば彼女は安心するだろう。
1211. 안심됐어요? - あなたは安心しましたか？
1212. 네, 안심됐어요. - はい、安心しました。
1213. 화내다 - 怒る
1214. 나는 지각에 화냈다. - 私は遅刻に腹を立てている。
1215. 너는 실수에 화낸다. - あなたはミスに腹を立てている。
1216. 그는 지연에 화낼 것이다. - 彼は遅刻に腹を立てているでしょう。
1217. 화낼 거예요? - あなたは怒りますか？
1218. 아니요, 안 화낼래요. - いいえ、怒りません。
1219. 달래다 - なだめる
1220. 나는 울던 아이를 달랬다. - 私は泣いている子供をなだめた。
1221. 너는 친구를 달랜다. - あなたは友人をなだめるでしょう。
1222. 그녀는 동료를 달랠 것이다. - 彼女は同僚をなだめる。
1223. 달랠 수 있어요? - なだめてくれますか？
1224. 네, 달랠게요. - はい、なだめます。

1225. 축하하다 - 祝う
1226. 나는 승진을 축하했다. - 私は昇進を祝いました。
1227. 너는 성공을 축하한다. - あなたは成功を祝います。
1228. 우리는 기념일을 축하할 것이다. - 私たちは結婚記念日を祝います。
1229. 축하해줄까요? - お祝いしましょうか。
1230. 네, 축하해요. - はい、お祝いしましょう。
1231. 13. 명사 단어들 외우기, 필수 10개 동사의 단어들을 가지고 50문장 연습하기 - 13. 名詞の単語を覚え、10個の必須動詞の単語を使って50文練習する。
1232. 도움 - 助ける
1233. 지원 - サポート
1234. 협력 - 協力
1235. 잘못 - 間違い
1236. 실수 - 間違い
1237. 오해 - 誤解
1238. 거짓말 - 嘘
1239. 생일 - 誕生日
1240. 선물 - プレゼント
1241. 졸업 - 卒業生
1242. 책 - 本
1243. 운동 - ワークアウト
1244. 여행지 - 旅行先
1245. 조언 - アドバイス
1246. 조용 - 静かな
1247. 정리 - オーガナイズ
1248. 제출 - 提出する
1249. 흡연 - 喫煙
1250. 출입 - 出入り
1251. 사용 - 使用
1252. 요청 - リクエスト
1253. 출발 - 出発
1254. 참여 - 参加
1255. 제안 - 提案
1256. 초대 - 招待
1257. 감사하다 - 感謝

1258. 나는 도움에 감사했다. - お世話になりました。
1259. 너는 지원에 감사한다. - ご協力に感謝いたします。
1260. 그들은 협력에 감사할 것이다. - ご協力に感謝いたします。
1261. 감사드려도 돼요? - お礼を言ってもいいですか？
1262. 네, 감사해요. - はい、ありがとうございます。
1263. 사과하다 - 謝罪する
1264. 나는 잘못을 사과했다. - 私は自分の間違いを謝罪した。
1265. 너는 늦은 것에 사과한다. - 遅刻したことを謝る。
1266. 그는 실수에 대해 사과할 것이다. - 彼は自分のミスを謝ります。
1267. 사과해야 하나요? - 謝るべきですか？
1268. 네, 사과하세요. - はい、謝りましょう。
1269. 용서하다 - 許す
1270. 나는 실수를 용서했다. - 私はその間違いを許しました。
1271. 너는 오해를 용서한다. - あなたは誤解を許します。
1272. 그녀는 거짓말을 용서할 것이다. - 彼女は嘘を許すだろう。
1273. 용서해줄 수 있어요? - 私を許してくれますか？
1274. 네, 용서해요. - はい、許します。
1275. 선물하다 - プレゼントを贈る
1276. 나는 생일 선물을 했다. - 私は誕生日プレゼントを贈った。
1277. 너는 감사의 표시로 선물한다. - 感謝のしるしとして贈り物をする。
1278. 우리는 졸업 선물을 할 것이다. - 卒業祝いを贈ります。
1279. 선물 좋아하세요? - プレゼントは好きですか？
1280. 네, 좋아해요. - はい、好きです。
1281. 권하다 - 勧める
1282. 나는 책을 권했다. - 私は本を薦めた。
1283. 너는 운동을 권한다. - あなたは運動することを勧めます。
1284. 그는 여행지를 권할 것이다. - 旅行先を勧める。
1285. 추천해줄까요? - 何かおすすめしましょうか？
1286. 네, 추천해주세요. - はい、勧めてください。
1287. 요청하다 - お願いする
1288. 나는 도움을 요청했다. - 私は助けを求めた。
1289. 너는 조언을 요청한다. - アドバイスを求めます。
1290. 그들은 지원을 요청할 것이다. - サポートを求めます。
1291. 도와달라고 할까요? - 助けを求めましょうか。

1292. 네, 부탁해요. - はい、お願いします。
1293. 명령하다 - 命令する
1294. 나는 조용히 할 것을 명령했다. - 私はあなたに静かにするよう命じた。
1295. 너는 정리를 명령한다. - 片付けるように命じます。
1296. 그녀는 제출을 명령할 것이다. - 提出するよう命令する
1297. 명령할게요? - 命令しますか？
1298. 아니요, 괜찮아요. - いいえ、結構です。
1299. 금지하다 - 禁止する
1300. 나는 흡연을 금지했다. - 私は喫煙を禁じた。
1301. 너는 출입을 금지한다. - 立ち入りを禁止する。
1302. 그들은 사용을 금지할 것이다. - 使用を禁じます。
1303. 금지된 건가요? - 禁止ですか？
1304. 네, 금지예요. - はい、禁止されています。
1305. 허락하다 - 許可する
1306. 나는 요청을 허락했다. - 私は要求を許可した。
1307. 너는 출발을 허락한다. - 出て行くことを許可します。
1308. 우리는 참여를 허락할 것이다. - 参加許可を出します。
1309. 허락될까요? - 許可しましょうか？
1310. 네, 허락돼요. - はい、許可します。
1311. 거절하다 - 辞退する
1312. 나는 제안을 거절했다. - 私は申し出を断った。
1313. 너는 초대를 거절한다. - あなたは招待を断る。
1314. 그는 요청을 거절할 것이다. - 依頼を断る。
1315. 거절해도 돼요? - 辞退してもいいですか？
1316. 네, 괜찮아요. - はい、大丈夫です。
1317. 14. 명사 단어들 외우기, 필수 10개 동사의 단어들을 가지고 50문장 연습하기 - 14.名詞の単語を暗記し、10個の必須動詞の単語を使って50文を練習する。
1318. 계획 - 計画
1319. 의견 - 意見
1320. 제안 - 提案
1321. 결정 - 決定
1322. 방침 - 方針
1323. 정책 - 方針

1324. 새벽 - 夜明け
1325. 직원 - 従業員
1326. 파트너 - パートナー
1327. 규칙 - ルール
1328. 방법 - 方法
1329. 절차 - 手続き
1330. 여행 - 旅行
1331. 미래 - 未来
1332. 꿈 - 夢
1333. 경험 - 経験
1334. 상황 - 状況
1335. 권리 - 右
1336. 입장 - 入り口
1337. 문제 - 問題
1338. 해결책 - 解決策
1339. 중요성 - 重要性
1340. 필요성 - 必要性
1341. 안전 - 安全性
1342. 동의하다 - 同意する
1343. 나는 계획에 동의했다. - 私はその計画に同意した。
1344. 너는 의견에 동의한다. - あなたはその意見に同意する。
1345. 그녀는 제안에 동의할 것이다. - 彼女はその提案に同意するだろう。
1346. 동의할 수 있나요? - 同意できますか？
1347. 네, 동의해요. - はい、賛成です。
1348. 반대하다 - 反対する
1349. 나는 결정에 반대했다. - 私はその決定に反対しました。
1350. 너는 방침에 반대한다. - あなたはその政策に反対します。
1351. 우리는 정책에 반대할 것이다. - 政策に反対します。
1352. 반대해야 하나요? - 反対すべきか？
1353. 아니요, 고민해보세요. - いいえ、考えてください。
1354. 인사하다 - 挨拶する
1355. 나는 새벽에 인사했다. - 私は夜明けに挨拶をした。
1356. 너는 도착하자마자 인사한다. - 到着したら挨拶する。
1357. 그들은 만날 때 인사할 것이다. - 会えば挨拶をする。

1358. 인사드려도 될까요? - 挨拶してもいいですか？
1359. 네, 인사하세요. - はい、よろしくお願いします。
1360. 소개하다 - 紹介する
1361. 나는 친구를 소개했다. - 私は友人を紹介しました。
1362. 너는 새 직원을 소개한다. - あなたは新入社員を紹介します。
1363. 그는 파트너를 소개할 것이다. - 彼がパートナーを紹介します。
1364. 소개시켜줄까요? - 紹介しましょうか。
1365. 네, 소개해주세요. - はい、紹介してください。
1366. 설명하다 - 説明する
1367. 나는 규칙을 설명했다. - 私はルールを説明しました。
1368. 너는 방법을 설명한다. - 方法を説明してください。
1369. 그녀는 절차를 설명할 것이다. - 彼女が手順を説明します。
1370. 설명해드릴까요? - 説明しましょうか？
1371. 네, 부탁해요. - はい、お願いします。
1372. 이야기하다 - について話す
1373. 나는 여행에 대해 이야기했다. - 私は旅行について話した。
1374. 너는 계획에 대해 이야기한다. - あなたは計画について話す。
1375. 우리는 미래에 대해 이야기할 것이다. - 私たちは将来について話します。
1376. 이야기해볼까요? - 話しましょうか？
1377. 네, 해봐요. - ええ、そうしましょう。
1378. 묘사하다 - 描写する
1379. 나는 꿈을 묘사했다. - 私は夢を描写した。
1380. 너는 경험을 묘사한다. - あなたは経験を説明する。
1381. 그는 상황을 묘사할 것이다. - 彼はある状況を説明します。
1382. 묘사해줄 수 있어요? - あなたはそれを説明できますか？
1383. 네, 묘사할게요. - はい、説明します。
1384. 주장하다 - 主張する
1385. 나는 의견을 주장했다. - 私は意見を主張した。
1386. 너는 권리를 주장한다. - あなたは権利を主張する。
1387. 그녀는 입장을 주장할 것이다. - 彼女は立場を主張する。
1388. 주장할 건가요? - あなたは主張しますか？
1389. 네, 주장할래요. - はい、主張します。
1390. 논의하다 - 議論する
1391. 나는 문제를 논의했다. - 私はその問題について話し合った。

1392. 너는 계획을 논의한다. - あなたは計画について話し合う。
1393. 우리는 해결책을 논의할 것이다. - 私たちは解決策について話し合います。
1394. 논의해볼까요? - 話し合いましょうか。
1395. 네, 논의합시다. - はい、話し合いましょう。
1396. 강조하다 - 強調する
1397. 나는 중요성을 강조했다. - 私は重要性を強調した。
1398. 너는 필요성을 강조한다. - あなたは必要性を強調する。
1399. 그들은 안전을 강조할 것이다. - 彼らは安全を強調するでしょう。
1400. 강조해야 할까요? - 強調すべきですか？
1401. 네, 강조하세요. - はい、強調します。
1402. 15. 명사 단어들 외우기, 필수 10개 동사의 단어들을 가지고 50문장 연습하기 - 15.名詞の単語を覚え、10の必須動詞の単語を使って50の文を練習する。
1403. 지각 - 遅刻
1404. 실수 - ミス
1405. 불참 - 不出現
1406. 자료 - データ
1407. 책 - 本
1408. 문서 - ドキュメント
1409. 데이터 - データ
1410. 결과 - 結果
1411. 추세 - トレンド
1412. 길이 - 長さ
1413. 무게 - 重量
1414. 온도 - 気温
1415. 날씨 - 天候
1416. 경기 - 試合
1417. 스코어 - 得点
1418. 문제 - 問題
1419. 논의 - 議論
1420. 회의 - ミーティング
1421. 식당 - レストラン
1422. 영화 - 映画
1423. 여행지 - 旅行先
1424. 프로젝트 - プロジェクト

1425. 성능 - パフォーマンス
1426. 보고서 - レポート
1427. 계약서 - 契約書
1428. 제안 - プロポーザル
1429. 약속 - 約束
1430. 시간 - 時間
1431. 주소 - 住所
1432. 예약 - 予約
1433. 변명하다 - 言い訳する
1434. 나는 지각에 대해 변명했다. - 遅刻したことを言い訳した。
1435. 너는 실수에 대해 변명한다. - 自分のミスを言い訳する。
1436. 그는 불참에 대해 변명할 것이다. - 欠席の弁解をする。
1437. 변명할까요? - 言い訳しましょうか？
1438. 아니요, 솔직히 말해요. - いいえ、正直に言ってください。
1439. 분류하다 - 分類する
1440. 나는 자료를 분류했다. - 私は資料を分類した。
1441. 너는 책을 분류한다. - あなたは本を分類する。
1442. 그녀는 문서를 분류할 것이다. - 彼女は資料を分類する
1443. 분류해야 하나요? - 分類する必要がありますか？
1444. 네, 분류해주세요. - はい、分類してください。
1445. 분석하다 - 分析する
1446. 나는 데이터를 분석했다. - 私はデータを分析しました。
1447. 너는 결과를 분석한다. - あなたは結果を分析します。
1448. 우리는 추세를 분석할 것이다. - 傾向を分析します。
1449. 분석할까요? - 分析しましょうか。
1450. 네, 분석해 주세요. - はい、分析してください。
1451. 측정하다 - 測定する
1452. 나는 길이를 측정했다. - 私は長さを測りました。
1453. 너는 무게를 측정한다. - あなたは体重を測ってください。
1454. 그는 온도를 측정할 것이다. - 彼は温度を測ります。
1455. 크기 확인할까요? - サイズを確認しますか？
1456. 네, 확인해 주세요. - はい、確認してください。
1457. 예측하다 - 予測する
1458. 나는 날씨를 예측했다. - 私は天気を予想した。

1459. 너는 결과를 예측한다. - あなたは結果を予想する。
1460. 그녀는 경기 스코어를 예측할 것이다. - 彼女は試合のスコアを予想するでしょう。
1461. 미래 맞출 수 있나요? - あなたは未来を予想できますか？
1462. 아마도 가능할 거예요. - おそらくできます。
1463. 결론내다 - 結論として
1464. 나는 문제의 결론을 내렸다. - 私はこの問題を結論づけた。
1465. 너는 논의를 결론짓는다. - あなたは議論を終結させます。
1466. 우리는 회의를 결론낼 것이다. - 私たちはミーティングを終了します。
1467. 결론은 뭐예요? - 結論は何ですか？
1468. 곧 결정할 거예요. - もうすぐ決めます。
1469. 추천하다 - 推薦する
1470. 나는 좋은 식당을 추천했다. - 私はおいしいレストランを薦めた。
1471. 너는 영화를 추천한다. - あなたは映画を勧める。
1472. 그들은 여행지를 추천할 것이다. - 旅行先を薦める。
1473. 어디 가볼까요? - どこに行こうか？
1474. 이곳 추천해요. - 私はここをお勧めします。
1475. 평가하다 - 評価する
1476. 나는 프로젝트를 평가했다. - あるプロジェクトを評価した。
1477. 너는 성능을 평가한다. - あなたは業績を評価する。
1478. 당신들은 결과를 평가할 것이다. - あなたは結果を評価する。
1479. 어떻게 생각해요? - どう思う？
1480. 잘 했어요. - よくやった
1481. 검토하다 - レビューする
1482. 나는 보고서를 검토했다. - 報告書を見直しました。
1483. 너는 계약서를 검토한다. - あなたは契約書を見直します。
1484. 그는 제안을 검토할 것이다. - 彼は提案書を見直す。
1485. 다시 볼까요? - もう一度見ますか？
1486. 네, 확인해요. - はい、確認しましょう。
1487. 확인하다 - 確認する
1488. 나는 약속 시간을 확인했다. - 約束の時間を確認しました。
1489. 너는 주소를 확인한다. - 住所を確認してください。
1490. 그녀는 예약을 확인할 것이다. - 彼女が予約を確認します。
1491. 맞는지 봐줄래요? - 確認できますか？

1492. 네, 볼게요. - はい、確認します。
1493. 16. 명사 단어들 외우기, 필수 10개 동사의 단어들을 가지고 50문장 연습하기 - 16.名詞の単語を覚え、10の必須動詞の単語を使って50の文を練習する。
1494. 카페 - カフェ
1495. 비밀 - 秘密
1496. 보물 - 宝物
1497. 별 - スター
1498. 행동 - アクション
1499. 자연 - ネイチャー
1500. 실수 - 間違い
1501. 장점 - 強さ
1502. 성과 - 功績
1503. 의견 - 意見
1504. 규칙 - ルール
1505. 문화 - 文化
1506. 친구 - 友人
1507. 선생님 - 先生
1508. 고객 - 顧客
1509. 메시지 - メッセージ
1510. 소식 - ニュース
1511. 선물 - ギフト
1512. 결과 - 結果
1513. 상황 - 状況
1514. 진행 - 進捗状況
1515. 질문 - 質問
1516. 요청 - リクエスト
1517. 초대 - 招待
1518. 놀람 - サプライズ
1519. 기쁨 - 喜び
1520. 감사함 - 感謝
1521. 문제 - 問題
1522. 도전 - 挑戦
1523. 위기 - 危機
1524. 발견하다 - 発見する

1525. 나는 새로운 카페를 발견했다. - 新しいカフェを発見した。
1526. 너는 비밀을 발견한다. - あなたは秘密を発見する。
1527. 그들은 보물을 발견할 것이다. - 宝物を発見する。
1528. 뭔가 찾았어요? - 何か見つけた？
1529. 네, 발견했어요. - はい、発見しました。
1530. 관찰하다 - 観察する
1531. 나는 별을 관찰했다. - 私は星を観察した。
1532. 너는 행동을 관찰한다. - あなたは行動を観察する。
1533. 우리는 자연을 관찰할 것이다. - 自然を観察する。
1534. 봐도 돼요? - 見てもいいですか？
1535. 네, 같이 봐요. - はい、一緒に見ましょう。
1536. 인정하다 - 認める
1537. 나는 실수를 인정했다. - 私は間違いを認めました。
1538. 너는 장점을 인정한다. - あなたは功績を認める。
1539. 그녀는 성과를 인정할 것이다. - 彼女は功績を認める。
1540. 맞아요? - そうなのか？
1541. 네, 인정해요. - はい、認めます。
1542. 존중하다 - 尊敬する
1543. 나는 상대방의 의견을 존중했다. - 私は相手の意見を尊重した。
1544. 너는 규칙을 존중한다. - ルールを尊重します。
1545. 우리는 문화를 존중할 것이다. - 文化を尊重します。
1546. 존중하는 거 맞죠? - 私たちは尊重しますよね？
1547. 네, 맞아요. - はい、尊重します。
1548. 연락하다 - 連絡する
1549. 나는 친구에게 연락했다. - 友達に連絡しました。
1550. 너는 선생님에게 연락한다. - 先生に連絡します。
1551. 그들은 고객에게 연락할 것이다. - 彼らはお客さんに連絡します。
1552. 연락할까요? - 連絡しましょうか。
1553. 네, 해주세요. - はい、お願いします。
1554. 전달하다 - 転送する
1555. 나는 메시지를 전달했다. - メッセージを転送しました。
1556. 너는 소식을 전달한다. - あなたがニュースを届けてください。
1557. 그녀는 선물을 전달할 것이다. - 彼女が贈り物を届けます。
1558. 전해드려야 하나요? - 私が届けましょうか？

1559. 네, 부탁해요. - はい、お願いします。
1560. 보고하다 - 報告する
1561. 나는 결과를 보고했다. - 私は結果を報告しました。
1562. 너는 상황을 보고한다. - あなたは状況を報告する。
1563. 당신들은 진행 상황을 보고할 것이다. - 進捗状況を報告してください。
1564. 알려줘야 해요? - 知らせるべきですか？
1565. 네, 알려주세요. - はい、お知らせください。
1566. 회답하다 - 答える
1567. 나는 질문에 회답했다. - 質問に答えました。
1568. 너는 요청에 회답한다. - あなたは依頼に答えます。
1569. 그는 초대에 회답할 것이다. - 招待に答えるでしょう。
1570. 답할 수 있어요? - お答えいただけますか？
1571. 네, 할게요. - はい、お答えします。
1572. 반응하다 - 反応する
1573. 나는 놀람으로 반응했다. - 私は驚いて反応した。
1574. 너는 기쁨으로 반응한다. - あなたは喜びで反応する。
1575. 그녀는 감사함으로 반응할 것이다. - 彼女は感謝で反応するでしょう。
1576. 기뻐해야 할까요? - 喜ぶべきか？
1577. 네, 기뻐하세요. - そうだ、喜べ。
1578. 대응하다 - 反応する
1579. 나는 문제에 대응했다. - 私は問題に反応した。
1580. 너는 도전에 대응한다. - あなたは挑戦に反応する。
1581. 우리는 위기에 대응할 것이다. - 私たちは危機に対応する。
1582. 준비됐나요? - 準備はできているか？
1583. 네, 준비됐어요. - はい、準備はできています。
1584. 17. 명사 단어들 외우기, 필수 10개 동사의 단어들을 가지고 50문장 연습하기 - 17.名詞の単語を覚え、10の必須動詞の単語を使って50の文を練習する。
1585. 아이 - 子供
1586. 반려동물 - ペット
1587. 정원 - 庭
1588. 짐 - 負荷
1589. 우산 - 傘
1590. 선물 - ギフト
1591. 여행 - 旅行

1592. 파티 - パーティー
1593. 프로젝트 - プロジェクト
1594. 팀 - チーム
1595. 메뉴 - メニュー
1596. 위원회 - 委員会
1597. 모임 - クラス
1598. 대회 - コンペティション
1599. 이벤트 - イベント
1600. 계획 - 企画
1601. 명령 - コマンド
1602. 작전 - 作戦
1603. 약속 - 約束
1604. 규칙 - ルール
1605. 수업 - クラス
1606. 회의 - ミーティング
1607. 활동 - 活動
1608. 캠페인 - キャンペーン
1609. 박물관 - 美術館
1610. 친구 집 - 友人宅
1611. 병원 - 病院
1612. 돌보다 - 世話をする
1613. 나는 아이를 돌보았다. - 私は子供の世話をした。
1614. 너는 반려동물을 돌본다. - ペットの世話をする。
1615. 그들은 정원을 돌볼 것이다. - 庭の世話をする。
1616. 잘 지내나요? - 彼らはどうしていますか？
1617. 네, 잘 지내요. - はい、元気です。
1618. 챙기다 - 荷造りをする
1619. 나는 짐을 챙겼다. - 私は荷物を詰めた。
1620. 너는 우산을 챙긴다. - あなたは傘を詰めてください。
1621. 그녀는 선물을 챙길 것이다. - 彼女はお土産を詰めます。
1622. 필요한 거 있어요? - 何か必要なものはありますか？
1623. 아니요, 다 챙겼어요. - いや、全部詰めたよ。
1624. 계획하다 - 計画する
1625. 나는 여행을 계획했다. - 私は旅行を計画した。

1626. 너는 파티를 계획한다. - あなたはパーティーを計画する。
1627. 우리는 프로젝트를 계획할 것이다. - 私たちはプロジェクトを計画する。
1628. 언제 시작할까요? - いつ始めるの？
1629. 곧 시작해요. - もうすぐ始めます。
1630. 구성하다 - 組織する
1631. 나는 팀을 구성했다. - 私はチームを組織した。
1632. 너는 메뉴를 구성한다. - あなたはメニューを組織する。
1633. 그들은 위원회를 구성할 것이다. - 彼らは委員会を組織する。
1634. 누가 포함되나요? - 誰が参加するのですか？
1635. 모두 포함될 거예요. - 全員です。
1636. 조직하다 - 組織する
1637. 나는 모임을 조직했다. - 私は会議を組織した。
1638. 너는 대회를 조직한다. - あなたは大会を組織する。
1639. 우리는 이벤트를 조직할 것이다. - 私たちはイベントを企画します。
1640. 준비됐어요? - 準備はできていますか？
1641. 네, 준비됐습니다. - はい、準備はできています。
1642. 실행하다 - 実行する
1643. 나는 계획을 실행했다. - 私は計画を実行した。
1644. 너는 명령을 실행한다. - あなたは命令を実行する。
1645. 그는 작전을 실행할 것이다. - 彼は作戦を実行する。
1646. 진행할까요? - 進めようか？
1647. 네, 시작해요. - はい、始めましょう。
1648. 실천하다 - 実践する
1649. 나는 약속을 실천했다. - 私は約束を実践した。
1650. 너는 규칙을 실천한다. - あなたはルールを実践する。
1651. 그녀는 계획을 실천할 것이다. - 彼女は計画を実行する。
1652. 지키고 있나요? - 守っていますか？
1653. 네, 지키고 있어요. - はい、守っています。
1654. 참가하다 - 大会に参加する
1655. 나는 대회에 참가했다. - 私は大会に参加した。
1656. 너는 수업에 참가한다. - あなたはクラスに参加します。
1657. 그들은 회의에 참가할 것이다. - 大会に参加します。
1658. 가입할 수 있나요? - 参加できますか？
1659. 네, 가능해요. - はい、できます。

1660. 참여하다 - 参加する
1661. 나는 프로젝트에 참여했다. - 私はプロジェクトに参加しました。
1662. 너는 활동에 참여한다. - あなたは活動に参加します。
1663. 우리는 캠페인에 참여할 것이다. - キャンペーンに参加する。
1664. 도울까요? - 手伝いますか？
1665. 네, 도와주세요. - はい、お手伝いください。
1666. 방문하다 - 訪問する
1667. 나는 박물관을 방문했다. - 私は美術館を訪れました。
1668. 너는 친구 집을 방문한다. - あなたは友人の家を訪問する。
1669. 그는 병원을 방문할 것이다. - 彼は病院を訪ねます。
1670. 언제 갈까요? - いつ行くの？
1671. 이번 주말에 가요. - 今週末に行きます。
1672. 18. 명사 단어들 외우기, 필수 10개 동사의 단어들을 가지고 50문장 연습하기 - 18. 名詞の単語を覚え、10個の必須動詞の単語を使った50の文を練習する。
1673. 전시회 - 展覧会
1674. 영화 - 映画
1675. 공연 - ショー
1676. 도시 - 都市
1677. 명소 - 観光スポット
1678. 섬 - 島
1679. 유럽 - ヨーロッパ
1680. 국내 여행 - 国内旅行
1681. 아시아 - アジア
1682. 숲 - 森
1683. 동굴 - 洞窟
1684. 사막 - 砂漠
1685. 연구 결과 - 成果
1686. 프로젝트 - プロジェクト
1687. 계획 - 計画
1688. 연극 - 劇場
1689. 무대 - ステージ
1690. 콘서트 - コンサート
1691. TV 프로그램 - テレビ番組

1692. 드라마 - ドラマ
1693. 피아노 - ピアノ
1694. 기타 - その他
1695. 바이올린 - ヴァイオリン
1696. 친구 결혼식 - 友人の結婚式
1697. 샤워실 - シャワールーム
1698. 가라오케 - カラオケ
1699. 파티 - パーティー
1700. 클럽 - クラブ
1701. 축제 - お祭り
1702. 관람하다 - 観る
1703. 나는 전시회를 관람했다. - 展覧会に行く
1704. 너는 영화를 관람한다. - 映画を見に行く
1705. 그녀는 공연을 관람할 것이다. - コンサートに行くでしょう。
1706. 좋았나요? - 良かったですか？
1707. 네, 멋졌어요. - ええ、素晴らしかったです。
1708. 관광하다 - 観光する
1709. 나는 도시를 관광했다. - 私は街を観光しました。
1710. 너는 명소를 관광한다. - あなたは観光する。
1711. 그들은 섬을 관광할 것이다. - 彼らは島を観光する。
1712. 재밌었나요? - 楽しかったですか？
1713. 네, 정말 재밌었어요. - はい、とても楽しかったです。
1714. 여행하다 - 旅行する
1715. 나는 유럽을 여행했다. - ヨーロッパを旅行しました。
1716. 너는 지금 국내 여행을 한다. - あなたは今、国内旅行をしています。
1717. 그는 내일 아시아로 여행할 것이다. - 明日はアジアに旅行します。
1718. 어디로 가고 싶어요? - どこに行きたい？
1719. 제주도로 가고 싶어요. - 済州島に行きたい。
1720. 탐험하다 - 探検する
1721. 나는 숲을 탐험했다. - 私は森を探検した。
1722. 너는 지금 동굴을 탐험한다. - あなたは今洞窟を探検する。
1723. 그들은 내일 사막을 탐험할 것이다. - 彼らは明日砂漠を探検する。
1724. 무엇을 찾고 있나요? - 何を探しているの？
1725. 보물을 찾고 있어요. - 宝物を探しているんだ。

1726. 발표하다 - 発表する
1727. 나는 연구 결과를 발표했다. - 私は研究結果を発表した。
1728. 너는 지금 프로젝트를 발표한다. - あなたは今プロジェクトを発表している。
1729. 그녀는 내일 계획을 발표할 것이다. - 彼女は明日自分の計画を発表します。
1730. 언제 발표해요? - 彼女はいつ発表するのですか。
1731. 오후 3시에 발표해요. - 午後3時に発表します。
1732. 공연하다 - 上演する
1733. 나는 연극을 공연했다. - 私は劇を上演しました。
1734. 너는 지금 무대에서 공연한다. - あなたは今舞台に立っています。
1735. 우리는 내일 콘서트를 공연할 것이다. - 明日はコンサートをします。
1736. 무슨 공연이에요? - どんなコンサートですか？
1737. 뮤지컬 공연이에요. - 音楽の演奏です。
1738. 출연하다 - テレビ番組に出演する
1739. 나는 TV 프로그램에 출연했다. - 私はテレビ番組に出演しました。
1740. 너는 지금 영화에 출연한다. - あなたは今映画に出演しています。
1741. 그는 내일 드라마에 출연할 것이다. - 明日はソープオペラに出演します。
1742. 어디에 나와요? - どこに出演していますか？
1743. TV에서 나와요. - テレビに出ています。
1744. 연주하다 - 演奏する
1745. 나는 피아노를 연주했다. - 私はピアノを弾いていました。
1746. 너는 지금 기타를 연주한다. - 今はギターを弾いていますね。
1747. 그녀는 내일 바이올린을 연주할 것이다. - 明日はバイオリンを弾きます。
1748. 어떤 악기를 다루나요? - あなたは何の楽器を弾きますか？
1749. 바이올린을 다루요. - 私はバイオリンを弾きます。
1750. 노래하다 - 歌う
1751. 나는 친구 결혼식에서 노래했다. - 友人の結婚式で歌いました。
1752. 너는 지금 샤워실에서 노래한다. - あなたは今シャワーを浴びながら歌っています。
1753. 우리는 내일 가라오케에서 노래할 것이다. - 明日はカラオケで歌います。
1754. 좋아하는 노래 있어요? - 好きな歌はありますか？
1755. 네, 많아요. - はい、たくさんあります。
1756. 춤추다 - 踊る

1757. 나는 파티에서 춤췄다. - 私はパーティーで踊りました。
1758. 너는 지금 클럽에서 춤춘다. - あなたは今クラブで踊っています。
1759. 그들은 내일 축제에서 춤출 것이다. - 明日のフェスティバルで踊るんだ。
1760. 어떤 춤을 추나요? - どんなダンスをするんですか？
1761. 힙합을 춰요. - ヒップホップを踊ります。
1762. 19. 명사 단어들 외우기, 필수 10개 동사의 단어들을 가지고 50문장 연습하기 - 19.名詞の単語を覚え、10の必須動詞の単語を使って50の文を練習する。
1763. 풍경화 - 風景
1764. 초상화 - 肖像画
1765. 벽화 - 壁画
1766. 바다 - 海
1767. 보고서 - レポート
1768. 이메일 - メール
1769. 계약서 - 契約
1770. 일기 - 日記
1771. 회의 내용 - 打ち合わせ内容
1772. 실험 결과 - 実験結果
1773. 사진 - 写真
1774. 컴퓨터 - コンピュータ
1775. 문서 - ドキュメント
1776. 데이터 - データ
1777. 클라우드 - クラウド
1778. 중요 문서 - 重要文書
1779. 파일 - ファイル
1780. 앱 - アプリ
1781. 음악 - 音楽
1782. 소프트웨어 - ソフトウェア
1783. 소셜 미디어 - ソーシャルメディア
1784. 비디오 - ビデオ
1785. 웹사이트 - ウェブサイト
1786. 프로그램 - プログラム
1787. 게임 - ゲーム
1788. 바이러스 - ウイルス
1789. 악성 소프트웨어 - 悪意のあるソフトウェア

1790. 오류 - エラー
1791. 그리다 - 描く
1792. 나는 풍경화를 그렸다. - 風景画を描きました。
1793. 너는 지금 초상화를 그린다. - あなたは今肖像画を描く。
1794. 그녀는 내일 벽화를 그릴 것이다. - 彼女は明日壁画を描く。
1795. 무엇을 그리고 싶어요? - 何を描きたい？
1796. 바다를 그리고 싶어요. - 海を描きたい。
1797. 작성하다 - 書く
1798. 나는 보고서를 작성했다. - 私はレポートを書きました。
1799. 너는 지금 이메일을 작성한다. - あなたは今メールを書きます。
1800. 그는 내일 계약서를 작성할 것이다. - 彼は明日契約書を書きます。
1801. 언제 끝낼 수 있어요? - いつ書けますか。
1802. 한 시간 안에 끝낼 수 있어요. - 1時間以内に終わります。
1803. 기록하다 - 記録する
1804. 나는 일기를 기록했다. - 私は日記を記録しました。
1805. 너는 지금 회의 내용을 기록한다. - あなたは今会議を記録している。
1806. 그들은 내일 실험 결과를 기록할 것이다. - 明日実験結果を記録します。
1807. 기록 필요해요? - 記録する必要がありますか？
1808. 네, 필요해요. - はい、必要です。
1809. 저장하다 - 保存する
1810. 나는 사진을 컴퓨터에 저장했다. - 写真をコンピューターに保存しました。
1811. 너는 지금 문서를 저장한다. - あなたは今その文書を保存します。
1812. 그녀는 내일 데이터를 클라우드에 저장할 것이다. - 彼女は明日データをクラウドに保存します。
1813. 어디에 저장할까요? - 彼女はどこに保存しますか？
1814. 클라우드에 저장해요. - クラウドに。
1815. 복사하다 - コピーする
1816. 나는 중요 문서를 복사했다. - 重要な文書をコピーしました。
1817. 너는 지금 사진을 복사한다. - あなたは今写真をコピーしてください。
1818. 그는 내일 파일을 복사할 것이다. - 彼は明日ファイルをコピーする。
1819. 몇 부 복사해야 하나요? - 何枚コピーすればいいですか？
1820. 3부 복사해 주세요. - 3部コピーしてください。
1821. 삭제하다 - 削除する
1822. 나는 오래된 이메일을 삭제했다. - 古いメールを削除しました。

1823. 너는 지금 불필요한 파일을 삭제한다. - 不要なファイルを削除してください。
1824. 그녀는 내일 앱을 삭제할 것이다. - 彼女は明日アプリを削除します。
1825. 지울까요? - 削除しましょうか？
1826. 네, 지워주세요. - はい、削除してください。
1827. 다운로드하다 - ダウンロードする
1828. 나는 음악을 다운로드했다. - 音楽をダウンロードしました。
1829. 너는 지금 앱을 다운로드한다. - アプリをダウンロードしてください。
1830. 우리는 내일 소프트웨어를 다운로드할 것이다. - ソフトは明日ダウンロードします。
1831. 어떤 앱을 받을까요? - どのアプリを買えばいいですか？
1832. 최신 버전 받아요. - 最新版が欲しい。
1833. 업로드하다 - アップロードする
1834. 나는 사진을 소셜 미디어에 업로드했다. - ソーシャルメディアに写真をアップロードしました。
1835. 너는 지금 비디오를 업로드한다. - 今ビデオをアップロードしています。
1836. 그는 내일 문서를 웹사이트에 업로드할 것이다. - 明日、文書をウェブサイトにアップロードするそうです。
1837. 지금 올릴까요? - 今アップロードしますか？
1838. 네, 올려주세요. - はい、アップロードしてください。
1839. 설치하다 - インストールする
1840. 나는 프로그램을 설치했다. - プログラムをインストールしました。
1841. 너는 지금 게임을 설치한다. - 今すぐゲームをインストールしてください。
1842. 그녀는 내일 앱을 설치할 것이다. - 彼女は明日アプリをインストールします。
1843. 설치 도와드릴까요? - インストールを手伝いましょうか？
1844. 네, 부탁드려요. - はい、お願いします。
1845. 제거하다 - 削除する
1846. 나는 바이러스를 제거했다. - ウイルスを削除しました。
1847. 너는 지금 악성 소프트웨어를 제거한다. - 今すぐ悪意のあるソフトウェアを削除してください。
1848. 그들은 내일 오류를 제거할 것이다. - 明日にはエラーを取り除いてくれるでしょう。
1849. 제거 시작할까요? - 削除を開始しますか？

1850. 네, 시작해주세요. - はい、始めてください。
1851. 20. 명사 단어들 외우기, 필수 10개 동사의 단어들을 가지고 50문장 연습하기 - 20.名詞の単語を覚え、10の必須動詞の単語を使って50の文を練習する。
1852. 시스템 - システム
1853. 소프트웨어 - ソフトウェア
1854. 앱 - アプリ
1855. 휴대폰 - 携帯電話
1856. 노트북 - ノートパソコン
1857. 전기차 - 電気自動車
1858. 배터리 - バッテリー
1859. 기기 - デバイス
1860. 시계 - 時計
1861. 타이어 - タイヤ
1862. 필터 - フィルター
1863. 창문 - 窓
1864. 문서 - ドキュメント
1865. 오류 - エラー
1866. 계획 - 計画
1867. 보고서 - レポート
1868. 아이디어 - アイデア
1869. 작업 환경 - 作業環境
1870. 프로세스 - プロセス
1871. 제품 - 製品
1872. 데이터 - データ
1873. 파일 - ファイル
1874. 건강 - 健康
1875. 체력 - 健康
1876. 신뢰 - 信頼
1877. 상처 - 傷
1878. 마음 - 心
1879. 관계 - 関係
1880. 업데이트하다 - 更新する
1881. 나는 시스템을 업데이트했다. - 私はシステムをアップデートした。
1882. 너는 지금 소프트웨어를 업데이트한다. - あなたは今ソフトウェアをアップ

デートする。
1883. 그는 내일 앱을 업데이트할 것이다. - 明日、アプリをアップデートするそうです。
1884. 지금 업데이트해야 하나요? - 今アップデートすべきですか？
1885. 네, 해야 해요. - はい、そうすべきです。
1886. 충전하다 - 充電する
1887. 나는 휴대폰을 충전했다. - 携帯電話を充電しました。
1888. 너는 노트북을 충전한다. - あなたはノートパソコンを充電します。
1889. 그는 전기차를 충전할 것이다. - 彼は電気自動車を充電します。
1890. 충전할까? - 充電しましょうか。
1891. 네, 해. - はい、しましょう。
1892. 방전하다 - 放電する
1893. 나는 배터리가 방전됐다. - 電池が切れました。
1894. 너는 기기가 방전된다. - 放電してください。
1895. 그녀는 시계가 방전될 것이다. - 時計を放電します。
1896. 방전됐어? - 放電していますか？
1897. 네, 됐어. - はい、電池切れです。
1898. 교체하다 - 交換する
1899. 나는 타이어를 교체했다. - 私はタイヤを交換しました。
1900. 너는 필터를 교체한다. - フィルターを交換してください。
1901. 그들은 창문을 교체할 것이다. - 窓を交換するそうです。
1902. 교체할까? - 交換しましょうか。
1903. 네, 교체해. - はい、交換してください。
1904. 수정하다 - を訂正する
1905. 나는 문서를 수정했다. - 文書を訂正しました。
1906. 너는 오류를 수정한다. - あなたが訂正してください。
1907. 그녀는 계획을 수정할 것이다. - 彼女は計画を修正します。
1908. 수정할까? - 訂正しましょうか？
1909. 네, 수정해. - はい、訂正します。
1910. 보완하다 - 補足する
1911. 나는 보고서를 보완했다. - 私は報告書を補足した。
1912. 너는 아이디어를 보완한다. - あなたはその考えを補足する。
1913. 그는 시스템을 보완할 것이다. - 彼はシステムを補完する。
1914. 보완할까? - 補完しましょうか。

1915. 네, 보완해. - はい、補完します。
1916. 개선하다 - 改善する
1917. 나는 작업 환경을 개선했다. - 私は労働環境を改善した。
1918. 너는 프로세스를 개선한다. - あなたはプロセスを改善するでしょう。
1919. 그녀는 제품을 개선할 것이다. - 彼女は製品を改善します。
1920. 개선할까? - 改善しましょうか。
1921. 네, 개선해. - はい、改善します。
1922. 복구하다 - 回復する
1923. 나는 데이터를 복구했다. - 私はデータを回復した。
1924. 너는 시스템을 복구한다. - あなたはシステムを回復します。
1925. 그들은 파일을 복구할 것이다. - ファイルを復旧します。
1926. 복구할까? - リカバリしますか？
1927. 네, 복구해. - はい、復旧します。
1928. 회복하다 - 回復する
1929. 나는 건강을 회복했다. - 私は健康を回復した。
1930. 너는 체력을 회복한다. - 体力が回復する。
1931. 그는 신뢰를 회복할 것이다. - 彼は信頼を回復する。
1932. 회복할까? - 回復しましょうか。
1933. 네, 회복해. - はい、回復します。
1934. 치유하다 - 癒す
1935. 나는 상처를 치유했다. - 私は傷を癒した。
1936. 너는 마음을 치유한다. - あなたは心を癒す。
1937. 그녀는 관계를 치유할 것이다. - 彼女は関係を癒す。
1938. 치유할까? - 癒そうか？
1939. 네, 치유해. - そうだ、癒そう。
1940. 21. 명사 단어들 외우기, 필수 10개 동사의 단어들을 가지고 50문장 연습하기 - 21. 名詞の単語を暗記し、10個の必須動詞の単語を使って50の文章を練習する。
1941. 운동 - エクササイズ
1942. 프로그램 - プログラム
1943. 치료 - 治療
1944. 재료 - 成分
1945. 색깔 - 色
1946. 소스 - ソース

1947. 빵 - パン
1948. 고기 - 肉
1949. 케이크 - ケーキ
1950. 야채 - 野菜
1951. 면 - 麺類
1952. 쌀 - ご飯
1953. 계란 - 卵
1954. 감자 - ジャガイモ
1955. 브로콜리 - ブロッコリー
1956. 떡 - 餅
1957. 생선 - 魚
1958. 만두 - 団子
1959. 유리 - グラス
1960. 기록 - レコード
1961. 치킨 - チキン
1962. 수프 - スープ
1963. 물 - 水
1964. 밥 - 米
1965. 차 - 車
1966. 국 - スープ
1967. 음료 - 飲料
1968. 재활하다 - リハビリ
1969. 나는 운동으로 재활했다. - 私は運動でリハビリした。
1970. 너는 프로그램으로 재활한다. - あなたはプログラムでリハビリをする。
1971. 그는 치료로 재활할 것이다. - 彼は治療でリハビリします。
1972. 재활할까? - リハビリしましょうか。
1973. 네, 재활해. - はい、リハビリします。
1974. 섞다 - 混ぜる
1975. 나는 재료를 섞었다. - 私は材料を混ぜた。
1976. 너는 색깔을 섞는다. - あなたは色を混ぜる。
1977. 그녀는 소스를 섞을 것이다. - 彼女はソースを混ぜる。
1978. 섞을까? - 混ぜましょうか？
1979. 네, 섞어. - はい、混ぜます。
1980. 굽다 - 焼く

1981. 나는 빵을 굽었다. - パンを焼きました。
1982. 너는 고기를 굽는다. - あなたは肉を焼きます。
1983. 그들은 케이크를 굽을 것이다. - ケーキを焼きます。
1984. 굽을까? - 焼きましょうか。
1985. 네, 굽자. - はい、焼きましょう。
1986. 볶다 - 炒める
1987. 나는 야채를 볶았다. - 野菜を炒めました。
1988. 너는 면을 볶는다. - あなたは麺を炒めます。
1989. 그는 쌀을 볶을 것이다. - 彼はご飯を炒めます。
1990. 볶을까? - 炒めましょうか？
1991. 네, 볶아. - はい、炒めます。
1992. 삶다 - ゆでる
1993. 나는 계란을 삶았다. - 卵をゆでました。
1994. 너는 감자를 삶는다. - あなたはジャガイモをゆでます。
1995. 그녀는 브로콜리를 삶을 것이다. - 彼女はブロッコリーを茹でます。
1996. 삶을까? - 茹でましょうか。
1997. 네, 삶아. - はい、ゆでます。
1998. 찌다 - 蒸す
1999. 나는 떡을 찐다. - 私は餅を蒸します。
2000. 너는 생선을 찐다. - あなたは魚を蒸します。
2001. 그들은 만두를 찔 것이다. - 餃子を蒸してくれるんだ
2002. 찔까? - 蒸す？
2003. 네, 찌자. - ええ、蒸しましょう。
2004. 깨다 - 割る
2005. 나는 유리를 깼다. - グラスを割った。
2006. 너는 계란을 깬다. - 卵を割る。
2007. 그녀는 기록을 깰 것이다. - 彼女は記録を破るだろう。
2008. 깰까? - 割りますか？
2009. 네, 깨. - はい、割る。
2010. 튀기다 - 揚げる
2011. 나는 감자를 튀겼다. - ジャガイモを揚げました。
2012. 너는 치킨을 튀긴다. - あなたはチキンを揚げる。
2013. 그는 생선을 튀길 것이다. - 彼は魚を揚げます。
2014. 튀길까? - 揚げましょうか。

2015. 네, 튀겨. - はい、揚げます。
2016. 데우다 - 温める
2017. 나는 수프를 데웠다. - スープを温めました。
2018. 너는 물을 데운다. - あなたはお湯を温めます。
2019. 그녀는 밥을 데울 것이다. - 彼女がご飯を温めます。
2020. 데울까? - 温めましょうか？
2021. 네, 데워. - はい、温めてください。
2022. 식히다 - 冷ます
2023. 나는 차를 식혔다. - お茶を冷ましました。
2024. 너는 국을 식힌다. - あなたはスープを冷やしてください。
2025. 그들은 음료를 식힐 것이다. - 飲み物を冷やします。
2026. 식힐까? - 冷やしましょうか？
2027. 네, 식혀줘. - はい、冷やしてください。
2028. 22. 명사 단어들 외우기, 필수 10개 동사의 단어들을 가지고 50문장 연습하기 - 22.名詞の単語を覚え、10個の必須動詞の単語を使った50の文を練習する。
2029. 물 - 水
2030. 주스 - ジュース
2031. 아이스크림 - アイスクリーム
2032. 얼음 - 氷
2033. 초콜릿 - チョコレート
2034. 버터 - バター
2035. 밀가루 - 小麦粉
2036. 반죽 - 生地
2037. 소스 - ソース
2038. 떡 - ライスケーキ
2039. 만두 - 団子
2040. 쿠키 - クッキー
2041. 벽 - 壁
2042. 그림 - 絵画
2043. 문 - ドア
2044. 집 - 家
2045. 건물 - 建物
2046. 사과 - 謝る

2047. 옷 - 衣類
2048. 선물 - ギフト
2049. 잡초 - 雑草
2050. 번호 - 数
2051. 당첨자 - 勝者
2052. 책 - 本
2053. USB - USB
2054. 카드 - カード
2055. 설탕 - 砂糖
2056. 소금 - 塩
2057. 향신료 - スパイス
2058. 얼리다 - 凍らせる
2059. 나는 물을 얼렸다. - 私は水を凍らせた。
2060. 너는 주스를 얼린다. - あなたはジュースを凍らせる。
2061. 그는 아이스크림을 얼릴 것이다. - アイスクリームを凍らせる
2062. 얼릴까? - 凍らせましょうか？
2063. 네, 얼려. - はい、凍らせます。
2064. 녹이다 - 溶かす
2065. 나는 얼음을 녹였다. - 私は氷を溶かした。
2066. 너는 초콜릿을 녹인다. - あなたはチョコレートを溶かす。
2067. 그녀는 버터를 녹일 것이다. - 彼女はバターを溶かす。
2068. 녹일까? - 溶かしましょうか？
2069. 네, 녹여. - ええ、溶かしましょう。
2070. 저미다 - かき混ぜる
2071. 나는 밀가루를 저었다. - 私は小麦粉をかき混ぜた。
2072. 너는 반죽을 저민다. - あなたは生地をかき混ぜるでしょう。
2073. 그는 소스를 저을 것이다. - 彼はソースをかき混ぜる。
2074. 저을까? - かき混ぜましょうか？
2075. 네, 저어. - はい、かき混ぜます。
2076. 빚다 - 作る
2077. 나는 떡을 빚었다. - 私は餅を作りました。
2078. 너는 만두를 빚는다. - あなたは団子を作ります。
2079. 그녀는 쿠키를 빚을 것이다. - 彼女はクッキーを焼きます。
2080. 빚을까? - 焼きましょうか。

2081. 네, 빚어. - ええ、焼きましょう。
2082. 칠하다 - 絵を描く
2083. 나는 벽을 칠했다. - 私は壁を塗りました。
2084. 너는 그림을 칠한다. - あなたが絵を描きなさい。
2085. 그들은 문을 칠할 것이다. - 彼らはドアを塗る。
2086. 칠할까? - 塗りましょうか。
2087. 네, 칠해. - ええ、塗りましょう。
2088. 철거하다 - 取り壊す
2089. 나는 오래된 집을 철거했다. - 私は古い家を取り壊した。
2090. 너는 벽을 철거한다. - あなたは壁を取り壊す。
2091. 그는 건물을 철거할 것이다. - 彼は建物を取り壊す。
2092. 철거할까? - 取り壊しましょうか。
2093. 네, 철거해. - はい、取り壊します。
2094. 고르다 - 摘む
2095. 나는 사과를 골랐다. - 私はリンゴを摘んだ。
2096. 너는 옷을 고른다. - あなたは服を選ぶ。
2097. 그녀는 선물을 고를 것이다. - 彼女は贈り物を選ぶ。
2098. 고를까? - 選びましょうか？
2099. 네, 골라. - はい、摘みましょう。
2100. 뽑다 - 摘む
2101. 나는 잡초를 뽑았다. - 私は雑草を抜いた。
2102. 너는 번호를 뽑는다. - あなたが番号を引いてください。
2103. 그들은 당첨자를 뽑을 것이다. - 当選者を決めるんだ。
2104. 뽑을까? - 引きますか？
2105. 네, 뽑아. - はい、抜きます。
2106. 빼다 - 引く
2107. 나는 책을 뺐다. - 私は本を引いた。
2108. 너는 USB를 뺀다. - あなたはUSBを引く。
2109. 그는 카드를 뺄 것이다. - 彼はカードを引く。
2110. 뺄까? - 引きましょうか？
2111. 네, 빼. - はい、引いてください。
2112. 추가하다 - 足す
2113. 나는 설탕을 추가했다. - 私は砂糖を加えた。
2114. 너는 소금을 추가한다. - あなたは塩を加えます。

2115. 그녀는 향신료를 추가할 것이다. - 彼女はスパイスを加える。
2116. 추가할까? - 足しましょうか？
2117. 네, 추가해줘. - はい、加えてください。
2118. 23. 명사 단어들 외우기, 필수 10개 동사의 단어들을 가지고 50문장 연습하기 - 23.名詞の単語を覚え、10個の必須動詞の単語を使って50の文を練習する。
2119. 램프 - ランプ
2120. 플래시 - フラッシュ
2121. 빛 - ライト
2122. 목록 - リスト
2123. 옵션 - オプション
2124. 장점 - メリット
2125. 가지 - 卵工場
2126. 장단점 - 長所と短所
2127. 결과 - 結果
2128. 자료 - データ
2129. 파일 - ファイル
2130. 개 - ドッグ
2131. 요소 - エレメント
2132. 아이디어 - アイデア
2133. 기계 - マシン
2134. 문제 - 問題
2135. 시스템 - システム
2136. 의자 - 椅子
2137. 화면 - スクリーン
2138. 테이블 - テーブル
2139. 옷 - 洋服
2140. 종이 - 紙
2141. 지도 - 地図
2142. 매트 - マット
2143. 책 - 本
2144. 포스터 - ポスター
2145. 숨다 - 隠す
2146. 나는 숨었다. - 私は隠れる。

2147. 너는 숨는다. - あなたは隠れる。
2148. 그들은 숨을 것이다. - 彼らは隠れる。
2149. 숨을까? - 隠れようか？
2150. 네, 숨어. - そうだ、隠れよう。
2151. 비추다 - 照らす
2152. 나는 램프를 비췄다. - 私はランプを照らした。
2153. 너는 플래시를 비춘다. - あなたはフラッシュを照らす。
2154. 그는 빛을 비출 것이다. - 彼が光を照らす。
2155. 비출까? - 照らそうか？
2156. 네, 비춰. - はい、照らしてください。
2157. 나열하다 - リストアップする
2158. 나는 목록을 나열했다. - 私はリストを挙げた。
2159. 너는 옵션을 나열한다. - あなたは選択肢を挙げる。
2160. 그녀는 장점을 나열할 것이다. - 彼女は利点を列挙する。
2161. 나열할까? - リストアップしましょうか？
2162. 네, 나열해. - はい、リストアップします。
2163. 대조하다 - を対比する
2164. 나는 두 가지를 대조했다. - 私は2つのことを対比しました。
2165. 너는 장단점을 대조한다. - あなたは長所と短所を対比する。
2166. 그는 결과를 대조할 것이다. - 彼は結果を対比する。
2167. 색깔 다른가? - 色は違いますか？
2168. 예, 다르다. - はい、違います。
2169. 정렬하다 - 並べ替える
2170. 너는 자료를 정렬했다. - あなたは材料を並べ替えました。
2171. 그는 목록을 정렬한다. - 彼はリストを並べ替えます。
2172. 그녀는 파일을 정렬할 것이다. - 彼女はファイルを並べ替えます。
2173. 순서 맞나요? - 順序通りですか？
2174. 네, 맞아요. - はい、そうです。
2175. 결합하다 - 組み合わせる
2176. 그는 두 개를 결합했다. - 彼は2つのものを組み合わせる。
2177. 그녀는 요소를 결합한다. - 彼女は要素を組み合わせる。
2178. 우리는 아이디어를 결합할 것이다. - 私たちはアイデアを組み合わせる。
2179. 같이 할까요? - 一緒にやろうか？
2180. 좋아요. - 私はいいよ。

2181. 분해하다 - 分解する
2182. 그녀는 기계를 분해했다. - 彼女は機械を分解した。
2183. 우리는 문제를 분해한다. - 私たちは問題を分解します。
2184. 당신들은 시스템을 분해할 것이다. - システムを分解するんだ。
2185. 어렵나요? - 難しいですか?
2186. 아니요. - いいえ、そんなことはありません。
2187. 회전하다 - 回転させる
2188. 우리는 의자를 회전했다. - 私たちは椅子を回転させました。
2189. 당신들은 화면을 회전한다. - スクリーンを回転させる。
2190. 그들은 테이블을 회전할 것이다. - テーブルを回転させます。
2191. 돌릴까요? - 回転しますか?
2192. 그래요. - はい、回転させます。
2193. 접다 - たたむ
2194. 당신들은 옷을 접었다. - あなたは服をたたむ。
2195. 그들은 종이를 접는다. - 彼らは紙を折ります。
2196. 나는 지도를 접을 것이다. - 地図を折る
2197. 이걸 접어요? - これを折るの?
2198. 네, 접어요. - はい、折ります。
2199. 펼치다 - 広げる
2200. 그들은 매트를 펼쳤다. - 彼らはマットを広げた。
2201. 나는 책을 펼친다. - 本を広げる。
2202. 너는 포스터를 펼칠 것이다. - ポスターを広げる。
2203. 여기에 놓을까요? - ここに置きましょうか?
2204. 네, 놓아줘 - はい、そこに置いてください。
2205. 24. 명사 단어들 외우기, 필수 10개 동사의 단어들을 가지고 50문장 연습하기 - 24.名詞の単語を覚え、10個の必須動詞の単語を使って50の文を練習する。
2206. 깃발 - 旗
2207. 스카프 - スカーフ
2208. 카펫 - カーペット
2209. 신발끈 - 靴ひも
2210. 선물 - ギフト
2211. 머리 - 頭
2212. 문제 - 問題

2213. 노트 - メモ
2214. 수수께끼 - なぞなぞ
2215. 상자 - 箱
2216. 책 - 本
2217. 블록 - ブロック
2218. 물 - 水
2219. 쌀 - 米
2220. 콩 - 豆
2221. 병 - パーティー
2222. 가방 - 袋
2223. 그릇 - ボウル
2224. 통 - 容器
2225. 바구니 - バスケット
2226. 컵 - カップ
2227. 씨앗 - シード
2228. 페인트 - ペイント
2229. 장애물 - 障害物
2230. 줄넘기 - 縄跳び
2231. 울타리 - フェンス
2232. 말다 - 転がす
2233. 나는 깃발을 말았다. - 旗を転がす
2234. 너는 스카프를 말다. - スカーフを転がす
2235. 그는 카펫을 말 것이다. - 彼はカーペットを転がす
2236. 도와줄까요? - 手伝いましょうか？
2237. 네, 부탁해요. - はい、お願いします。
2238. 묶다 - 結ぶ
2239. 너는 신발끈을 묶었다. - あなたは靴ひもを結ぶ。
2240. 그는 선물을 묶는다. - 彼はプレゼントを結びます。
2241. 그녀는 머리를 묶을 것이다. - 彼女は髪を結ぶ。
2242. 더 조여요? - もっときつく？
2243. 예, 조여요. - はい、きつく締めてください。
2244. 풀다 - 解決する
2245. 그는 문제를 풀었다. - 彼は問題を解いた。
2246. 그녀는 노트를 푼다. - 彼女はノートを解くだろう。

2247. 우리는 수수께끼를 풀 것이다. - 私たちは謎を解きます。
2248. 어떻게 해요? - どうやるの？
2249. 생각해봐요. - 考えてみてください。
2250. 쌓다 - 積み重ねる
2251. 그녀는 상자를 쌓았다. - 彼女は箱を積み重ねた。
2252. 우리는 책을 쌓는다. - 私たちは本を積み重ねます。
2253. 당신들은 블록을 쌓을 것이다. - 積み木を積みます。
2254. 높게 쌓을까요? - 高く積み上げましょうか。
2255. 조심해요. - 気をつけて。
2256. 쏟다 - 注ぐ
2257. 우리는 물을 쏟았다. - 私たちは水をこぼしました。
2258. 당신들은 쌀을 쏟는다. - あなたは米をこぼします。
2259. 그들은 콩을 쏟을 것이다. - 豆をこぼします。
2260. 다 쏟았어요? - 全部こぼしましたか？
2261. 다 쏟았어요. - 全部こぼしました。
2262. 채우다 - 満たす
2263. 당신들은 병을 채웠다. - あなたはボトルを満たす。
2264. 그들은 가방을 채운다. - 彼らは袋を満たす。
2265. 나는 그릇을 채울 것이다. - 私は器を満たします。
2266. 가득할까요? - いっぱいになる？
2267. 가득해요. - 満タンです。
2268. 비우다 - 空にする
2269. 그들은 통을 비웠다. - 彼らは樽を空にした。
2270. 나는 바구니를 비운다. - 私はバスケットを空にします。
2271. 너는 컵을 비울 것이다. - コップを空にします。
2272. 이것도 비울까요? - これも空にしましょうか？
2273. 네, 비워요. - はい、空にします。
2274. 뿌리다 - 種をまく
2275. 나는 씨앗을 뿌렸다. - 私は種をまきました。
2276. 너는 물을 뿌린다. - あなたは水を撒く。
2277. 그는 페인트를 뿌릴 것이다. - 彼は絵の具を撒く。
2278. 여기에요? - ここに？
2279. 여기에요. - ここに
2280. 건너뛰다 - スキップする

2281. 너는 장애물을 건너뛰었다. - あなたはハードルを飛ばした。
2282. 그는 줄넘기를 한다. - 彼は縄跳びをする。
2283. 그녀는 울타리를 건너뛸 것이다. - 彼女はフェンスをスキップする。
2284. 저기로 갈까요? - あそこに行こうか？
2285. 저기로 가요. - あそこに行きましょう。
2286. 기울이다 - 傾ける
2287. 나는 병을 기울였다. - 私はボトルを傾けた。
2288. 너는 컵을 기울인다. - あなたはコップを傾ける。
2289. 그는 그릇을 기울일 것이다. - 彼はコップを傾ける
2290. 컵을 기울여? - コップを傾ける？
2291. 예, 기울여줘. - はい、傾けます。
2292. 25. 명사 단어들 외우기, 필수 10개 동사의 단어들을 가지고 50문장 연습하기 - 25.名詞の単語を覚え、10個の必須動詞の単語を使って50の文を練習する。
2293. 버튼 - ボタン
2294. 스위치 - スイッチ
2295. 페달 - ペダル
2296. 스티커 - ステッカー
2297. 라벨 - ラベル
2298. 포스터 - ポスター
2299. 사진 - 写真
2300. 메모 - メモ
2301. 공지 - 通知
2302. 선 - ライン
2303. 원 - 一つ
2304. 사각형 - スクエア
2305. 글자 - 手紙
2306. 오류 - エラー
2307. 데이터 - データ
2308. 이름 - 名前
2309. 주소 - 住所
2310. 번호 - 番号
2311. 비용 - 費用
2312. 합계 - 合計

2313. 예산 - 予算
2314. 별 - スター
2315. 사과 - お詫び
2316. 페이지 - ページ
2317. 결과 - 結果
2318. 날씨 - 天気
2319. 승자 - 勝者
2320. 프로젝트 - プロジェクト
2321. 누르다 - を押す
2322. 나는 버튼을 눌렀다. - 私はボタンを押した。
2323. 너는 스위치를 누른다. - あなたはスイッチを押す。
2324. 그녀는 페달을 누를 것이다. - 彼女はペダルを踏みます。
2325. 스위치 누를까? - スイッチを押しましょうか？
2326. 네, 눌러. - はい、押してください。
2327. 떼다 - はがす
2328. 나는 스티커를 뗐다. - 私はシールをはがした。
2329. 너는 라벨을 뗀다. - あなたはラベルをはがします。
2330. 우리는 포스터를 뗄 것이다. - ポスターをはがします。
2331. 라벨 떼어도 돼? - ラベルをはがしてもいいですか？
2332. 그래, 떼. - はい、はがします。
2333. 붙이다 - 貼り付ける
2334. 나는 사진을 붙였다. - 写真を貼り付けました。
2335. 너는 메모를 붙인다. - メモを貼ります。
2336. 당신들은 공지를 붙일 것이다. - 掲示物にラベルを貼ります。
2337. 메모 붙일까? - メモを貼り付けましょうか。
2338. 예, 붙여. - はい、貼ってください。
2339. 긋다 - 線を引く
2340. 나는 선을 그었다. - 私は線を引きました。
2341. 너는 원을 그린다. - あなたは円を描きます。
2342. 그들은 사각형을 그을 것이다. - 彼らは四角を描きます。
2343. 선 긋기 좋아? - 線を引くのは好きですか？
2344. 네, 좋아. - うん、いいね。
2345. 지우다 - 消す
2346. 나는 글자를 지웠다. - 文字を消しました。

2347. 너는 오류를 지운다. - あなたはエラーを消します。
2348. 그는 데이터를 지울 것이다. - 彼はデータを消します。
2349. 오류 지울까? - エラーを消去しますか？
2350. 그래, 지워. - はい、消してください。
2351. 적다 - 書き留める
2352. 나는 이름을 적었다. - 私は名前を書き留める。
2353. 너는 주소를 적는다. - あなたは住所を書きます。
2354. 그녀는 번호를 적을 것이다. - 彼女は番号を書きます。
2355. 주소 적어 줄래? - 住所を書いてくれますか？
2356. 좋아, 적어. - わかりました、書いてください。
2357. 계산하다 - 計算する
2358. 나는 비용을 계산했다. - 私は料金を計算しました。
2359. 너는 합계를 계산한다. - 合計を計算してください。
2360. 우리는 예산을 계산할 것이다. - 予算を計算します。
2361. 합계 계산할까? - 合計を計算しましょうか。
2362. 네, 계산해. - はい、計算しましょう。
2363. 세다 - 数える
2364. 나는 별을 셌다. - 私は星を数えた。
2365. 너는 사과를 센다. - リンゴを数える。
2366. 당신들은 페이지를 셀 것이다. - あなたはページを数える。
2367. 사과 몇 개야? - リンゴはいくつ？
2368. 지금 세. - 数えて
2369. 추측하다 - 推測する
2370. 나는 결과를 추측했다. - 私は結果を推測した。
2371. 너는 날씨를 추측한다. - あなたは天気を当てる。
2372. 그들은 승자를 추측할 것이다. - 勝敗を当てます。
2373. 날씨 어때? - 天気はどう？
2374. 비 올까 봐. - 雨が降ると思う。
2375. 가정하다 - 仮定する
2376. 나는 그가 올 것이라고 가정했다. - 私は彼が来ると思った。
2377. 너는 그녀가 승리할 것이라고 가정한다. - あなたは彼女が勝つと仮定する。
2378. 우리는 프로젝트가 성공할 것이라고 가정할 것이다. - プロジェクトが成功すると仮定する。

2379. 그녀가 승리할까? - 彼女は勝つでしょうか？
2380. 아마 그럴것이다. - 彼女はおそらく勝つだろう。
2381. 26. 명사 단어들 외우기, 필수 10개 동사의 단어들을 가지고 50문장 연습하기 - 26. 名詞の単語を暗記し、必要な10個の動詞の単語を使って50文を練習する。
2382. 상황 - 状況
2383. 의도 - 意図
2384. 결과 - 結果
2385. 계획 - 計画
2386. 날짜 - 日付
2387. 장소 - 場所
2388. 요청 - リクエスト
2389. 제안 - 提案
2390. 계약 - 契約
2391. 의견 - 意見
2392. 변경사항 - 変更
2393. 조언 - アドバイス
2394. 문제 - 問題
2395. 프로젝트 - プロジェクト
2396. 해결책 - 解決策
2397. 주제 - 主題
2398. 모드 - モード
2399. 파일 - ファイル
2400. 형식 - フォーム
2401. 데이터 - データ
2402. 이슈 - 課題
2403. 포인트 - ポイント
2404. 질문 - 質問
2405. 호출 - コール
2406. 온도 - 温度
2407. 볼륨 - 体積
2408. 속도 - スピード
2409. 판단하다 - 判断する
2410. 나는 상황을 판단했다. - 状況を判断した

2411. 너는 그의 의도를 판단한다. - あなたは彼の意図を判断する。
2412. 그녀는 결과를 판단할 것이다. - 彼女は結果を判断する
2413. 옳은 거야? - 正しいか？
2414. 판단해 봐. - ジャッジ
2415. 확정하다 - 最終決定する
2416. 나는 계획을 확정했다. - 私は計画を最終決定した。
2417. 너는 날짜를 확정한다. - 日程を確定する。
2418. 그들은 장소를 확정할 것이다. - 会場を確定します。
2419. 날짜 확정됐어? - 日程は確定しましたか？
2420. 예, 됐어. - はい、決まりました。
2421. 승인하다 - 承認する
2422. 나는 요청을 승인했다. - リクエストを承認します。
2423. 너는 제안을 승인한다. - 提案を承認します。
2424. 우리는 계약을 승인할 것이다. - 契約を承認します。
2425. 제안 승인할까? - 提案を承認しましょうか。
2426. 네, 승인해. - はい、承認します。
2427. 반영하다 - を反映する
2428. 나는 의견을 반영했다. - コメントを反映しました。
2429. 너는 변경사항을 반영한다. - 変更を反映してください。
2430. 그는 조언을 반영할 것이다. - アドバイスを考慮するとのことです。
2431. 의견 반영됐어? - 反映しましたか？
2432. 예, 반영됐어. - はい、反映しました。
2433. 접근하다 - アプローチする
2434. 나는 문제에 접근했다. - 私はその問題にアプローチした。
2435. 너는 프로젝트에 접근한다. - あなたはプロジェクトにアプローチする。
2436. 그녀는 해결책에 접근할 것이다. - 彼女は解決策にアプローチする。
2437. 해결책 찾았어? - 解決策は見つかりましたか？
2438. 찾는 중이야. - 探しています。
2439. 전환하다 - 切り替える
2440. 나는 주제를 전환했다. - 私は話題を切り替えた。
2441. 너는 모드를 전환한다. - あなたはモードを切り替える。
2442. 우리는 계획을 전환할 것이다. - 計画を切り替える
2443. 모드 바꿀까? - モードを切り替えましょうか？
2444. 네, 바꿔. - はい、切り替えてください。

2445. 변환하다 - を変換する
2446. 나는 파일을 변환했다. - ファイルを変換しました。
2447. 너는 형식을 변환한다. - あなたはフォーマットを変換します。
2448. 그들은 데이터를 변환할 것이다. - データを変換してくれます。
2449. 형식 맞춰줄래? - フォーマットしてくれますか?
2450. 좋아, 맞출게. - わかりました、フォーマットします。
2451. 조명하다 - 照らす
2452. 나는 이슈를 조명했다. - 私は問題を照らし出した。
2453. 너는 포인트를 조명한다. - あなたは論点を照らし出します。
2454. 그녀는 주제를 조명할 것이다. - 彼女は話題を照らし出します。
2455. 주제 뭘까? - トピックって何?
2456. 곧 알려줄게. - すぐに話すよ。
2457. 응답하다 - 応答する
2458. 나는 질문에 응답했다. - 私は質問に答えた。
2459. 너는 요청에 응답한다. - あなたは要求に応える。
2460. 우리는 호출에 응답할 것이다. - 呼びかけに応じる。
2461. 답변 줄 수 있어? - 答えられる?
2462. 네, 할 수 있어. - はい、できます。
2463. 조절하다 - 調節する
2464. 나는 온도를 조절했다. - 温度を調節しました。
2465. 너는 볼륨을 조절한다. - 音量を調整してください。
2466. 그들은 속도를 조절할 것이다. - スピードを調整します
2467. 볼륨 낮출까? - 音量を下げますか?
2468. 네, 낮춰 줘. - はい、音量を下げてください。
2469. 27. 명사 단어들 외우기, 필수 10개 동사의 단어들을 가지고 50문장 연습하기 - 27. 名詞の単語を暗記し、10個の必須動詞の単語を使って50の文を練習する。
2470. 시스템 - システム
2471. 드론 - ドローン
2472. 로봇 - ロボット
2473. 프로젝트 - プロジェクト
2474. 팀 - チーム
2475. 회사 - 会社
2476. 가게 - 店舗

2477. 사이트 - サイト
2478. 카페 - カフェ
2479. 주문 - オーダー
2480. 신청 - アプリケーション
2481. 문제 - 問題
2482. 기술 - 技術
2483. 능력 - 能力
2484. 경험 - 経験
2485. 지식 - 知識
2486. 사업 - ビジネス
2487. 영역 - エリア
2488. 시장 - 市場
2489. 비용 - 費用
2490. 규모 - 規模
2491. 지출 - 支出
2492. 매출 - 販売
2493. 노력 - 努力
2494. 효율 - 効率
2495. 제어하다 - コントロール
2496. 나는 시스템을 제어했다. - 私はシステムをコントロールした。
2497. 너는 드론을 제어한다. - ドローンをコントロールする
2498. 우리는 로봇을 제어할 것이다. - 私たちはロボットをコントロールする。
2499. 드론 조종해 봤어? - ドローンを操縦したことは？
2500. 아니, 안 해봤어. - いいえ、ありません
2501. 관리하다 - 管理する
2502. 나는 프로젝트를 관리했다. - 私はプロジェクトを管理した。
2503. 너는 팀을 관리한다. - あなたはチームを管理する。
2504. 그는 회사를 관리할 것이다. - 会社を管理する。
2505. 팀 잘 돼가? - チームはどうですか？
2506. 네, 잘 돼. - はい、順調です。
2507. 운영하다 - 運営する
2508. 나는 가게를 운영했다. - 私は店を経営しています。
2509. 너는 사이트를 운영한다. - あなたは現場を。
2510. 그녀는 카페를 운영할 것이다. - 彼女はカフェを運営する。

2511. 사이트 잘 운영돼? - サイトの運営は順調ですか？
2512. 예, 잘 돼. - ええ、うまくいっています。
2513. 처리하다 - 処理する
2514. 나는 주문을 처리했다. - 私は注文を処理しました。
2515. 너는 신청을 처리한다. - あなたは申請を処理してください。
2516. 우리는 문제를 처리할 것이다. - 問題を処理します。
2517. 신청 처리됐어? - 申請を処理しましたか？
2518. 네, 처리됐어. - はい、処理しました。
2519. 처리하다 - 処理する
2520. 나는 주문을 처리했다. - 処理しました。
2521. 너는 신청을 처리한다. - 申請書を処理してください。
2522. 그는 문제를 처리할 것이다. - 彼が処理します。
2523. 신청 처리됐어? - 申請を処理しましたか？
2524. 됐어. - 処理しました
2525. 발전하다 - 前進するために
2526. 그녀는 기술을 발전시켰다. - 彼女は能力を開発した。
2527. 우리는 능력을 발전시킨다. - 私たちは能力を伸ばす。
2528. 당신들은 시스템을 발전시킬 것이다. - あなたはシステムを進歩させる。
2529. 기술 좋아졌니? - 能力は向上しましたか？
2530. 네, 좋아. - はい、いい感じです。
2531. 성장하다 - 成長する
2532. 그들은 빠르게 성장했다. - 早く成長した。
2533. 나는 경험을 성장시킨다. - 経験を成長させる
2534. 너는 지식을 성장시킬 것이다. - 知識が成長する。
2535. 경험 많아졌어? - 経験で成長しましたか？
2536. 많아. - たくさんあります。
2537. 확장하다 - 拡大する
2538. 나는 사업을 확장했다. - 私はビジネスを拡大した。
2539. 너는 영역을 확장한다. - あなたはテリトリーを拡大するでしょう。
2540. 그는 시장을 확장할 것이다. - 彼は市場を拡大する。
2541. 시장 크니? - 市場は大きいですか？
2542. 네, 크다. - はい、大きいです。
2543. 축소하다 - 縮小する
2544. 그녀는 비용을 축소했다. - 彼女はコストを縮小した。

2545. 우리는 규모를 축소한다. - 私たちは縮小します。
2546. 당신들은 지출을 축소할 것이다. - 支出を縮小します。
2547. 비용 줄었어? - 経費を削減しましたか？
2548. 네, 줄었어. - はい、削減しました。
2549. 증가하다 - 増やす
2550. 그들은 매출을 증가시켰다. - 彼らは売り上げを増やした。
2551. 나는 노력을 증가시킨다. - 私は努力を増やします。
2552. 너는 효율을 증가시킬 것이다. - 効率を上げます。
2553. 매출 올랐어? - 売上は上がりましたか？
2554. 네, 올랐어. - はい、上がりました。
2555. 28. 명사 단어들 외우기, 필수 10개 동사의 단어들을 가지고 50문장 연습하기 - 28.名詞の単語を暗記し、10個の必須動詞の単語を使って50文を練習する。
2556. 오류 - エラー
2557. 리스크 - リスク
2558. 부채 - ファン
2559. 앱 - アプリ
2560. 소프트웨어 - ソフトウェア
2561. 기술 - テクノロジー
2562. 기계 - マシン
2563. 아이디어 - アイデア
2564. 제품 - 製品
2565. 예술작품 - アートピース
2566. 콘텐츠 - コンテンツ
2567. 비전 - ビジョン
2568. 해결책 - ソリューション
2569. 정보 - インフォメーション
2570. 답 - 答え
2571. 우주 - 宇宙
2572. 신세계 - 新世界
2573. 바다 - 海
2574. 시장 - マーケット
2575. 사건 - イベント
2576. 현상 - 現象

2577. 도움 - 支援
2578. 지원 - サポート
2579. 협력 - 協力
2580. 계획 - 計画
2581. 전략 - 戦略
2582. 제안 - 提案
2583. 조건 - 条件
2584. 요청 - 要請
2585. 감소하다 - 削減する
2586. 나는 오류를 감소시켰다. - エラーを減らす
2587. 너는 리스크를 감소시킨다. - あなたはリスクを減らす。
2588. 그는 부채를 감소시킬 것이다. - 借金を減らすだろう
2589. 리스크 적어졌어? - リスクを減らす？
2590. 적어. - 減らす
2591. 개발하다 - 開発する
2592. 그녀는 앱을 개발했다. - 彼女はアプリを開発した。
2593. 우리는 소프트웨어를 개발한다. - 我々はソフトウェアを開発する。
2594. 당신들은 기술을 개발할 것이다. - 君たちは技術を開発する。
2595. 앱 나왔어? - アプリは出た？
2596. 나왔어. - 出てるよ。
2597. 발명하다 - 発明する
2598. 그들은 기계를 발명했다. - 彼らは機械を発明した。
2599. 나는 아이디어를 발명한다. - 私はアイデアを発明する。
2600. 너는 제품을 발명할 것이다. - あなたは製品を発明する。
2601. 기계 새로운 거야? - その機械は新しいか？
2602. 새로워. - 新しい。
2603. 창조하다 - 創造する
2604. 나는 예술작품을 창조했다. - 私は芸術作品を創る。
2605. 너는 콘텐츠를 창조한다. - あなたはコンテンツを創造する。
2606. 그는 비전을 창조할 것이다. - ビジョンを創造する。
2607. 콘텐츠 재밌어? - コンテンツは面白いですか？
2608. 재밌어. - 面白いか
2609. 찾아내다 - 見つける
2610. 그녀는 해결책을 찾아냈다. - 彼女は解決策を見つける。

2611. 우리는 정보를 찾아낸다. - 情報を見つける。
2612. 당신들은 답을 찾아낼 것이다. - あなたは答えを見つけるでしょう。
2613. 정보 찾았어? - あなたは情報を見つけましたか？
2614. 찾았어. - 見つけたよ。
2615. 탐사하다 - 探索する
2616. 그들은 우주를 탐사했다. - 彼らは宇宙を探検した。
2617. 나는 신세계를 탐사한다. - 私は新しい世界を探検する。
2618. 너는 바다를 탐사할 것이다. - あなたは海を探検します。
2619. 우주 멋져? - 宇宙ってクール？
2620. 멋져. - クールだよ。
2621. 조사하다 - 調査する
2622. 나는 시장을 조사했다. - 私は市場を調査した。
2623. 너는 사건을 조사한다. - あなたはその事件を調査するでしょう。
2624. 그는 현상을 조사할 것이다. - 彼はその現象を調査するでしょう。
2625. 사건 해결됐어? - 事件は解決しましたか？
2626. 해결돼. - 解決しました。
2627. 청하다 - 依頼する
2628. 그녀는 도움을 청했다. - 彼女は助けを求めた。
2629. 우리는 지원을 청한다. - 我々は協力を求めている。
2630. 당신들은 협력을 청할 것이다. - ご協力をお願いします。
2631. 도움 필요해? - 助けが必要ですか？
2632. 필요해. - 必要です。
2633. 제안하다 - 提案する
2634. 그들은 계획을 제안했다. - 彼らは計画を提案した。
2635. 나는 아이디어를 제안한다. - 私はアイデアを提案します。
2636. 너는 전략을 제안할 것이다. - あなたは作戦を提案する。
2637. 아이디어 있어? - アイデアはありますか？
2638. 있어. - あります。
2639. 승낙하다 - 受け入れる
2640. 나는 제안을 승낙했다. - 私は提案を受け入れる。
2641. 너는 조건을 승낙한다. - あなたは条件を受け入れる。
2642. 그는 요청을 승낙할 것이다. - 要求を受け入れる。
2643. 조건 괜찮아? - 条件は大丈夫ですか？
2644. 괜찮아. - 大丈夫です。

2645. 29. 명사 단어들 외우기, 필수 10개 동사의 단어들을 가지고 50문장 연습하기 - 29. 名詞の単語を暗記し、必要な10個の動詞の単語を使って50文を練習する。
2646. 문제 - 問題
2647. 주제 - 主題
2648. 해결책 - 解決策
2649. 의견 - 意見
2650. 친구 - 友人
2651. 여행 - 旅行
2652. 부모님 - 両親
2653. 조언 - アドバイス
2654. 위험 - 危険
2655. 소식 - ニュース
2656. 정보 - インフォメーション
2657. 변화 - 変化
2658. 사랑 - 愛
2659. 마음 - 心
2660. 진심 - 誠意
2661. 문서 - ドキュメント
2662. 이미지 - イメージ
2663. 자료 - データ
2664. 표 - グラフ
2665. 보고서 - レポート
2666. 그래프 - グラフ
2667. 부분 - アルバイト
2668. 문장 - 文章
2669. 영상 - ビデオ
2670. 장면 - シーン
2671. 답 - 答え
2672. 장소 - 場所
2673. 주소 - 住所
2674. 토론하다 - 話し合う
2675. 그는 어제 문제에 대해 토론했다. - 彼は昨日その問題について話し合った。

2676. 그녀는 지금 중요한 주제를 토론한다. - 彼女は今重要な話題について話し合っている。
2677. 우리는 내일 해결책을 토론할 것이다. - 私たちは明日解決策について話し合う。
2678. 의견 있어? - あなたは意見をお持ちですか？
2679. 네, 있어. - はい、あります。
2680. 설득하다 - 説得する
2681. 그녀는 친구를 여행 가기로 설득했다. - 彼女は友人に旅行に行くよう説得した。
2682. 나는 지금 부모님을 설득한다. - 私は今両親を説得しています。
2683. 너는 내일 그들을 설득할 것이다. - あなたは明日両親を説得するでしょう。
2684. 설득됐어? - 納得した？
2685. 응, 됐어. - はい、納得しています。
2686. 조언하다 - 助言する
2687. 그들은 나에게 좋은 조언을 해주었다. - 彼らは私に良いアドバイスをくれた。
2688. 나는 지금 친구에게 조언한다. - 私は今、友人に忠告する。
2689. 너는 내일 조언을 할 것이다. - あなたは明日助言するでしょう。
2690. 조언 필요해? - アドバイスが必要ですか？
2691. 필요해, 고마워. - 必要です、ありがとう。
2692. 경고하다 - 警告する
2693. 그녀는 위험에 대해 경고했다. - 彼女は彼に危険を警告した。
2694. 우리는 지금 위험을 경고한다. - 今、危険を警告します。
2695. 당신들은 내일 그들을 경고할 것이다. - 明日警告してください。
2696. 경고 들었어? - 警告を聞きましたか？
2697. 네, 들었어. - はい、聞きました。
2698. 알리다 - 知らせる
2699. 그는 어제 소식을 알렸다. - 彼は昨日そのニュースを知らせた。
2700. 그녀는 지금 정보를 알린다. - 彼女は今その情報を知らせた。
2701. 우리는 내일 변화를 알릴 것이다. - 明日、変更を発表します。
2702. 소식 알아? - あなたはそのニュースを知っていますか？
2703. 아니, 몰라. - いいえ、知りません。
2704. 고백하다 - 告白する

2705. 그녀는 그에게 사랑을 고백했다. - 彼女は彼に愛の告白をした。
2706. 나는 지금 마음을 고백한다. - 今、告白します。
2707. 너는 내일 진심을 고백할 것이다. - 明日、告白します。
2708. 고백할 거야? - 告白するの？
2709. 응, 할 거야. - はい、します。
2710. 붙여넣다 - 貼り付ける
2711. 그는 문서에 이미지를 붙여넣었다. - 彼は文書に画像を貼り付けた。
2712. 그녀는 지금 자료에 표를 붙여넣는다. - 彼女は今表を文書に貼り付けている。
2713. 우리는 내일 보고서에 그래프를 붙여넣을 것이다. - 明日、グラフを報告書に貼り付けます。
2714. 완성됐어? - できましたか？
2715. 거의 다 됐어. - ほぼ終わりました。
2716. 잘라내다 - 切り取る
2717. 그들은 불필요한 부분을 잘라냈다. - 彼らは不必要な部分を切り取った。
2718. 나는 지금 문서에서 문장을 잘라낸다. - 今、文書から文章を切り取っています。
2719. 너는 내일 영상에서 장면을 잘라낼 것이다. - 明日はビデオのシーンをカットします。
2720. 줄일 필요 있어? - 何かカットする必要がありますか？
2721. 응, 있어. - はい、必要です。
2722. 검색하다 - 検索する
2723. 그녀는 정보를 검색했다. - 彼女は情報を探した。
2724. 나는 지금 자료를 검색한다. - 私は今資料を探しています。
2725. 너는 내일 답을 검색할 것이다. - あなたは明日答えを探すでしょう。
2726. 정보 찾고 있어? - 情報を探しているのですか？
2727. 찾고 있어. - 探しています。
2728. 찾아보다 - 探すには
2729. 그는 옛 친구를 찾아보았다. - 彼は昔の友人を探した。
2730. 그녀는 지금 문서를 찾아본다. - 彼女は今書類を探している。
2731. 우리는 내일 그 장소를 찾아볼 것이다. - 明日その場所を探します。
2732. 주소 찾았어? - 住所は見つかった？
2733. 아직 못 찾았어. - いいえ、まだ見つかりません。
2734. 30. 명사 단어들 외우기, 필수 10개 동사의 단어들을 가지고 50문장 연습

하기 - 30.名詞の単語を暗記し、10の必須動詞の単語を使って50の文を練習する。
2735. 리더 - リーダー
2736. 메뉴 - メニュー
2737. 색상 - カラー
2738. 프로젝트 - プロジェクト
2739. 계획 - 計画
2740. 아이디어 - アイデア
2741. 스케줄 - スケジュール
2742. 예약 - 予約
2743. 보안 - セキュリティ
2744. 비밀번호 - パスワード
2745. 규칙 - ルール
2746. 입장 - エントランス
2747. 영향력 - 影響
2748. 제한 - 制限
2749. 프로세스 - プロセス
2750. 시스템 - システム
2751. 웹사이트 - ウェブサイト
2752. 기능 - 機能
2753. 계정 - アカウント
2754. 서비스 - サービス
2755. 알림 - アラーム
2756. 옵션 - オプション
2757. 컴퓨터 - コンピューター
2758. 인터넷 - インターネット
2759. 기기 - デバイス
2760. 부분 - アルバイト
2761. 요소 - エレメント
2762. 구성 - 構成
2763. 선택하다 - を選ぶ
2764. 그들은 새 리더를 선택했다. - 新しい読者を選んだ
2765. 나는 지금 메뉴를 선택한다. - 私は今メニューを選ぶ。
2766. 너는 내일 색상을 선택할 것이다. - 明日は色を選ぶ。

2767. 쉽게 고를 수 있어? - 選ぶのは簡単ですか？
2768. 네, 쉬워. - はい、簡単です。
2769. 구상하다 - 思い描く
2770. 그녀는 새 프로젝트를 구상했다. - 彼女は新しい計画を思いついた。
2771. 나는 지금 계획을 구상한다. - 私は今計画を構想しています。
2772. 우리는 내일 아이디어를 구상할 것이다. - 明日、構想を練ります。
2773. 아이디어 있어? - 何かアイデアはありますか？
2774. 응, 많아. - はい、たくさんあります。
2775. 변경하다 - 変更する
2776. 그는 계획을 변경했다. - 彼は予定を変更した。
2777. 그녀는 지금 스케줄을 변경한다. - 彼女は今予定を変更する。
2778. 당신들은 내일 예약을 변경할 것이다. - 君たちは明日予定を変更する。
2779. 날짜 바꿀래? - 変更しますか？
2780. 그래, 바꿀래. - はい、変更します。
2781. 강화하다 - 警備を強化する
2782. 그들은 보안을 강화했다. - セキュリティを強化している。
2783. 나는 지금 비밀번호를 강화한다. - 今パスワードを強化しています。
2784. 너는 내일 규칙을 강화할 것이다. - 明日から規則を強化します。
2785. 보안 더 필요해? - セキュリティを強化する必要がありますか？
2786. 네, 필요해. - はい、必要です。
2787. 약화하다 - 弱める
2788. 그녀는 입장을 약화시켰다. - 彼女は立場を弱めた。
2789. 우리는 지금 영향력을 약화시킨다. - 今は影響力を弱める。
2790. 당신들은 내일 제한을 약화시킬 것이다. - 明日には制限を弱める
2791. 영향 줄어들었어? - 影響力を弱める？
2792. 응, 줄었어. - そうだ、減った。
2793. 최적화하다 - 最適化する
2794. 그는 프로세스를 최적화했다. - 彼はプロセスを最適化した。
2795. 그녀는 지금 시스템을 최적화한다. - 彼女は今システムを最適化している。
2796. 우리는 내일 웹사이트를 최적화할 것이다. - 我々は明日ウェブサイトを最適化する。
2797. 성능 좋아졌어? - パフォーマンスは良くなりましたか？
2798. 많이 좋아졌어. - かなり良くなりました。
2799. 활성화하다 - アクティブにする

2800. 그들은 기능을 활성화했다. - 彼らはその機能を有効にした。
2801. 나는 지금 계정을 활성화한다. - 今アカウントをアクティベートしています。
2802. 너는 내일 서비스를 활성화할 것이다. - 明日サービスをアクティベートしてください。
2803. 작동하나요? - 機能しますか？
2804. 응, 잘 돼. - はい、機能します。
2805. 비활성화하다 - 無効にする
2806. 그녀는 알림을 비활성화했다. - 彼女は通知を無効にした。
2807. 우리는 지금 옵션을 비활성화한다. - 今すぐそのオプションを無効にします。
2808. 당신들은 내일 기능을 비활성화할 것이다. - 君たちは明日、その機能を無効にする。
2809. 더 이상 안 나와? - もう出ないんですか？
2810. 아니, 안 나와. - いいえ、出ません。
2811. 연결하다 - 接続する
2812. 나는 컴퓨터를 연결했다. - コンピューターを接続しました。
2813. 너는 인터넷을 연결한다. - インターネットに接続します。
2814. 그는 기기를 연결할 것이다. - デバイスを接続します
2815. 연결 됐어? - 接続しましたか？
2816. 됐어. - 接続完了。
2817. 분리하다 - 分ける
2818. 그녀는 두 부분을 분리했다. - 彼女は2つの部分を分離した。
2819. 우리는 요소들을 분리한다. - 私たちは要素を分離します。
2820. 당신들은 구성을 분리할 것이다. - 構図を分けるのです。
2821. 분리해야 해? - 分ける必要がありますか？
2822. 해야 해. - 分ける必要がありますか？
2823. 31. 명사 단어들 외우기, 필수 10개 동사의 단어들을 가지고 50문장 연습하기 - 31. 名詞の単語を覚え、10個の必須動詞の単語を使って50文練習する。
2824. 가구 - 家具
2825. 모델 - モデル
2826. 장난감 - おもちゃ
2827. 기계 - 機械
2828. 구조 - 構造

2829. 시스템 - システム
2830. 선물 - ギフト
2831. 상품 - 商品
2832. 박스 - ボックス
2833. 편지 - 手紙
2834. 패키지 - パッケージ
2835. 상자 - ボックス
2836. 볼륨 - 容積
2837. 뚜껑 - 蓋
2838. 핸들 - ハンドル
2839. 페이지 - ページ
2840. 채널 - チャンネル
2841. 장 - ページ
2842. 종이 - 紙
2843. 천 - クロス
2844. 나무 - ツリー
2845. 국물 - スープ
2846. 음료 - 飲料
2847. 소스 - ソース
2848. 요리 - 料理
2849. 스무디 - スムージー
2850. 케이크 - ケーキ
2851. 목욕 - 風呂
2852. 온천 - スパ
2853. 조립하다 - 組み立てる
2854. 그들은 가구를 조립했다. - 彼らは家具を組み立てた。
2855. 나는 모델을 조립한다. - 私は模型を組み立てる。
2856. 너는 장난감을 조립할 것이다. - あなたはおもちゃを組み立てる。
2857. 도와줄까? - 手伝おうか？
2858. 좋아. - いいよ。
2859. 해체하다 - 解体する
2860. 그녀는 기계를 해체했다. - 彼女は機械を解体した。
2861. 우리는 구조를 해체한다. - 私たちは構造を解体します。
2862. 당신들은 시스템을 해체할 것이다. - あなたはシステムを解体する

2863. 해체 필요해? - 解体する必要があるのか？
2864. 필요해. - 必要だ
2865. 포장하다 - 包む
2866. 나는 선물을 포장했다. - 私は贈り物を包みました。
2867. 너는 상품을 포장한다. - あなたは商品を梱包します。
2868. 그는 박스를 포장할 것이다. - 彼が箱に詰めます。
2869. 끝났어? - 終わりましたか？
2870. 아직. - まだです。
2871. 개봉하다 - 開ける
2872. 그녀는 편지를 개봉했다. - 彼女は手紙を開けた。
2873. 우리는 패키지를 개봉한다. - 荷物を開けます。
2874. 당신들은 상자를 개봉할 것이다. - あなたが箱を開けてください。
2875. 열어볼까? - 開けましょうか。
2876. 열어봐. - 開けましょう。
2877. 돌리다 - 回す
2878. 그들은 볼륨을 돌렸다. - 彼らはボリュームを回した。
2879. 나는 뚜껑을 돌린다. - 私は蓋を回します。
2880. 너는 핸들을 돌릴 것이다. - ハンドルを回します。
2881. 돌려야 돼? - 回さなきゃいけないの？
2882. 응, 돼. - はい、回してください。
2883. 넘기다 - ページをめくる
2884. 그녀는 페이지를 넘겼다. - 彼女はページをめくった。
2885. 우리는 채널을 넘긴다. - チャンネルを回す。
2886. 당신들은 장을 넘길 것이다. - 章をめくります。
2887. 넘길까? - ひっくり返しましょうか。
2888. 넘겨. - ひっくり返す。
2889. 자르다 - 切る
2890. 나는 종이를 자르다. - 私は紙を切る。
2891. 너는 천을 자른다. - あなたは布を切る。
2892. 그는 나무를 자를 것이다. - 彼は木を切る。
2893. 자를까? - 切りましょうか。
2894. 자르자. - 切りましょう。
2895. 저다 - かき混ぜる
2896. 그녀는 국물을 저었다. - 彼女はスープをかき混ぜた。

2897. 우리는 음료를 젓는다. - 私たちは飲み物をかき混ぜる。
2898. 당신들은 소스를 저을 것이다. - あなたたちはソースをかき混ぜる。
2899. 더 저을까? - もっとかき混ぜましょうか？
2900. 응, 저어. - はい、かき混ぜます。
2901. 맛보다 - 味わう
2902. 그들은 새 요리를 맛보았다. - 彼らは新しい料理を味わった。
2903. 나는 스무디를 맛본다. - 私はスムージーを味見します。
2904. 너는 케이크를 맛볼 것이다. - あなたはケーキを味わいます。
2905. 맛있어? - おいしいですか？
2906. 맛있어. - おいしいよ。
2907. 목욕하다 - 入浴する
2908. 그녀는 긴 목욕을 했다. - 彼女は長風呂をした。
2909. 우리는 온천에서 목욕한다. - 温泉に入ります。
2910. 당신들은 집에서 목욕할 것이다. - 家で入浴します。
2911. 뜨거워? - 熱いですか？
2912. 적당해. - ちょうどいいです。
2913. 32. 명사 단어들 외우기, 필수 10개 동사의 단어들을 가지고 50문장 연습하기 - 32.名詞の単語を覚え、10の必須動詞の単語を使って50の文を練習する。
2914. 샤워 - シャワー
2915. 드레스 - 服装
2916. 유니폼 - 制服
2917. 옷 - 洋服
2918. 잠옷 - パジャマ
2919. 신발 - 靴
2920. 코트 - コート
2921. 파티복 - パーティーウェア
2922. 운동복 - スポーツウェア
2923. 머리 - ヘッド
2924. 고양이 - 猫
2925. 말 - 言葉
2926. 방 - 部屋
2927. 트리 - 木
2928. 집 - 家
2929. 문서 - ドキュメント

2930. 보고서 - レポート
2931. 이메일 - メール
2932. 그림 - ペインティング
2933. 스케치 - スケッチ
2934. 만화 - 漫画
2935. 길 - 道
2936. 눈길 - 視線
2937. 정글 - ジャングル
2938. 샤워하다 - シャワーを浴びる
2939. 나는 아침에 샤워했다. - 朝、シャワーを浴びた。
2940. 너는 지금 샤워한다. - あなたは今シャワーを浴びる。
2941. 그는 저녁에 샤워할 것이다. - 夕方にシャワーを浴びる。
2942. 빨리 할까? - 早くしましょうか？
2943. 빨리 해. - 早くしましょう。
2944. 입다 - 着る
2945. 그녀는 드레스를 입었다. - 彼女はドレスを着た。
2946. 우리는 유니폼을 입는다. - 私たちは制服を着ます。
2947. 당신들은 새 옷을 입을 것이다. - 君たちは新しい服を着るんだ。
2948. 예뻐? - きれい？
2949. 예뻐. - きれいだよ。
2950. 벗다 - 脱ぐ
2951. 그들은 잠옷을 벗었다. - 彼らはパジャマを脱いだ。
2952. 나는 신발을 벗는다. - 靴を脱ぎます。
2953. 너는 코트를 벗을 것이다. - コートを脱ぎます。
2954. 춥지 않아? - 寒くないですか？
2955. 괜찮아. - 大丈夫です。
2956. 갈아입다 - 着替える
2957. 그녀는 파티복으로 갈아입었다. - 彼女はパーティー用の服に着替えた。
2958. 우리는 운동복으로 갈아입는다. - 私たちはスポーツウェアに着替えます。
2959. 당신들은 편안한 옷으로 갈아입을 것이다. - 動きやすい服に着替えます。
2960. 빨리 할 수 있어? - すぐにできますか？
2961. 할 수 있어. - できます。
2962. 빗다 - 髪をとかす
2963. 나는 머리를 빗었다. - 私は髪をとかした。

2964. 너는 고양이를 빗는다. - あなたは猫をとかす。
2965. 그는 말을 빗을 것이다. - 彼は馬をとかす。
2966. 도와줄까? - 手伝おうか？
2967. 좋아. - いいよ。
2968. 꾸미다 - 飾る
2969. 그녀는 방을 꾸몄다. - 彼女は部屋を飾った。
2970. 우리는 트리를 꾸민다. - ツリーを飾る。
2971. 당신들은 집을 꾸밀 것이다. - あなたは家を飾る。
2972. 예쁘게 할까? - かわいくしましょうか。
2973. 그래, 예쁘게. - はい、かわいくします。
2974. 단장하다 - 着飾る
2975. 그들은 축제에 맞춰 단장했다. - 彼らは祭りのために着飾った。
2976. 나는 면접에 맞춰 단장한다. - 私は面接のためにおしゃれをしています。
2977. 너는 결혼식에 맞춰 단장할 것이다. - 結婚式のためにおめかしします。
2978. 준비 됐어? - 準備はいいですか？
2979. 됐어. - 準備はできています。
2980. 교정하다 - 校正する
2981. 그녀는 문서를 교정했다. - 彼女は文書を校正した。
2982. 우리는 보고서를 교정한다. - 私たちは報告書を校正します。
2983. 당신들은 이메일을 교정할 것이다. - 君たちはメールを校正する。
2984. 오류 있어? - 間違いはないか？
2985. 없어. - ありません。
2986. 채색하다 - 色を塗る
2987. 나는 그림에 채색했다. - 私は絵に色を塗りました。
2988. 너는 스케치를 채색한다. - あなたはスケッチに色をつけます。
2989. 그는 만화를 채색할 것이다. - 彼が漫画に色を塗ります。
2990. 끝났어? - できた？
2991. 거의. - もう少し。
2992. 헤치다 - ヘッジする
2993. 그녀는 길을 헤쳤다. - 彼女は垣根を作った。
2994. 우리는 눈길을 헤친다. - 私たちは雪をかき分ける。
2995. 당신들은 정글을 헤칠 것이다. - ジャングルを切り開くんだ
2996. 힘들어? - 厳しい？
2997. 좀 힘들어. - 少しきつい。

2998. 33. 명사 단어들 외우기, 필수 10개 동사의 단어들을 가지고 50문장 연습하기 - 33. 名詞の単語を覚え、10の必須動詞の単語を使って50の文を練習する。
2999. 팬케이크 - パンケーキ
3000. 책장 - 本棚
3001. 매트 - マット
3002. 공원 - 公園
3003. 해변 - ビーチ
3004. 산길 - 山道
3005. 줄넘기 - 縄跳び
3006. 장애물 - 障害物
3007. 역사 - 歴史
3008. 수학 - 数学
3009. 과학 - 科学
3010. 기술 - テクノロジー
3011. 레시피 - レシピ
3012. 노래 - 歌う
3013. 시 - 都市
3014. 공식 - 公式
3015. 단어 - 言葉
3016. 시장 - 市場
3017. 문화 - 文化
3018. 생태계 - 生態系
3019. 우주 - 宇宙
3020. 인간 마음 - 人間の心
3021. 심해 - 深海
3022. 방법 - 方法
3023. 화학 반응 - 化学反応
3024. 생물학적 실험 - 生物実験
3025. 제품 - 製品
3026. 능력 - 能力
3027. 뒤집다 - ひっくり返す
3028. 그들은 팬케이크를 뒤집었다. - 彼らはパンケーキをひっくり返した。
3029. 나는 책장을 뒤집는다. - 私は本棚をひっくり返す。
3030. 너는 매트를 뒤집을 것이다. - マットをひっくり返します。

3031. 잘 됐어? - うまくいった？
3032. 잘 됐어. - うまくいったよ。
3033. 뛰다 - 走る
3034. 그녀는 공원을 뛰었다. - 彼女は公園を走った。
3035. 우리는 해변을 뛴다. - 私たちは浜辺を走った。
3036. 당신들은 산길을 뛸 것이다. - あなたたちは山道を走ります。
3037. 피곤해? - 疲れたかい？
3038. 아니, 괜찮아. - いいえ、大丈夫です
3039. 점프하다 - ジャンプ
3040. 나는 높이 점프했다. - 高く跳んだよ。
3041. 너는 줄넘기를 점프한다. - 縄跳びをする。
3042. 그는 장애물을 점프할 것이다. - ハードルを跳ぶんだ。
3043. 할 수 있어? - 跳べる？
3044. 할 수 있어. - できます。
3045. 공부하다 - 勉強する
3046. 그녀는 역사를 공부했다. - 彼女は歴史を勉強した。
3047. 우리는 수학을 공부한다. - 私たちは数学を勉強します。
3048. 당신들은 과학을 공부할 것이다. - 君たちは科学を勉強する。
3049. 어려워? - 難しいですか？
3050. 조금 어려워. - 少し難しい。
3051. 익히다 - マスターする
3052. 그들은 새로운 기술을 익혔다. - 彼らは新しい技術をマスターした。
3053. 나는 레시피를 익힌다. - 私はレシピをマスターする。
3054. 너는 노래를 익힐 것이다. - あなたは歌をマスターするでしょう。
3055. 쉬워? - 簡単ですか？
3056. 쉬워. - 簡単だよ。
3057. 암기하다 - 暗記する
3058. 그녀는 시를 암기했다. - 彼女は詩を暗記した。
3059. 우리는 공식을 암기한다. - 私たちは公式を暗記します。
3060. 당신들은 단어를 암기할 것이다. - あなたは単語を暗記します。
3061. 외웠어? - 暗記しましたか？
3062. 외웠어. - 暗記しました。
3063. 연구하다 - 勉強する
3064. 나는 시장을 연구했다. - 私は市場を研究した。

3065. 너는 문화를 연구한다. - あなたは文化を研究する。
3066. 그는 생태계를 연구할 것이다. - 彼は生態系を研究する。
3067. 발견했어? - 見つけましたか？
3068. 발견했어. - 見つけたよ。
3069. 탐구하다 - 探索する
3070. 그녀는 우주를 탐구했다. - 彼女は宇宙を探検した。
3071. 우리는 인간 마음을 탐구한다. - 私たちは人間の心を探検する。
3072. 당신들은 심해를 탐구할 것이다. - あなたは深海を探検する
3073. 무엇을 탐구해? - 何を探検するのですか？
3074. 심해를 탐구해. - 深海を探検する。
3075. 실험하다 - 実験する
3076. 나는 새로운 방법을 실험했다. - 新しい方法で実験をしました。
3077. 너는 화학 반응을 실험한다. - あなたは化学反応の実験をします。
3078. 그는 생물학적 실험을 할 것이다. - 彼は生物学的な実験をします。
3079. 성공했어? - 成功しましたか？
3080. 네, 성공했어. - はい、成功しました。
3081. 시험하다 - テストする
3082. 그들은 제품을 시험했다. - 彼らは製品をテストした。
3083. 나는 내 능력을 시험한다. - 私は自分の能力をテストする。
3084. 너는 새 기술을 시험할 것이다. - あなたの新しい能力をテストします。
3085. 어때? - 調子はどうですか？
3086. 잘 작동해. - うまくいっています。
3087. 34. 명사 단어들 외우기, 필수 10개 동사의 단어들을 가지고 50문장 연습하기 - 34.名詞の単語を暗記し、10個の必須動詞の単語を使って50文練習する。
3088. 친구 - 友達
3089. 대화 - 会話
3090. 주제 - 主語
3091. 세계 평화 - 世界平和
3092. 팀 - チーム
3093. 가족 - 家族
3094. 다국어 - 多言語
3095. 질문 - クイズ
3096. 퀴즈 - クイズ
3097. 인터뷰 질문 - 面接質問

3098. 사건 - イベント
3099. 독립 기념일 - 第四
3100. 업적 - 業績
3101. 졸업 - 卒業生
3102. 승진 - 昇進
3103. 생일 - 誕生日
3104. 영웅 - 英雄
3105. 역사적 사건 - 歴史的事件
3106. 인물 - キャラクター
3107. 사람 - 人物
3108. 학생 - 学生
3109. 노력 - 努力
3110. 성취 - 業績
3111. 성공 - 成功
3112. 실수 - ミス
3113. 부정적 행동 - 否定的な行動
3114. 불공정 - 不公平
3115. 대화하다 - コンバースへ
3116. 그녀는 친구와 깊은 대화를 했다. - 彼女は友人と深い会話をした。
3117. 우리는 중요한 주제에 대해 대화한다. - 重要な話題について話す。
3118. 당신들은 세계 평화에 대해 대화할 것이다. - 世界平和について話すんだ。
3119. 흥미로워? - 興味深い？
3120. 매우 흥미로워. - とても興味深い。
3121. 소통하다 - コミュニケーションをとる
3122. 나는 팀과 효과적으로 소통했다. - 私はチームと効果的にコミュニケーションをとった。
3123. 너는 가족과 소통한다. - あなたは家族とコミュニケーションをとります。
3124. 그는 다국어로 소통할 것이다. - 多言語でコミュニケーションをとる。
3125. 쉬워? - 簡単ですか？
3126. 노력이 필요해. - 努力が必要です。
3127. 답하다 - 答える
3128. 그들은 내 질문에 답했다. - 彼らは私の質問に答えた。
3129. 나는 퀴즈에 답한다. - クイズに答える。
3130. 너는 인터뷰 질문에 답할 것이다. - 面接の質問に答えます。

3131. 준비됐어? - 準備はできていますか？
3132. 예, 준비됐어. - はい、準備はできています。
3133. 기념하다 - 記念する
3134. 그녀는 중요한 사건을 기념했다. - 彼女は重要な出来事を記念した。
3135. 우리는 독립 기념일을 기념한다. - 私たちは独立記念日を祝います。
3136. 당신들은 업적을 기념할 것이다. - あなたはある業績を記念します。
3137. 언제야? - いつですか？
3138. 내일이야. - 明日です。
3139. 경축하다 - 祝う
3140. 나는 졸업을 경축했다. - 私は卒業を祝いました。
3141. 너는 승진을 경축한다. - あなたは昇進を祝います。
3142. 그는 생일을 경축할 것이다. - 彼は誕生日を祝います。
3143. 파티 할 거야? - パーティーに行きますか？
3144. 그래, 파티할 거야. - はい、パーティーをします。
3145. 추모하다 - 記念する
3146. 그녀는 영웅을 추모했다. - 彼女は英雄を記念した。
3147. 우리는 역사적 사건을 추모한다. - 私たちは歴史的な出来事を記念します。
3148. 당신들은 위대한 인물을 추모할 것이다. - あなたは偉大な人物を記念します。
3149. 슬픈 날이야? - 悲しい日ですか？
3150. 네, 매우 슬퍼. - はい、とても悲しいです。
3151. 위로하다 - 慰める
3152. 나는 친구를 위로했다. - 私は友人を慰めた。
3153. 너는 슬픈 이를 위로한다. - あなたは悲しい人を慰める。
3154. 그는 가족을 위로할 것이다. - 家族を慰める。
3155. 괜찮아졌어? - 気分はよくなりましたか？
3156. 조금 나아졌어. - 少し良くなったよ。
3157. 격려하다 - 励ます
3158. 그들은 서로를 격려했다. - 彼らは励まし合った。
3159. 나는 너를 격려한다. - 私はあなたを励ます。
3160. 너는 팀을 격려할 것이다. - チームを励ますのです。
3161. 힘낼래? - 応援してくれますか？
3162. 네, 힘낼게! - はい、応援します！
3163. 칭찬하다 - 褒める

3164. 그녀는 학생의 노력을 칭찬했다. - 彼女は生徒の努力を褒めた。
3165. 우리는 성취를 칭찬한다. - 私たちは成果を褒めます。
3166. 당신들은 성공을 칭찬할 것이다. - 成功を褒めます。
3167. 잘했어? - よくできましたか？
3168. 너무 잘했어! - よくやったね！
3169. 비난하다 - 批判する
3170. 나는 실수를 비난했다. - ミスを責める。
3171. 너는 부정적 행동을 비난한다. - 否定的な行動を非難する。
3172. 그는 불공정을 비난할 것이다. - 彼は不正を非難するでしょう。
3173. 그게 맞아? - それは正しいのか？
3174. 아니, 잘못됐어. - いいえ、間違っています。
3175. 35. 명사 단어들 외우기, 필수 10개 동사의 단어들을 가지고 50문장 연습하기 - 35.名詞の単語を覚え、10個の必須動詞の単語を使って50の文を練習する。
3176. 정책 - 方針
3177. 아이디어 - アイデア
3178. 계획 - 計画
3179. 동료 - 同僚
3180. 리더 - リーダー
3181. 파트너 - パートナー
3182. 경고 - 警告
3183. 조언 - 助言
3184. 위험 - 危険
3185. 변경사항 - 変更
3186. 결정 - 決断
3187. 결과 - 結果
3188. 회의 일정 - 会議日程
3189. 이벤트 - イベント
3190. 변경 - 変更
3191. 데이터 - データ
3192. 시스템 - システム
3193. 기계 - マシン
3194. 스케줄 - スケジュール
3195. 전략 - 戦略

3196. 규칙 - ルール
3197. 방침 - ポリシー
3198. 기회 - 機会
3199. 자원 - リソース
3200. 정보 - 情報
3201. 계약 - 契約
3202. 멤버십 - メンバーシップ
3203. 라이선스 - ライセンス
3204. 비판하다 - 批判する
3205. 그들은 정책을 비판했다. - 彼らは政策を批判した。
3206. 나는 아이디어를 비판한다. - 私はその考えを批判する。
3207. 너는 계획을 비판할 것이다. - あなたは計画を批判する。
3208. 개선 필요해? - 改善が必要か？
3209. 네, 필요해. - はい、必要です。
3210. 신뢰하다 - 信頼する
3211. 그녀는 동료를 신뢰했다. - 彼女は同僚を信頼していた。
3212. 우리는 리더를 신뢰한다. - リーダーを信頼する。
3213. 당신들은 파트너를 신뢰할 것이다. - パートナーを信頼する。
3214. 믿을 수 있어? - 信頼できますか？
3215. 물론이야. - もちろんだ。
3216. 주의하다 - 耳を傾けるには
3217. 나는 경고를 주의했다. - 私は警告に耳を傾けた。
3218. 너는 조언을 주의한다. - あなたは忠告に耳を傾ける。
3219. 그는 위험을 주의할 것이다. - 彼は危険に注意するだろう。
3220. 조심해야 해? - 注意すべきですか？
3221. 예, 조심해. - はい、注意してください。
3222. 통보하다 - 通知する
3223. 그들은 변경사항을 통보했다. - 彼らは変更を通知した。
3224. 나는 결정을 통보한다. - 私は決定を通知する。
3225. 너는 결과를 통보할 것이다. - 結果をお知らせします。
3226. 알려줄 거야? - 私に知らせてくれますか？
3227. 네, 알려줄게. - はい、お知らせします。
3228. 공지하다 - 知らせる
3229. 그녀는 회의 일정을 공지했다. - 彼女は会議の告知をした。

3230. 우리는 이벤트를 공지한다. - 私たちはその出来事を発表します。
3231. 당신들은 변경을 공지할 것이다. - あなたは変更を発表します。
3232. 언제 시작해? - いつ始まるのですか？
3233. 내일 시작해. - 明日からです。
3234. 조작하다 - 操作する
3235. 나는 데이터를 조작했다. - 私はデータを操作した。
3236. 너는 시스템을 조작한다. - あなたはシステムを操作する
3237. 그는 기계를 조작할 것이다. - 彼がマシンを操作する
3238. 쉬워? - 簡単ですか？
3239. 아니, 어려워. - いや、難しい。
3240. 조정하다 - 調整する
3241. 그들은 계획을 조정했다. - 彼らは計画を調整した。
3242. 나는 스케줄을 조정한다. - 私はスケジュールを調整する。
3243. 너는 전략을 조정할 것이다. - あなたは戦略を調整する。
3244. 변경됐어? - 変わりましたか？
3245. 네, 변경됐어. - はい、変わりました。
3246. 적용하다 - 適用する
3247. 그녀는 규칙을 적용했다. - 彼女は規則を適用した。
3248. 우리는 정책을 적용한다. - 私たちは方針を適用します。
3249. 당신들은 방침을 적용할 것이다. - あなたは方針を適用します。
3250. 필요해? - 必要ですか？
3251. 네, 필요해. - はい、必要です。
3252. 활용하다 - 利用する
3253. 나는 기회를 활용했다. - 機会を活用しました。
3254. 너는 자원을 활용한다. - あなたは資源を活用する。
3255. 그는 정보를 활용할 것이다. - 彼は情報を活用する。
3256. 유용해? - 役に立つ？
3257. 매우 유용해. - とても役に立つ。
3258. 갱신하다 - 更新する
3259. 그들은 계약을 갱신했다. - 彼らは契約を更新した。
3260. 나는 멤버십을 갱신한다. - 私はメンバーシップを更新します。
3261. 너는 라이선스를 갱신할 것이다. - 免許を更新します。
3262. 필요한 거야? - 必要ですか？
3263. 예, 필요해. - はい、必要です。

3264. 36. 명사 단어들 외우기, 필수 10개 동사의 단어들을 가지고 50문장 연습하기 - 36. 名詞の単語を暗記し、10個の必須動詞の単語を使って50の文を練習する。
3265. 소프트웨어 - ソフトウェア
3266. 시스템 - システム
3267. 하드웨어 - ハードウェア
3268. 파일 - ファイル
3269. 아이콘 - アイコン
3270. 이미지 - イメージ
3271. 그룹 - グループ
3272. 경로 - ルート
3273. 계획 - プラン
3274. 위험 - 危険
3275. 루틴(습관) - ルーティン
3276. 지루함 - 退屈
3277. 문제 - 問題
3278. 책임 - 責任
3279. 현장 - サイト
3280. 도둑 - 泥棒
3281. 꿈 - 夢
3282. 목표 - ターゲット
3283. 고양이 - 猫
3284. 행복 - 幸福
3285. 성공 - 成功
3286. 순간 - 瞬間
3287. 기회 - チャンス
3288. 장면 - シーン
3289. 변화 - 変化
3290. 상황 - 状況
3291. 필요 - 必要
3292. 업그레이드하다 - アップグレード
3293. 그녀는 소프트웨어를 업그레이드했다. - 彼女はソフトウェアをアップグレードした。
3294. 우리는 시스템을 업그레이드한다. - 私たちはシステムをアップグレードす

る。
3295. 당신들은 하드웨어를 업그레이드할 것이다. - あなたたちはハードウェアをアップグレードする。
3296. 더 좋아질까? - より良くなるのか？
3297. 분명히 그래. - そうだろうね。
3298. 드래그하다 - ドラッグする
3299. 나는 파일을 드래그했다. - 私はファイルをドラッグした。
3300. 너는 아이콘을 드래그한다. - あなたはアイコンをドラッグした。
3301. 그는 이미지를 드래그할 것이다. - 彼は画像をドラッグする。
3302. 쉬운 일이야? - 簡単ですか？
3303. 네, 매우 쉬워. - はい、とても簡単です。
3304. 이탈하다 - 離れる
3305. 그들은 그룹에서 이탈했다. - 彼らはグループから外れた。
3306. 나는 경로에서 이탈한다. - 私は道から外れる。
3307. 너는 계획에서 이탈할 것이다. - 計画から外れる。
3308. 계획 변경해? - 計画を変更する？
3309. 네, 변경해. - はい、変更します。
3310. 탈출하다 - 逃げる
3311. 그녀는 위험에서 탈출했다. - 彼女は危険から逃れた。
3312. 우리는 루틴에서 탈출한다. - 私たちは日常から逃げる。
3313. 당신들은 지루함에서 탈출할 것이다. - 退屈から逃れる。
3314. 벗어날 수 있어? - あなたは逃げられますか？
3315. 예, 벗어날 수 있어. - はい、逃げられます。
3316. 도망치다 - 逃げる
3317. 나는 문제에서 도망쳤다. - 私は問題から逃げる。
3318. 너는 책임에서 도망친다. - あなたは責任から逃げる。
3319. 그는 현장에서 도망칠 것이다. - 彼はその場から逃げる。
3320. 두려워? - 怖いですか？
3321. 아니, 두렵지 않아. - いや、怖くない。
3322. 추격하다 - 追いかける
3323. 그들은 도둑을 추격했다. - 彼らは泥棒を追いかけた。
3324. 나는 꿈을 추격한다. - 私は夢を追いかける。
3325. 너는 목표를 추격할 것이다. - あなたは目標を追いかける。
3326. 따라잡을 수 있어? - 追いつけますか？

3327. 네, 할 수 있어. - はい、追いつけます。
3328. 쫓다 - 追いかける
3329. 그녀는 고양이를 쫓았다. - 彼女は猫を追いかけた。
3330. 우리는 행복을 쫓는다. - 私たちは幸せを追いかける。
3331. 당신들은 성공을 쫓을 것이다. - あなたは成功を追いかける。
3332. 성공할까? - あなたは成功しますか？
3333. 네, 분명히 성공해. - はい、必ず成功します。
3334. 포착하다 - つかむ
3335. 나는 순간을 포착했다. - 私はその瞬間をつかんだ。
3336. 너는 기회를 포착한다. - あなたはチャンスをつかむ。
3337. 그는 장면을 포착할 것이다. - 彼はその場面をとらえるだろう。
3338. 멋진 사진이야? - 素敵な写真ですか？
3339. 네, 정말 멋져. - ええ、本当に素敵です。
3340. 감지하다 - 感じる
3341. 나는 변화를 감지했다. - 私は変化を感じた。
3342. 너는 위험을 감지한다. - 危険を察知する。
3343. 그는 기회를 감지할 것이다. - 彼はチャンスを感じるだろう。
3344. 뭔가 느껴져? - 何かを感じる？
3345. 네, 뭔가 느껴져. - はい、何かを感じます。
3346. 인지하다 - 知覚する
3347. 그녀는 문제를 인지했다. - 彼女は問題を感知した。
3348. 우리는 상황을 인지한다. - 状況を察知する。
3349. 당신들은 필요를 인지할 것이다. - 必要性を認識する。
3350. 알고 있어? - 認識していますか？
3351. 네, 알고 있어. - はい、認識しています。
3352. 37. 명사 단어들 외우기, 필수 10개 동사의 단어들을 가지고 50문장 연습하기 - 37. 名詞の単語を暗記し、10個の必須動詞の単語を使って50文を練習する。
3353. 핵심 - 核心
3354. 진실 - 真理
3355. 해결책 - 解決策
3356. 발표 - プレゼンテーション
3357. 기타 - その他
3358. 스피치(말) - スピーチ

3359. 영어 - 英語
3360. 코딩 - コーディング
3361. 요리 - 料理
3362. 게임 - ゲーム
3363. 악기 - 楽器
3364. 기술 - テクノロジー
3365. 환경 - 環境
3366. 변화 - 変化
3367. 도전 - 挑戦
3368. 규칙 - ルール
3369. 조건 - 条件
3370. 기준 - 標準
3371. 칼 - ナイフ
3372. 배트 - バット
3373. 막대기 - バー
3374. 공 - ボール
3375. 종이비행기 - 紙飛行機
3376. 주사위 - サイコロ
3377. 손 - 手
3378. 기회 - チャンス
3379. 아기 - 赤ちゃん
3380. 강아지 - 子犬
3381. 책 - 本
3382. 파악하다 - つかむ
3383. 우리는 핵심을 파악했다. - 私たちは核心をつかむ。
3384. 당신들은 진실을 파악한다. - あなたたちは真実を把握する。
3385. 그들은 해결책을 파악할 것이다. - 彼らは解決策を見つけ出す。
3386. 이해했어? - 理解できましたか？
3387. 네, 이해했어. - はい、理解しています。
3388. 연습하다 - 練習する
3389. 나는 발표를 연습했다. - 私はプレゼンの練習をした。
3390. 너는 기타를 연습한다. - あなたはギターを練習します。
3391. 그는 스피치를 연습할 것이다. - スピーチの練習をします。
3392. 열심히 하고 있니? - 一生懸命練習していますか？

3393. 응, 열심히 해. - はい、一生懸命練習しています。
3394. 숙달하다 - マスターする
3395. 그녀는 영어를 숙달했다. - 彼女は英語をマスターした。
3396. 우리는 코딩을 숙달한다. - 私たちはコーディングをマスターします。
3397. 당신들은 요리를 숙달할 것이다. - 君たちは料理をマスターする。
3398. 잘하게 됐어? - 上手になった？
3399. 네, 잘하게 됐어. - はい、マスターしました。
3400. 마스터하다 - マスターする
3401. 우리는 게임을 마스터했다. - 私たちはゲームをマスターした。
3402. 당신들은 악기를 마스터한다. - 楽器をマスターする。
3403. 그들은 기술을 마스터할 것이다. - 彼らは技術をマスターする。
3404. 전문가야? - あなたは専門家ですか？
3405. 네, 전문가야. - はい、彼らは専門家です。
3406. 적응하다 - 適応する
3407. 나는 새 환경에 적응했다. - 私は新しい環境に適応した。
3408. 너는 변화에 적응한다. - あなたは変化に適応する。
3409. 그는 도전에 적응할 것이다. - 彼は挑戦に適応する。
3410. 괜찮아지고 있어? - 上達していますか？
3411. 네, 괜찮아지고 있어. - はい、良くなっています。
3412. 순응하다 - 順応する
3413. 그녀는 규칙에 순응했다. - 彼女はルールに適合した。
3414. 우리는 조건에 순응한다. - 私たちは条件に合わせる。
3415. 당신들은 기준에 순응할 것이다. - あなたは基準に合わせる。
3416. 쉽게 따라가? - 簡単に従うのか？
3417. 응, 쉽게 따라가. - はい、簡単に従います。
3418. 휘두르다 - 剣を振るう
3419. 나는 칼을 휘둘렀다. - 私は剣を振った。
3420. 너는 배트를 휘두른다. - あなたはバットを振る。
3421. 그는 막대기를 휘두를 것이다. - 棒を振る。
3422. 잘 할 수 있어? - うまくできますか？
3423. 네, 잘 할 수 있어. - はい、うまくできます。
3424. 던지다 - 投げる
3425. 그녀는 공을 던졌다. - 彼女はボールを投げた。
3426. 우리는 종이비행기를 던진다. - 私たちは紙飛行機を投げます。

3427. 당신들은 주사위를 던질 것이다. - あなたはサイコロを投げます。
3428. 멀리 갈까? - 遠くまで飛ぶ?
3429. 응, 멀리 갈 거야. - はい、遠くまで行きます。
3430. 잡다 - キャッチする
3431. 그는 공을 잡았다. - 彼はボールをキャッチした。
3432. 너는 손을 잡는다. - あなたは手をつなぐ。
3433. 그녀는 기회를 잡을 것이다. - 彼女はチャンスをものにする。
3434. 공 잡을래? - ボールをキャッチしますか?
3435. 네, 잡을게. - はい、キャッチします。
3436. 눕히다 - 寝かせる
3437. 나는 아기를 눕혔다. - 私は赤ん坊を寝かせた。
3438. 우리는 강아지를 눕힌다. - 子犬を寝かせました。
3439. 당신들은 책을 눕힐 것이다. - あなたは本を置きます。
3440. 아기 재울래? - 赤ちゃんを寝かせますか。
3441. 네, 지금 할게. - はい、今します。
3442. 38. 명사 단어들 외우기, 필수 10개 동사의 단어들을 가지고 50문장 연습하기 - 38. 名詞の単語を覚え、10個の必須動詞の単語を使って50の文を練習する。
3443. 인형 - 人形
3444. 모형 - モデル
3445. 자전거 - 自転車
3446. 음식 - 食べ物
3447. 책 - 本
3448. 차 - 車
3449. 창문 - 窓
3450. 문 - ドア
3451. 상자 - 箱
3452. 가방 - バッグ
3453. 불 - 火災
3454. 컴퓨터 - コンピューター
3455. 텔레비전 - テレビ
3456. 라디오 - ラジオ
3457. 등 - その他
3458. 엔진 - エンジン

3459. 방 - ルーム
3460. 길 - 道路
3461. 화면 - スクリーン
3462. 눈 - アイ
3463. 그림 - 絵画
3464. 감정 - 感情
3465. 실력 - 技術
3466. 성과 - 結果
3467. 세우다 - 準備する
3468. 그녀는 인형을 세웠다. - 彼女は人形を設置した。
3469. 그들은 모형을 세운다. - 彼らは模型を設置した。
3470. 나는 자전거를 세울 것이다. - 私は自転車を設置します。
3471. 모형 세울까? - 模型を設置しましょうか。
3472. 좋아, 세우자. - よし、設置しよう。
3473. 덮다 - 覆う
3474. 우리는 음식을 덮었다. - 私たちは食べ物を覆った。
3475. 당신은 책을 덮는다. - あなたは本を覆います。
3476. 그들은 차를 덮을 것이다. - 車を覆います。
3477. 이불 덮을래? - 掛け布団を覆いますか？
3478. 아니, 괜찮아. - いいえ、大丈夫です。
3479. 열다 - 開ける
3480. 그녀는 창문을 열었다. - 彼女は窓を開けた。
3481. 나는 문을 연다. - 私はドアを開ける。
3482. 우리는 상자를 열 것이다. - 箱を開けます。
3483. 문 열까? - ドアを開けましょうか。
3484. 네, 열어줘. - はい、開けてください。
3485. 닫다 - 閉じる
3486. 그는 책을 닫았다. - 彼は本を閉じた。
3487. 그녀는 상자를 닫는다. - 彼女は箱を閉じます。
3488. 너는 가방을 닫을 것이다. - あなたはバッグを閉じます。
3489. 창문 닫을래? - 窓を閉めますか。
3490. 네, 닫을게. - はい、閉めます。
3491. 켜다 - つける
3492. 우리는 불을 켰다. - 私たちは電気をつけた。

3493. 당신들은 컴퓨터를 켠다. - あなたたちはコンピューターの電源を入れます。
3494. 그들은 텔레비전을 켤 것이다. - 彼らはテレビをつけるよ。
3495. 불 켤까? - 電気をつけましょうか。
3496. 좋아, 켜자. - よし、つけよう。
3497. 끄다 - を消す
3498. 나는 라디오를 껐다. - ラジオを消した。
3499. 그녀는 등을 끈다. - 彼女は電気を消した。
3500. 그는 차의 엔진을 끌 것이다. - 彼は車のエンジンを切ります。
3501. 등 끌래? - ライトを消しますか？
3502. 네, 끌게. - はい、消します。
3503. 밝히다 - 明るくする
3504. 그녀는 방을 밝혔다. - 彼女は部屋を明るくした。
3505. 우리는 등을 밝힌다. - 私たちは明かりを灯します。
3506. 당신들은 길을 밝힐 것이다. - 道を照らします。
3507. 더 밝게 할까? - 明るくしましょうか。
3508. 그래, 좋아. - はい、いいですよ。
3509. 어둡게 하다 - 暗くする
3510. 그는 화면을 어둡게 했다. - 彼は画面を暗くした。
3511. 너는 방을 어둡게 한다. - あなたは部屋を暗くします。
3512. 그녀는 불빛을 어둡게 할 것이다. - 彼女は明かりを暗くします。
3513. 조명 낮출까? - 照明を落としますか？
3514. 네, 부탁해. - はい、お願いします。
3515. 가리다 - 隠す
3516. 나는 눈을 가렸다. - 私は目を覆った。
3517. 우리는 창문을 가린다. - 私たちは窓を覆います。
3518. 그들은 그림을 가릴 것이다. - 絵を覆います。
3519. 이걸로 가릴까? - これで覆いましょうか？
3520. 좋아, 그게 좋겠어. - オーケー、それがいいだろう。
3521. 보이다 - 示す
3522. 그녀는 감정을 보였다. - 彼女は感情を示した。
3523. 그는 실력을 보인다. - 彼は技術を見せる。
3524. 너는 성과를 보일 것이다. - あなたはパフォーマンスを見せる。
3525. 잘 보였어? - うまく見えた？
3526. 응, 완벽해. - はい、完璧です。

3527. 39. 명사 단어들 외우기, 필수 10개 동사의 단어들을 가지고 50문장 연습하기 - 39.名詞の単語を覚え、10の必須動詞の単語を使って50の文を練習する。
3528. 요리 - 料理
3529. 음료 - 飲み物
3530. 디저트 - デザート
3531. 천 - 布
3532. 표면 - 表面
3533. 소재 - 素材
3534. 마음 - マインド
3535. 주제 - 主題
3536. 문제 - 問題
3537. 피아노 - ピアノ
3538. 드럼 - ドラム
3539. 기타 - その他
3540. 문 - 扉
3541. 탁자 - テーブル
3542. 어깨 - ショルダー
3543. 벌레 - バグ
3544. 머리 - ヘッド
3545. 등 - その他
3546. 눈 - 目
3547. 손 - 手
3548. 팔 - 八
3549. 창문 - 窓
3550. 거울 - 鏡
3551. 바닥 - フロア
3552. 마당 - 庭
3553. 길 - 道路
3554. 침대 - ベッド
3555. 소파 - ソファ
3556. 해먹 - ハンモック
3557. 맛보다 - 試食
3558. 우리는 새로운 요리를 맛보았다. - 新しい料理を味わう。
3559. 당신들은 음료를 맛본다. - 飲み物を味わう。

3560. 그들은 디저트를 맛볼 것이다. - デザートを試食します。
3561. 맛 좀 볼래? - 味見しますか？
3562. 네, 감사해. - はい、ありがとうございます。
3563. 만지다 - 触れる
3564. 그는 부드러운 천을 만졌다. - 彼は柔らかい布に触れた。
3565. 그녀는 표면을 만진다. - 彼女は表面に触れる。
3566. 나는 새로운 소재를 만질 것이다. - 新しい素材に触る。
3567. 이거 만져도 돼? - これに触ってもいいですか？
3568. 네, 괜찮아. - はい、大丈夫です。
3569. 건드리다 - 触れる
3570. 나는 그의 마음을 건드렸다. - 私は彼の心に触れた。
3571. 우리는 주제를 건드린다. - トピックに触れます。
3572. 당신들은 문제를 건드릴 것이다. - 問題に触れます。
3573. 이걸 건드려도 될까? - これに触れてもいいですか？
3574. 아니, 말아줘. - いいえ、しないでください。
3575. 치다 - 叩く
3576. 그녀는 피아노를 쳤다. - 彼女はピアノを弾いた。
3577. 그는 드럼을 친다. - 彼はドラムを演奏します。
3578. 너는 기타를 칠 것이다. - あなたはギターを弾きます。
3579. 음악 칠까? - 音楽をやりましょうか。
3580. 좋아, 시작해. - オーケー、どうぞ。
3581. 두드리다 - ノックする
3582. 그녀는 문을 두드렸다. - 彼女はドアをノックした。
3583. 우리는 탁자를 두드린다. - テーブルをノックします。
3584. 그들은 어깨를 두드릴 것이다. - 肩を叩かれます。
3585. 더 두드려 볼까? - もっとノックしましょうか？
3586. 아니, 됐어. - いいえ、結構です。
3587. 긁다 - 引っ掻く
3588. 나는 벌레 물린 곳을 긁었다. - 私は虫刺されを掻いた。
3589. 그는 머리를 긁는다. - 頭を掻く。
3590. 그녀는 등을 긁을 것이다. - 背中を掻く。
3591. 여기 긁어줄까? - ここを掻いてほしい？
3592. 네, 부탁해. - はい、お願いします。
3593. 문지르다 - こする

3594. 그녀는 눈을 문지렀다. - 彼女は目をこすった。
3595. 우리는 손을 문지른다. - 手をさする。
3596. 너는 팔을 문지를 것이다. - 腕をさすります。
3597. 더 문지를까? - もっとさすりましょうか？
3598. 아니, 괜찮아. - いいえ、大丈夫です。
3599. 닦다 - 拭く
3600. 그는 창문을 닦았다. - 彼は窓を拭いた。
3601. 그녀는 거울을 닦는다. - 彼女は鏡を拭きます。
3602. 우리는 바닥을 닦을 것이다. - 床を拭きます。
3603. 이제 닦을까? - モップをかけましょうか。
3604. 좋아, 해줘. - はい、やりましょう。
3605. 쓸다 - 掃く
3606. 나는 바닥을 쓸었다. - 私は床を掃きました。
3607. 당신들은 마당을 쓴다. - あなたたちは庭を掃いてください。
3608. 그들은 길을 쓸 것이다. - 彼らは道を掃く。
3609. 계속 쓸까? - 掃き続けますか？
3610. 네, 계속해. - はい、続けてください。
3611. 눕다 - 横になる
3612. 그녀는 침대에 누웠다. - 彼女はベッドに横になった。
3613. 너는 소파에 눕는다. - あなたはソファに横になる。
3614. 그는 해먹에 누울 것이다. - 彼はハンモックに横になる。
3615. 이제 누울까? - さあ、横になりましょうか。
3616. 응, 편해. - はい、快適です。
3617. 40. 명사 단어들 외우기, 필수 10개 동사의 단어들을 가지고 50문장 연습하기 - 40.名詞の単語を覚え、10の必須動詞の単語を使って50の文を練習する。
3618. 새벽 - 夜明け
3619. 잠 - 眠る
3620. 꿈 - 夢
3621. 손 - 手
3622. 얼굴 - 顔
3623. 발 - 足
3624. 물 - 水
3625. 샤워 - シャワー
3626. 아이 - 子供

3627. 친구 - 友達
3628. 사람 - 人
3629. 기금 - 資金
3630. 옷 - 洋服
3631. 돈 - お金
3632. 책 - 本
3633. 장난감 - おもちゃ
3634. 컴퓨터 - コンピュータ
3635. 프로젝트 - プロジェクト
3636. 학생 - 学生
3637. 이벤트 - イベント
3638. 깨다 - 起床
3639. 우리는 새벽에 깼다. - 夜明けに目が覚めた。
3640. 그는 잠에서 깬다. - 彼は眠りから覚める。
3641. 그녀는 꿈에서 깰 것이다. - 彼女は夢から覚める。
3642. 벌써 깼어? - もう目覚めた？
3643. 아니, 아직이야. - いいえ、まだです。
3644. 잠들다 - 眠りに落ちる
3645. 그는 빠르게 잠들었다. - 彼はすぐに眠りについた。
3646. 그녀는 조용히 잠든다. - 彼女は静かに眠りにつく。
3647. 우리는 일찍 잠들 것이다. - 早く寝ましょう。
3648. 잘 수 있을까? - 眠れますか？
3649. 응, 잘 수 있어. - はい、眠れます。
3650. 씻다 - 洗う
3651. 나는 얼굴을 씻었다. - 顔を洗いました。
3652. 당신들은 손을 씻는다. - 手を洗います。
3653. 그들은 발을 씻을 것이다. - 足を洗います。
3654. 손 씻었어? - 手を洗いましたか？
3655. 네, 씻었어. - はい、洗いました。
3656. 목욕하다 - 入浴する
3657. 그녀는 긴 목욕을 했다. - 彼女は長風呂をした。
3658. 우리는 따뜻한 물에 목욕한다. - 温かいお湯につかる。
3659. 너는 편안하게 목욕할 것이다. - リラックスして入浴します。
3660. 목욕할 시간이야? - お風呂の時間ですか？

3661. 그래, 지금이야. - はい、今です。
3662. 샤워하다 - シャワーを浴びる
3663. 그는 아침에 샤워했다. - 彼は朝シャワーを浴びた。
3664. 그녀는 빠르게 샤워한다. - 彼女はすぐにシャワーを浴びる。
3665. 우리는 저녁에 샤워할 것이다. - 夕方にシャワーを浴びます。
3666. 샤워 해야 하나? - シャワーを浴びるべきですか？
3667. 응, 해야 해. - はい。
3668. 달래다 - なだめる
3669. 나는 울고 있는 아이를 달랬다. - 私は泣いている子供をなだめた。
3670. 그는 친구를 달랜다. - 彼は友人を慰めるだろう。
3671. 그녀는 슬픈 사람을 달랠 것이다. - 彼女は悲しい人を慰めるだろう。
3672. 조금 달랠까? - 彼女をなだめましょうか？
3673. 네, 부탁해. - はい、お願いします。
3674. 미소짓다 - 微笑む
3675. 그녀는 따뜻하게 미소지었다. - 彼女は温かく微笑んだ。
3676. 우리는 서로에게 미소짓는다. - 私たちは微笑み合う。
3677. 너는 행복을 느끼며 미소질 것이다. - あなたは幸せそうに微笑む。
3678. 미소질래? - 微笑んでくれますか？
3679. 응, 물론이지. - ええ、もちろん
3680. 기부하다 - 寄付する
3681. 그녀는 기금을 기부했다. - 彼女は資金を寄付した。
3682. 우리는 옷을 기부한다. - 私たちは服を寄付します。
3683. 당신들은 돈을 기부할 것이다. - あなたたちはお金を寄付する。
3684. 기부 할래? - 寄付しますか？
3685. 네, 할래. - はい、やります。
3686. 기증하다 - 寄付する
3687. 나는 책을 기증했다. - 私は本を寄付しました。
3688. 너는 장난감을 기증한다. - おもちゃを寄付します。
3689. 그는 컴퓨터를 기증할 것이다. - 彼はパソコンを寄付します。
3690. 책 줄까? - 本をあげましょうか。
3691. 네, 줘. - はい、渡しましょう。
3692. 후원하다 - スポンサーになる
3693. 그들은 프로젝트를 후원했다. - 彼らはプロジェクトのスポンサーになった。
3694. 나는 학생을 후원한다. - 私は学生を後援します。

3695. 너는 이벤트를 후원할 것이다. - あなたはイベントのスポンサーになります。
3696. 후원할래? - スポンサーになりますか？
3697. 네, 할래. - はい、します。
3698. 41. 명사 단어들 외우기, 필수 10개 동사의 단어들을 가지고 50문장 연습하기 - 41.名詞の単語を暗記し、10個の必須動詞の単語を使って50文を練習する。
3699. 친구 - 友達
3700. 팀 - チーム
3701. 프로그램 - プログラム
3702. 동료 - 同僚
3703. 파트너 - パートナー
3704. 조직 - グループ
3705. 목표 - 目標
3706. 커뮤니티 - コミュニティ
3707. 회의 - ミーティング
3708. 워크숍(공동 연수) - ワークショップ (合同研修)
3709. 세미나 - セミナー
3710. 파티 - パーティー
3711. 모임 - クラス
3712. 이벤트 - イベント
3713. 프로젝트 - プロジェクト
3714. 논의 - 議論
3715. 결정 - 決定
3716. 분쟁 - 論争
3717. 협상 - 交渉
3718. 문제해결 - 問題解決
3719. 대화 - 会話
3720. 논쟁 - 議論
3721. 계획 - 計画
3722. 작업 - 仕事
3723. 집중 - 集中
3724. 싸움 - 戦い
3725. 오해 - 誤解

3726. 지원하다 - サポートする
3727. 그녀는 친구를 지원했다. - 彼女は友人をサポートした。
3728. 우리는 팀을 지원한다. - 我々はチームをサポートする。
3729. 당신들은 프로그램을 지원할 것이다. - あなたはプログラムをサポートする。
3730. 도울까? - 手伝いますか？
3731. 네, 도와줘. - はい、手伝ってください。
3732. 협력하다 - 協力する
3733. 나는 동료와 협력했다. - 同僚と協力しました。
3734. 너는 파트너와 협력한다. - あなたはパートナーと協力する。
3735. 그는 조직과 협력할 것이다. - 組織と協力する。
3736. 같이 할래? - あなたも参加しますか？
3737. 네, 할래. - はい、やります。
3738. 협동하다 - 協力する
3739. 그들은 공동의 목표를 위해 협동했다. - 彼らは共通の目標のために協力した。
3740. 나는 팀과 협동한다. - 私はチームと協力する。
3741. 너는 커뮤니티와 협동할 것이다. - あなたは地域と協力する。
3742. 협력할까? - 協力しましょうか？
3743. 네, 해. - はい、そうします。
3744. 참석하다 - 出席する
3745. 그녀는 회의에 참석했다. - 彼女は会議に出席した。
3746. 우리는 워크숍에 참석한다. - 私たちはワークショップに出席します。
3747. 당신들은 세미나에 참석할 것이다. - あなたはセミナーに出席します。
3748. 갈까? - 行きましょうか。
3749. 네, 가자. - はい、行きましょう。
3750. 불참하다 - 欠席する
3751. 나는 파티에 불참했다. - パーティーを欠席しました。
3752. 너는 모임에 불참한다. - 会を欠席します。
3753. 그는 이벤트에 불참할 것이다. - 欠席します。
3754. 안 갈래? - 行きたくないのですか？
3755. 네, 안 갈래. - いいえ、行きません。
3756. 관여하다 - に関わるため。
3757. 그들은 프로젝트에 관여했다. - 彼らはそのプロジェクトに関わった。

3758. 나는 논의에 관여한다. - 私は議論に参加している。
3759. 너는 결정에 관여할 것이다. - あなたは決定に関与するでしょう。
3760. 참여할래? - あなたは関与しますか？
3761. 네, 할래. - はい、やります。
3762. 개입하다 - 介入する
3763. 그녀는 분쟁에 개입했다. - 彼女は論争に介入した。
3764. 우리는 협상에 개입한다. - 私たちは交渉に介入します。
3765. 당신들은 문제해결에 개입할 것이다. - あなたが問題に介入する。
3766. 도울까? - 手伝いましょうか？
3767. 네, 도와줘. - はい、手伝ってください。
3768. 참견하다 - 介入する
3769. 나는 그들의 대화에 참견했다. - 私は彼らの会話に口を挟んだ。
3770. 너는 논쟁에 참견한다. - あなたは議論に口を出す。
3771. 그는 계획에 참견할 것이다. - 計画に口出しする。
3772. 끼어들까? - 口を挟みましょうか？
3773. 아니, 말아줘. - いいえ、しないでください。
3774. 방해하다 - 邪魔をする
3775. 그들은 작업을 방해했다. - 彼らは仕事の邪魔をする。
3776. 나는 집중을 방해한다. - 私は邪魔者です。
3777. 너는 회의를 방해할 것이다. - 会議の邪魔になります。
3778. 멈출까? - 止めましょうか？
3779. 네, 멈춰. - はい、止めましょう。
3780. 저지하다 - 妨害する
3781. 그녀는 계획을 저지했다. - 彼女は計画を阻止した。
3782. 우리는 싸움을 저지한다. - 私たちは戦いを止めます。
3783. 당신들은 오해를 저지할 것이다. - あなたは誤解を止めるでしょう。
3784. 막을까? - 止める？
3785. 네, 막아. - はい、止めます。
3786. 42. 명사 단어들 외우기, 필수 10개 동사의 단어들을 가지고 50문장 연습하기 - 42.名詞の単語を暗記し、10個の必須動詞の単語を使って50文を練習する。
3787. 길 - 道
3788. 진입 - 入る
3789. 문제 - 問題

3790. 출구 - 出口
3791. 소리 - 音
3792. 소음 - 騒音
3793. 광고 - 広告
3794. 속도 - スピード
3795. 사용 - 使用
3796. 접근 - アクセス
3797. 시간 - 時間
3798. 조건 - 条件
3799. 선택 - 選択
3800. 가능성 - 可能性
3801. 규칙 - ルール
3802. 행동 - アクション
3803. 자유 - 自由
3804. 감정 - 感情
3805. 충동 - 衝動
3806. 성장 - 成長
3807. 정보 - 情報
3808. 사실 - 実際に
3809. 증거 - 証拠
3810. 패턴 - パターン
3811. 위험 - 危険
3812. 기회 - 機会
3813. 상황 - 状況
3814. 개념 - コンセプト
3815. 진실 - 真実
3816. 중요성 - 重要性
3817. 가치 - 価値
3818. 막다 - ブロックする
3819. 그는 길을 막았다. - 彼は道をふさいだ。
3820. 그녀는 진입을 막는다. - 彼女は入口をふさぐ。
3821. 우리는 문제를 막을 것이다. - 問題を阻止する。
3822. 출구 막혔나요? - 出口はふさがれていますか？
3823. 네, 막혔어요. - はい、ふさがれています。

3824. 차단하다 - ブロックする
3825. 그녀는 소리를 차단했다. - 彼女は音を遮った。
3826. 우리는 소음을 차단한다. - 私たちは騒音を遮断します。
3827. 당신들은 광고를 차단할 것이다. - あなたは広告をブロックします。
3828. 소음 차단 됐나요? - ノイズはブロックされていますか？
3829. 네, 됐어요. - はい、大丈夫です。
3830. 제한하다 - 制限する
3831. 그는 속도를 제한했다. - 彼はスピードを制限した。
3832. 그녀는 사용을 제한한다. - 彼女は使用を制限する。
3833. 우리는 접근을 제한할 것이다. - アクセスを制限します。
3834. 시간 제한 있나요? - 時間制限はありますか？
3835. 네, 있어요. - はい、あります。
3836. 제약하다 - 制約する
3837. 그녀는 조건을 제약했다. - 彼女は条件を制約した。
3838. 우리는 선택을 제약한다. - 私たちは選択を制約します。
3839. 당신들은 가능성을 제약할 것이다. - あなたは可能性を制約する。
3840. 조건 제약 있나요? - 条件を制約しますか？
3841. 네, 있어요. - はい、あります。
3842. 구속하다 - 制約する
3843. 그는 규칙을 구속했다. - 彼はルールを制約する。
3844. 그녀는 행동을 구속한다. - 彼女は行動を制約する。
3845. 우리는 자유를 구속할 것이다. - 自由を制約する
3846. 자유 구속됐나요? - 救済された自由？
3847. 네, 됐어요. - そう、それだ。
3848. 억제하다 - 抑制する
3849. 그녀는 감정을 억제했다. - 彼女は感情を抑制する。
3850. 우리는 충동을 억제한다. - 衝動を抑制する。
3851. 당신들은 성장을 억제할 것이다. - 自分の成長を抑制する。
3852. 감정 억제되나요? - 感情を抑制する？
3853. 네, 되요. - はい、そうです。
3854. 검증하다 - 検証する
3855. 그는 정보를 검증했다. - 彼は情報を検証した。
3856. 그녀는 사실을 검증한다. - 彼女は事実を検証する。
3857. 우리는 증거를 검증할 것이다. - 証拠を検証する。

3858. 사실 검증됐나요? - 事実を検証しましたか？
3859. 네, 됐어요. - はい、大丈夫です。
3860. 식별하다 - 特定する
3861. 그녀는 패턴을 식별했다. - 彼女はパターンを特定した。
3862. 우리는 위험을 식별한다. - 我々はリスクを特定する。
3863. 당신들은 기회를 식별할 것이다. - あなた方は機会を特定する
3864. 위험 식별됐나요? - リスクを特定？
3865. 네, 됐어요. - はい、大丈夫です。
3866. 이해하다 - 理解する
3867. 그는 문제를 이해했다. - 彼は問題を理解している。
3868. 그녀는 상황을 이해한다. - 彼女は状況を理解している。
3869. 우리는 개념을 이해할 것이다. - コンセプトを理解する。
3870. 상황 이해돼요? - 状況を理解していますか？
3871. 네, 이해돼요. - はい、理解しています。
3872. 깨닫다 - 悟る
3873. 그녀는 진실을 깨달았다. - 彼女は真実に気づいた。
3874. 우리는 중요성을 깨닫는다. - 私たちは重要性に気づきます。
3875. 당신들은 가치를 깨달을 것이다. - あなたはその価値に気づくでしょう。
3876. 진실 깨달았나요? - あなたは真実に気づきましたか？
3877. 네, 깨달았어요. - はい、気づきました。
3878. 43. 명사 단어들 외우기, 필수 10개 동사의 단어들을 가지고 50문장 연습하기 - 43.名詞の単語を覚え、10の必須動詞の単語を使って50の文を練習する。
3879. 변화 - 変える
3880. 실수 - 間違い
3881. 기회 - 機会
3882. 규칙 - ルール
3883. 세부사항 - 詳細
3884. 절차 - 手続き
3885. 기술 - 技術
3886. 발표 - プレゼンテーション
3887. 공연 - ショー
3888. 언어 - 言語
3889. 전략 - 戦略
3890. 게임 - ゲーム

3891. 악기 - 楽器
3892. 분야 - フィールド
3893. 집 - 家
3894. 프로젝트 - プロジェクト
3895. 시스템 - システム
3896. 팀 - チーム
3897. 네트워크 - ネットワーク
3898. 관계 - 関係
3899. 영상 - ビデオ
3900. 콘텐츠 - コンテンツ
3901. 제품 - 製品
3902. 물건 - モノ
3903. 아이디어 - アイデア
3904. 에너지 - エネルギー
3905. 기계 - 機械
3906. 시설 - 設備
3907. 알아차리다 - 気づく
3908. 그는 변화를 알아차렸다. - 彼は変化に気づいた。
3909. 그녀는 실수를 알아차린다. - 彼女は間違いに気づく。
3910. 우리는 기회를 알아차릴 것이다. - チャンスに気づく。
3911. 실수 알아차렸나요? - 間違いに気づきましたか？
3912. 네, 알아차렸어요. - はい、気づきました。
3913. 숙지하다 - 熟知する
3914. 그녀는 규칙을 숙지했다. - 彼女はルールに慣れた。
3915. 우리는 세부사항을 숙지한다. - 私たちは詳細に慣れる。
3916. 당신들은 절차를 숙지할 것이다. - 手続きに慣れる。
3917. 규칙 숙지됐나요? - ルールはご存知ですか？
3918. 네, 숙지됐어요. - はい、覚えています。
3919. 연습하다 - 練習する
3920. 그는 기술을 연습했다. - 彼はテクニックを練習した。
3921. 그녀는 발표를 연습한다. - 彼女はプレゼンテーションの練習をした。
3922. 우리는 공연을 연습할 것이다. - 本番のリハーサルをします。
3923. 발표 연습했나요? - プレゼンテーションの練習をしましたか？
3924. 네, 연습했어요. - はい、練習しました。

3925. 숙달하다 - マスターする
3926. 그녀는 언어를 숙달했다. - 彼女は言葉をマスターした。
3927. 우리는 기술을 숙달한다. - 私たちは技術をマスターします。
3928. 당신들은 전략을 숙달할 것이다. - あなたはその戦略をマスターするでしょう。
3929. 기술 숙달됐나요? - あなたはその技術をマスターしましたか？
3930. 네, 숙달됐어요. - はい、マスターしました。
3931. 마스터하다 - マスターする
3932. 그는 게임을 마스터했다. - 彼はゲームをマスターした。
3933. 그녀는 악기를 마스터한다. - 彼女は楽器をマスターした。
3934. 우리는 분야를 마스터할 것이다. - 私たちはその訓練をマスターする。
3935. 악기 마스터했나요? - 楽器をマスターしましたか？
3936. 네, 마스터했어요. - はい、マスターしました。
3937. 설계하다 - 設計する
3938. 그녀는 집을 설계했다. - 彼女は家を設計した。
3939. 우리는 프로젝트를 설계한다. - 私たちはプロジェクトを設計する。
3940. 당신들은 시스템을 설계할 것이다. - あなたはシステムを設計します。
3941. 프로젝트 설계됐나요? - プロジェクトは設計されていますか？
3942. 네, 설계됐어요. - はい、設計しています。
3943. 구축하다 - 構築する
3944. 그는 팀을 구축했다. - 彼はチームを作った。
3945. 그녀는 네트워크를 구축한다. - 彼女はネットワークを構築する。
3946. 우리는 관계를 구축할 것이다. - 私たちは関係を築く。
3947. 네트워크 구축됐나요? - ネットワークは構築されていますか？
3948. 네, 구축됐어요. - はい、構築しています。
3949. 제작하다 - をプロデュースする
3950. 그녀는 영상을 제작했다. - 彼女はビデオを制作した。
3951. 우리는 콘텐츠를 제작한다. - 私たちはコンテンツをプロデュースします。
3952. 당신들은 제품을 제작할 것이다. - あなたたちは製品を作る。
3953. 콘텐츠 제작됐나요? - コンテンツは作られましたか？
3954. 네, 제작됐어요. - はい、制作しました。
3955. 생산하다 - プロデュースする
3956. 그는 물건을 생산했다. - 彼は物を生産する。
3957. 그녀는 아이디어를 생산한다. - 彼女はアイデアを生産する。

3958. 우리는 에너지를 생산할 것이다. - エネルギーを生産する。
3959. 아이디어 생산되나요? - アイデアは生産されるのか？
3960. 네, 생산돼요. - そう、生産する。
3961. 보수하다 - 修理する
3962. 그녀는 집을 보수했다. - 彼女は家を修理した。
3963. 우리는 기계를 보수한다. - 私たちは機械を修理します。
3964. 당신들은 시설을 보수할 것이다. - あなたは施設を改修します。
3965. 기계 보수됐나요? - 機械は修理されましたか？
3966. 네, 보수됐어요. - はい、修理しました。
3967. 44. 명사 단어들 외우기, 필수 10개 동사의 단어들을 가지고 50문장 연습하기 - 44.名詞の単語を覚え、10個の必須動詞の単語を使って50文練習する。
3968. 차 - 車
3969. 장비 - 設備
3970. 시스템 - システム
3971. 창문 - 窓
3972. 바닥 - 床
3973. 가구 - 家具
3974. 마당 - 庭
3975. 방 - 部屋
3976. 거리 - 距離
3977. 테이블 - テーブル
3978. 유리 - グラス
3979. 집 - 家
3980. 축제 - フェスティバル
3981. 풍경 - 光景
3982. 아이디어 - アイデア
3983. 디자인 - デザイン
3984. 옷 - 衣服
3985. 웹사이트 - ウェブサイト
3986. 앱 - アプリ
3987. 나무 - ツリー
3988. 돌 - ロック
3989. 얼음 - 氷
3990. 시 - 都市

3991. 음악 - 音楽
3992. 이야기 - 物語
3993. 산 - 山
3994. 계단 - 階段
3995. 봉우리 - 山頂
3996. 정비하다 - 整備する
3997. 그는 차를 정비했다. - 彼は車を整備した。
3998. 그녀는 장비를 정비한다. - 彼女は装置をメンテナンスしている。
3999. 우리는 시스템을 정비할 것이다. - システムをオーバーホールします。
4000. 장비 정비됐나요? - 装置は整備されましたか。
4001. 네, 정비됐어요. - はい、整備済みです。
4002. 닦다 - 拭く
4003. 그녀는 창문을 닦았다. - 彼女は窓を洗った。
4004. 우리는 바닥을 닦는다. - 私たちは床を拭く。
4005. 당신들은 가구를 닦을 것이다. - あなたたちは家具を磨いて。
4006. 바닥 닦았나요? - 床を拭きましたか？
4007. 네, 닦았어요. - ええ、モップをかけました。
4008. 쓸다 - 掃除する
4009. 그는 마당을 쓸었다. - 彼は庭を掃除した。
4010. 그녀는 방을 쓴다. - 彼女は部屋を掃除する。
4011. 우리는 거리를 쓸 것이다. - 私たちは通りを掃除します。
4012. 방 쓸었나요? - 部屋を掃除しましたか？
4013. 네, 쓸었어요. - はい、掃除しました。
4014. 문지르다 - こする
4015. 그녀는 테이블을 문지렀다. - 彼女はテーブルをこすった。
4016. 우리는 유리를 문지른다. - 私たちはガラスを磨きました。
4017. 당신들은 바닥을 문지를 것이다. - あなたたちは床をこすって。
4018. 유리 문지렀나요? - ガラスをこすった？
4019. 네, 문지렀어요. - はい、こすりました。
4020. 장식하다 - 飾る
4021. 그녀는 방을 장식했다. - 彼女は部屋を飾った。
4022. 우리는 집을 장식한다. - 私たちは家を飾ります。
4023. 당신들은 축제를 장식할 것이다. - あなたは祭りを飾るでしょう。
4024. 장식 좋아해? - 飾り付けは好きですか？

4025. 네, 좋아해. - はい、好きです。
4026. 스케치하다 - スケッチする
4027. 그는 풍경을 스케치했다. - 彼は風景をスケッチした。
4028. 우리는 아이디어를 스케치한다. - 我々はアイデアをスケッチする。
4029. 그들은 새로운 디자인을 스케치할 것이다. - 彼らは新しいデザインをスケッチする。
4030. 그림 그리기 좋아해? - 絵を描くのは好きですか？
4031. 응, 좋아해. - はい、好きです。
4032. 디자인하다 - デザインする
4033. 그녀는 옷을 디자인했다. - 彼女は服をデザインした。
4034. 우리는 웹사이트를 디자인한다. - 私たちはウェブサイトをデザインします。
4035. 당신들은 새로운 앱을 디자인할 것이다. - 君たちは新しいアプリをデザインするんだ。
4036. 디자인 재밌어? - デザインって楽しい？
4037. 네, 재밌어. - うん、楽しいよ。
4038. 조각하다 - 彫る
4039. 그는 나무를 조각했다. - 彼は木を彫る。
4040. 우리는 돌을 조각한다. - 私たちは石を彫る。
4041. 그들은 얼음을 조각할 것이다. - 氷を彫る。
4042. 조각하기 어려워? - 彫るのは難しい？
4043. 아니, 쉬워. - いいえ、簡単です。
4044. 창작하다 - 創造する
4045. 그녀는 시를 창작했다. - 彼女は詩を作った。
4046. 우리는 음악을 창작한다. - 私たちは音楽を創る。
4047. 당신들은 이야기를 창작할 것이다. - あなたは物語を創る。
4048. 창작 즐거워? - 創作は楽しいですか？
4049. 응, 즐거워. - はい、楽しんでいます。
4050. 오르다 - 登る
4051. 그는 산을 올랐다. - 彼は山に登った。
4052. 우리는 계단을 오른다. - 私たちは階段を登る。
4053. 그들은 높은 봉우리를 오를 것이다. - 彼らは高い峰に登る。
4054. 등산 좋아해? - 登山は好きですか？
4055. 네, 좋아해. - はい、好きです。
4056. 45. 명사 단어들 외우기, 필수 10개 동사의 단어들을 가지고 50문장 연습

하기 - 45. 名詞の単語を覚え、10個の必須動詞の単語を使って50の文を練習する。
4057. 영어 실력 - 英語スキル
4058. 기술 - 技術
4059. 통신 - コミュニケーション
4060. 계획 - 計画
4061. 방향 - 方向
4062. 생각 - 思考
4063. 디자인 - デザイン
4064. 구조 - 構造
4065. 아이디어 - アイデア
4066. 부품 - 部分
4067. 재료 - 成分
4068. 시스템 - システム
4069. 일정 - スケジュール
4070. 프로젝트 - プロジェクト
4071. 알람 - アラーム
4072. 규칙 - ルール
4073. 비밀번호 - パスワード
4074. 기기 - デバイス
4075. 컴퓨터 - コンピュータ
4076. 설정 - 設定
4077. 데이터 - データ
4078. 기계 - マシン
4079. 프로그램 - プログラム
4080. 장치 - デバイス
4081. 앱 - アプリ
4082. 기능 - 機能
4083. 향상하다 - 改善する
4084. 그녀는 영어 실력을 향상시켰다. - 彼女は英語が上達した。
4085. 우리는 기술을 향상시킨다. - 私たちはスキルを向上させます。
4086. 당신들은 통신을 향상시킬 것이다. - コミュニケーションが上達します。
4087. 실력 늘었어? - 上達しましたか？
4088. 응, 늘었어. - はい、上達しました。

4089. 변화하다 - 変更する
4090. 나는 계획을 변화했다. - 私は計画を変更しました。
4091. 너는 방향을 변화한다. - 方向を変えることになります。
4092. 그는 생각을 변화할 것이다. - 彼は考えを変えるだろう。
4093. 계획 바꿀래? - 計画を変更しますか？
4094. 네, 바꿀래. - はい、変えたいです。
4095. 변형하다 - 変換するには
4096. 그녀는 디자인을 변형했다. - 彼女はデザインを変えた。
4097. 우리는 구조를 변형한다. - 私たちは構造を変える。
4098. 당신들은 아이디어를 변형할 것이다. - あなたはアイデアを変えるでしょう。
4099. 디자인 바뀌었어? - デザインを変えたのですか？
4100. 네, 바뀌었어. - はい、変えました。
4101. 대체하다 - 代用する
4102. 그들은 부품을 대체했다. - 彼らは部品を代用した。
4103. 나는 재료를 대체한다. - 私は材料を代用します。
4104. 너는 시스템을 대체할 것이다. - システムを置き換えます。
4105. 부품 바꿀까? - 部品を交換しましょうか。
4106. 네, 바꿀까. - はい、取り替えます。
4107. 조율하다 - 調整する
4108. 그녀는 계획을 조율했다. - 彼女は計画を調整した。
4109. 우리는 일정을 조율한다. - 私たちはスケジュールを調整します。
4110. 당신들은 프로젝트를 조율할 것이다. - あなたはプロジェクトを調整する。
4111. 일정 맞출 수 있어? - スケジュールを守れますか？
4112. 네, 맞출 수 있어. - はい、間に合います。
4113. 설정하다 - 設定する
4114. 그들은 시스템을 설정했다. - 彼らはシステムをセットアップする。
4115. 나는 알람을 설정한다. - 私はアラームを設定する。
4116. 너는 규칙을 설정할 것이다. - あなたがルールを決めるのです。
4117. 알람 켤까? - アラームをつけましょうか？
4118. 네, 켤까. - はい、つけましょう。
4119. 재설정하다 - リセットする
4120. 그녀는 비밀번호를 재설정했다. - 彼女はパスワードをリセットした。
4121. 우리는 기기를 재설정한다. - デバイスをリセットした。

4122. 당신들은 계획을 재설정할 것이다. - 君たちは計画をリセットするんだ。
4123. 다시 시작할까? - もう一度始めましょうか？
4124. 네, 시작할까. - はい、始めましょう。
4125. 초기화하다 - 初期化する
4126. 그들은 컴퓨터를 초기화했다. - コンピューターをリセットしました。
4127. 나는 설정을 초기화한다. - 設定を初期化します
4128. 너는 데이터를 초기화할 것이다. - データを初期化します。
4129. 전부 지울까? - すべて消去しますか？
4130. 네, 지울까. - はい、消去しましょう。
4131. 가동하다 - 起動する
4132. 그녀는 기계를 가동했다. - 彼女はマシンを起動した。
4133. 우리는 시스템을 가동한다. - システムを起動します。
4134. 당신들은 프로그램을 가동할 것이다. - プログラムを起動します。
4135. 시작할 시간이야? - 起動する時間ですか？
4136. 네, 시작할 시간이야. - はい、始める時間です。
4137. 작동하다 - 操作する
4138. 그들은 장치를 작동했다. - 彼らは装置を操作した。
4139. 나는 앱을 작동한다. - アプリを操作します。
4140. 너는 기능을 작동할 것이다. - あなたはその機能を操作します。
4141. 잘 되고 있어? - 調子はどうですか？
4142. 네, 잘 되고 있어. - はい、順調です。
4143. 46. 명사 단어들 외우기, 필수 10개 동사의 단어들을 가지고 50문장 연습하기 - 46.名詞の単語を覚え、10個の必須動詞の単語を使って50の文を練習する。
4144. 공부 - 勉強する
4145. 작업 - 仕事
4146. 프로그램 - プログラム
4147. 프로젝트 - プロジェクト
4148. 회의 - 会議
4149. 시스템 - システム
4150. 연습 - 練習
4151. 논의 - 議論
4152. 계획 - 計画
4153. 대화 - 会話

4154. 이야기 - ストーリー
4155. 이벤트 - イベント
4156. 아이디어 - アイデア
4157. 전략 - 戦略
4158. 꿈 - 夢
4159. 목표 - 目標
4160. 작품 - 仕事
4161. 보고서 - レポート
4162. 과제 - 課題
4163. 준비 - 準備
4164. 과정 - プロセス
4165. 재개하다 - 再開まで
4166. 그녀는 공부를 재개했다. - 彼女は勉強を再開した。
4167. 우리는 작업을 재개한다. - 仕事を再開します。
4168. 당신들은 프로그램을 재개할 것이다. - プログラムを再開します。
4169. 다시 시작할까? - 再開しましょうか。
4170. 네, 시작하자. - はい、始めましょう。
4171. 재시작하다 - 再起動します
4172. 그는 프로젝트를 재시작했다. - 彼はプロジェクトを再開した。
4173. 우리는 회의를 재시작한다. - 会議を再開します。
4174. 당신들은 시스템을 재시작할 것이다. - あなた方が再開するのです。
4175. 다시 할 준비 됐어? - もう一度やる準備はできていますか？
4176. 네, 준비 됐어. - はい、準備はできています。
4177. 계속하다 - 続けるには
4178. 그녀는 연습을 계속했다. - 彼女は練習を続けた。
4179. 우리는 논의를 계속한다. - 話し合いを続ける。
4180. 당신들은 계획을 계속할 것이다. - あなたたちは計画を続ける。
4181. 계속 진행해도 돼? - 続けていいですか？
4182. 네, 계속해. - はい、続けてください。
4183. 이어가다 - 続ける
4184. 그들은 회의를 이어갔다. - 彼らは会議を続けた。
4185. 우리는 프로젝트를 이어간다. - 私たちは企画を続けます。
4186. 당신들은 대화를 이어갈 것이다. - 会話を続けてください。
4187. 더 할 말 있어? - 他に何かありますか？

4188. 아니, 괜찮아. - いいえ、結構です。
4189. 진행하다 - 続行する
4190. 그녀는 계획을 진행했다. - 彼女は計画を進めた。
4191. 우리는 작업을 진행한다. - タスクを進めます。
4192. 당신들은 프로그램을 진행할 것이다. - あなたはプログラムを進めます。
4193. 잘 되고 있어? - 調子はどうですか？
4194. 네, 잘 되고 있어. - はい、順調に進んでいます。
4195. 전개하다 - 展開する
4196. 그는 이야기를 전개했다. - 彼はストーリーを展開した。
4197. 우리는 계획을 전개한다. - 私たちは計画を展開します。
4198. 당신들은 이벤트를 전개할 것이다. - ある出来事を展開します。
4199. 어떻게 될까? - どうなる？
4200. 잘 될 거야. - うまくいくでしょう。
4201. 구현하다 - 実施する
4202. 그녀는 아이디어를 구현했다. - 彼女はその考えを実行に移した。
4203. 우리는 전략을 구현한다. - 私たちは戦略を実行します。
4204. 당신들은 시스템을 구현할 것이다. - あなたはシステムを実行する。
4205. 실행 가능해? - できますか？
4206. 네, 가능해. - はい、可能です。
4207. 실현하다 - 実現する
4208. 그들은 꿈을 실현했다. - 彼らは夢を実現した。
4209. 우리는 목표를 실현한다. - 私たちは目標を実現する。
4210. 당신들은 계획을 실현할 것이다. - あなたは自分の計画を実現する。
4211. 꿈 이뤄질까? - 私の夢は実現しますか？
4212. 네, 이뤄질 거야. - はい、実現します。
4213. 완성하다 - 完了する
4214. 그녀는 작품을 완성했다. - 彼女は仕事を終えた。
4215. 우리는 보고서를 완성한다. - 私たちは報告書を仕上げます。
4216. 당신들은 프로젝트를 완성할 것이다. - あなたはプロジェクトを終わらせます。
4217. 다 됐어? - 終わりましたか？
4218. 네, 다 됐어. - はい、終わりました。
4219. 완료하다 - 完了する
4220. 그는 과제를 완료했다. - 彼は課題を完了した。

4221. 우리는 준비를 완료한다. - 私たちは準備を完了します。
4222. 당신들은 과정을 완료할 것이다. - あなたはコースを完了します。
4223. 끝났어? - 完了しましたか？
4224. 네, 끝났어. - はい、終わりました。
4225. 47. 명사 단어들 외우기, 필수 10개 동사의 단어들을 가지고 50문장 연습하기 - 47.名詞の単語を暗記し、10の必須動詞の単語を使って50の文を練習する。
4226. 회의 - ミーティング
4227. 세션(시간, 기간) - セッション（時間、期間)
4228. 서비스 - サービス
4229. 프로젝트 - プロジェクト
4230. 논의 - 議論
4231. 작업 - 仕事
4232. 연구 - リサーチ
4233. 프로그램 - プログラム
4234. 기계 - 機械
4235. 계획 - プラン
4236. 프로세스(처리기) - プロセス（ハンドラー)
4237. 활동 - アクティビティ
4238. 결정 - 決定
4239. 발표 - プレゼンテーション
4240. 공부 - 研究
4241. 노래 - 歌う
4242. 게임 - ゲーム
4243. 기록 - 記録
4244. 사진 - 写真
4245. 문서 - 文書
4246. 경험 - 経験
4247. 지식 - 知識
4248. 자원 - リソース
4249. 종료하다 - 終了
4250. 그들은 회의를 종료했다. - 彼らはミーティングを終了した。
4251. 우리는 세션을 종료한다. - セッションを終了します。
4252. 당신들은 서비스를 종료할 것이다. - サービスを終了します。

4253. 이제 끝낼까? - もう終わりにしましょうか。
4254. 네, 끝내자. - はい、終わらせましょう。
4255. 마무리하다 - 最終決定する
4256. 그녀는 프로젝트를 마무리했다. - 彼女はプロジェクトを最終決定した。
4257. 우리는 논의를 마무리한다. - 私たちは議論を終結します。
4258. 당신들은 작업을 마무리할 것이다. - あなたたちは仕事をまとめる。
4259. 모두 정리됐어? - すべて整理されていますか？
4260. 네, 정리됐어. - はい、整理されています。
4261. 개시하다 - 開始する
4262. 그는 연구를 개시했다. - 彼は研究を始めた。
4263. 우리는 회의를 개시한다. - 会議を始めます。
4264. 당신들은 프로그램을 개시할 것이다. - あなたはプログラムを開始します。
4265. 시작해도 괜찮아? - もういいですか？
4266. 네, 시작해. - はい、どうぞ
4267. 발동하다 - 起動する
4268. 그녀는 기계를 발동했다. - 彼女はマシンを起動させた。
4269. 우리는 계획을 발동한다. - 計画を起動します
4270. 당신들은 프로세스를 발동할 것이다. - プロセスを起動させます
4271. 작동할까? - うまくいくのか？
4272. 네, 작동할 거야. - ああ、うまくいく
4273. 정지하다 - 止める
4274. 그들은 작업을 정지했다. - 彼らはタスクを止めた。
4275. 우리는 활동을 정지한다. - アクティビティを止める。
4276. 당신들은 프로젝트를 정지할 것이다. - プロジェクトを止めるんだ。
4277. 멈출 시간이야? - 止める時ですか？
4278. 네, 멈출 시간이야. - はい、止める時です。
4279. 보류하다 - 保留にする
4280. 그녀는 결정을 보류했다. - 彼女は決断を保留にした。
4281. 우리는 계획을 보류한다. - 私たちは計画を保留にした。
4282. 당신들은 발표를 보류할 것이다. - プレゼンを保留にするのか。
4283. 조금 기다릴까? - 待ちましょうか？
4284. 네, 기다리겠습니다. - はい、待ちます。
4285. 중단하다 - 中断する
4286. 나는 공부를 중단했다. - 私は勉強を中断した。

4287. 너는 노래를 중단한다. - あなたは歌うのを止めるでしょう。
4288. 그는 게임을 중단할 것이다. - 彼はゲームを止めるだろう。
4289. 멈출까? - 彼はやめますか？
4290. 아니, 안 멈출 거야. - いいえ、止めません。
4291. 중지하다 - 止める
4292. 그녀는 작업을 중지했다. - 彼女は仕事をやめた。
4293. 우리는 회의를 중지한다. - ミーティングを中止します。
4294. 당신들은 프로젝트를 중지할 것이다. - 君たちはプロジェクトを止めるつもりだ。
4295. 중지할까? - 止めますか？
4296. 아니, 안 할 거야. - いや、やらない。
4297. 보관하다 - 記録する
4298. 그들은 기록을 보관했다. - 彼らは記録を残していた。
4299. 나는 사진을 보관한다. - 私は写真を残す。
4300. 너는 문서를 보관할 것이다. - 書類を保管する
4301. 보관해둘까? - 保管しましょうか？
4302. 아니, 안 해도 돼. - いや、その必要はない
4303. 축적하다 - 蓄積する
4304. 그녀는 경험을 축적했다. - 彼女は経験を蓄積した。
4305. 우리는 지식을 축적한다. - 私たちは知識を蓄積する。
4306. 당신들은 자원을 축적할 것이다. - あなたは資源を蓄積する。
4307. 축적할까? - 蓄積しますか？
4308. 아니, 필요 없어. - いいえ、その必要はありません。
4309. 48. 명사 단어들 외우기, 필수 10개 동사의 단어들을 가지고 50문장 연습하기 - 48.名詞の単語を覚え、10の必須動詞の単語を使って50の文を練習する。
4310. 용기 - 勇気
4311. 능력 - 能力
4312. 진심 - 誠意
4313. 구덩이 - 穴
4314. 정원 - 庭
4315. 채널 - 水路
4316. 휴식 - 休息
4317. 휴가 - 休暇
4318. 창문 - 窓

4319. 장난감 - おもちゃ
4320. 장벽 - バリア
4321. 저녁 - 夕食
4322. 식사 - 食事
4323. 평화 - 平和
4324. 변화 - チェンジ
4325. 음식 - 食べ物
4326. 책 - 本
4327. 우산 - 傘
4328. 기회 - 機会
4329. 쓰레기 - ゴミ
4330. 선물 - 贈り物
4331. 위험 - 危険
4332. 논쟁 - 議論
4333. 책임 - 責任
4334. 보이다 - 示す
4335. 나는 용기를 보였다. - 私は勇気を示す
4336. 너는 능력을 보인다. - あなたは能力を示す
4337. 그는 진심을 보일 것이다. - 彼は誠意を見せる
4338. 보여줄까? - 見せましょうか？
4339. 아니, 괜찮아. - いえ、大丈夫です。
4340. 소리치다 - 叫ぶ
4341. 그녀는 기쁨을 소리쳤다. - 彼女は喜びを叫んだ。
4342. 우리는 승리를 소리친다. - 勝利を叫ぶ。
4343. 당신들은 이름을 소리칠 것이다. - 自分の名前を叫ぶ。
4344. 소리쳐도 돼? - 叫んでもいいですか？
4345. 아니, 조용히 해. - いや、静かに。
4346. 파다 - 掘る
4347. 그들은 구덩이를 팠다. - 彼らは穴を掘った。
4348. 나는 정원을 파낸다. - 私は庭を掘る。
4349. 너는 채널을 파낼 것이다. - あなたは水路を掘る。
4350. 계속 파도 될까? - 掘り続けようか？
4351. 아니, 그만 파. - いや、掘るのをやめろ。
4352. 쉬다 - 休む

4353. 그녀는 잠시 쉬었다. - 彼女はしばらく休んだ。
4354. 우리는 휴식을 취한다. - 休むんだ。
4355. 당신들은 휴가를 취할 것이다. - あなたたちは休暇を取ります。
4356. 잠깐 쉴까? - 休憩しましょうか。
4357. 아니, 계속할게. - いいえ、続けます。
4358. 부수다 - 破る
4359. 그는 창문을 부쉈다. - 彼は窓を壊した。
4360. 그녀는 장난감을 부수고 있다. - 彼女はおもちゃを壊している。
4361. 우리는 장벽을 부술 것이다. - バリアを壊します。
4362. 부술까요? - 壊しましょうか。
4363. 그래, 부셔요. - はい、壊しましょう。
4364. 요리하다 - 料理する
4365. 나는 저녁을 요리했다. - 私は夕食を作った。
4366. 너는 요리하고 있다. - あなたが料理をする。
4367. 그는 식사를 요리할 것이다. - 彼が食事を作ります。
4368. 뭐 요리할까? - 何を料理しましょうか？
4369. 간단한 거로 해. - 簡単なものを。
4370. 원하다 - したい
4371. 그녀는 휴식을 원했다. - 彼女は休みたかった。
4372. 우리는 평화를 원한다. - 私たちは平和を望んでいる。
4373. 당신들은 변화를 원할 것이다. - あなたは変化を望んでいる。
4374. 무엇을 원해요? - 何が欲しい？
4375. 조용한 시간이요. - 静かな時間。
4376. 가져오다 - 持ってくる
4377. 그들은 음식을 가져왔다. - 彼らは食べ物を持ってきた。
4378. 나는 책을 가져온다. - 私は本を持ってくる。
4379. 너는 우산을 가져올 것이다. - あなたは傘を持ってきてください。
4380. 가져올까요? - 持ってきましょうか？
4381. 네, 부탁해요. - ええ、お願いします。
4382. 가져가다 - 持って行きなさい
4383. 그녀는 기회를 가져갔다. - 彼女はチャンスをつかんだ。
4384. 우리는 쓰레기를 가져간다. - 私たちはゴミを持っていきます。
4385. 당신들은 선물을 가져갈 것이다. - あなたはプレゼントを持って行って。
4386. 가져갈게요? - 受け取るか？

4387. 좋아요, 가져가세요. - よし、受け取れ。
4388. 회피하다 - 避ける
4389. 나는 위험을 회피했다. - 私は危険を避けた。
4390. 너는 논쟁을 회피하고 있다. - あなたは議論を避けている。
4391. 그는 책임을 회피할 것이다. - 彼は責任をかわすでしょう。
4392. 회피해야 하나요? - 避けるべきか？
4393. 아니요, 마주해요. - いいえ、直視してください。
4394. 49. 명사 단어들 외우기, 필수 10개 동사의 단어들을 가지고 50문장 연습하기 - 49.名詞の単語を覚え、10の必須動詞の単語を使って50の文を練習する。
4395. 기쁨 - 喜び
4396. 어려움 - 困難
4397. 성공 - 成功
4398. 추위 - 寒い
4399. 성취감 - 達成
4400. 도움 - ヘルプ
4401. 지원 - サポート
4402. 협력 - 協力
4403. 결과 - 結果
4404. 여행 - 旅行
4405. 실패 - 失敗
4406. 어둠 - 暗闇
4407. 위험 - 危険
4408. 문제 - 問題
4409. 슬픔 - 悲しみ
4410. 과학 - 科学
4411. 예술 - 芸術
4412. 취미 - 趣味
4413. 주말 - 週末
4414. 선생님 - 先生
4415. 부모님 - 両親
4416. 리더 - リーダー
4417. 상황 - シチュエーション
4418. 경험하다 - 経験する
4419. 그녀는 기쁨을 경험했다. - 彼女は喜びを経験した。

4420. 우리는 어려움을 경험하고 있다. - 私たちは困難を経験している。
4421. 당신들은 성공을 경험할 것이다. - あなたは成功を経験するでしょう。
4422. 경험해 볼래요? - 経験したいですか？
4423. 예, 해보고 싶어요. - はい、やってみたいです。
4424. 느끼다 - 感じる
4425. 그는 기쁨을 느꼈다. - 彼は喜びを感じた。
4426. 나는 추위를 느낀다. - 寒さを感じる。
4427. 너는 성취감을 느낄 것이다. - 達成感を感じる。
4428. 행복해요? - 幸せですか？
4429. 네, 매우 그래요. - ええ、とても
4430. 약속하다 - 約束する
4431. 그녀는 도움을 약속했다. - 彼女は助けると約束した。
4432. 우리는 지원을 약속한다. - 私たちはサポートを約束します。
4433. 당신들은 협력을 약속할 것이다. - あなたは協力を約束する。
4434. 늦지 않겠죠? - 遅刻はしないよね？
4435. 아니요, 시간 맞출게요. - いいえ、時間通りに行きます。
4436. 기대하다 - 期待する
4437. 그들은 좋은 결과를 기대했다. - 彼らは良い結果を期待している。
4438. 나는 여행을 기대한다. - 私は旅行を期待している。
4439. 너는 성공을 기대할 것이다. - あなたは成功を期待するでしょう。
4440. 설레나요? - 興奮していますか？
4441. 네, 정말로요. - ええ、本当に。
4442. 두려워하다 - 恐れること
4443. 나는 실패를 두려워했다. - 失敗を恐れていました。
4444. 너는 어둠을 두려워한다. - 暗闇を恐れている。
4445. 그는 위험을 두려워할 것이다. - リスクを恐れている
4446. 겁나나요? - 怖いの？
4447. 조금요, 괜찮아요. - 少し、でも大丈夫。
4448. 웃어대다 - 笑い飛ばす
4449. 그녀는 문제를 웃어넘겼다. - 彼女はその問題を笑い飛ばした。
4450. 우리는 슬픔을 웃어낸다. - 私たちは悲しみを笑い飛ばす。
4451. 당신들은 어려움을 웃어넘길 것이다. - あなたは困難を笑い飛ばすでしょう。
4452. 웃을 수 있어요? - 笑い飛ばせる？

4453. 네, 물론이죠. - はい、もちろんです。
4454. 관심가지다 - 興味を持つ
4455. 그는 과학에 관심을 가졌다. - 彼は科学に興味があった。
4456. 나는 예술에 관심을 가진다. - 私は芸術に興味がある。
4457. 너는 새 취미에 관심을 가질 것이다. - 新しい趣味に興味を持つ。
4458. 관심 있어요? - 興味がありますか？
4459. 네, 많이요. - ええ、とても。
4460. 휴식하다 - リラックスする
4461. 그들은 주말에 휴식했다. - 彼らは週末に休んだ。
4462. 나는 지금 휴식한다. - 私は今休んでいる。
4463. 너는 여행 후 휴식할 것이다. - 旅行が終わったら休むでしょう。
4464. 쉬고 싶어요? - 休みたいですか？
4465. 예, 필요해요. - はい、必要です。
4466. 존경하다 - 尊敬する
4467. 나는 선생님을 존경했다. - 私は先生を尊敬しています。
4468. 너는 부모님을 존경한다. - あなたは両親を尊敬しています。
4469. 그는 리더를 존경할 것이다. - 指導者を尊敬する
4470. 존경해요? - 尊敬していますか？
4471. 네, 존경해요. - はい、尊敬しています。
4472. 절망하다 - 絶望する
4473. 그녀는 실패에 절망했다. - 彼女は失敗に絶望した。
4474. 우리는 상황을 절망한다. - 私たちは状況に絶望する。
4475. 당신들은 결과에 절망할 것이다. - 結果に絶望する。
4476. 희망이 있어? - 希望はありますか？
4477. 네, 여전히 있어. - はい、まだあります。
4478. 50. 명사 단어들 외우기, 필수 10개 동사의 단어들을 가지고 50문장 연습하기 - 50.名詞の単語を覚え、10個の必須動詞の単語を使って50の文を練習する。
4479. 대회 - 競争
4480. 경기 - 試合
4481. 시합 - 試合
4482. 도전 - 挑戦
4483. 시험 - テスト
4484. 어린 시절 - 子供時代

4485. 추억 - 記憶
4486. 순간 - モーメント
4487. 도움 - ヘルプ
4488. 정보 - インフォメーション
4489. 지원 - サポート
4490. 조심 - 慎重
4491. 성실 - 誠意
4492. 주의 - 注意
4493. 사업 - ビジネス
4494. 집 - 家
4495. 작업 - 仕事
4496. 자격 - 資格
4497. 기술 - 技術
4498. 능력 - 能力
4499. 강좌 - 講義
4500. 프로그램 - プログラム
4501. 관계 - 関係
4502. 건강 - 健康
4503. 균형 - バランス
4504. 전통 - 伝統
4505. 환경 - 環境
4506. 문화 - 文化
4507. 승리하다 - 勝つために
4508. 그는 대회에서 승리했다. - 彼は競争に勝った。
4509. 나는 경기를 승리한다. - 私は試合に勝つ。
4510. 너는 시합을 승리할 것이다. - 試合に勝つ。
4511. 기분 좋아요? - いい気分ですか？
4512. 네, 매우 좋아요. - ええ、とてもいい気分です。
4513. 패배하다 - 負ける
4514. 그들은 경기에서 패배했다. - 彼らは試合に負けた。
4515. 나는 도전에서 패배한다. - 私は挑戦に負ける。
4516. 너는 시험에서 패배할 것이다. - テストに負ける。
4517. 괜찮아요? - 大丈夫ですか？
4518. 네, 괜찮아요. - はい、大丈夫です。

4519. 회상하다 - 回想する
4520. 나는 어린 시절을 회상했다. - 私は子供の頃を思い出した。
4521. 너는 좋은 추억을 회상한다. - あなたは良い思い出を回想する。
4522. 그는 행복한 순간을 회상할 것이다. - 幸せな瞬間を回想する。
4523. 추억 나눌래? - 回想しますか？
4524. 네, 좋아요. - はい、したいです。
4525. 구하다 - 助けを求める
4526. 그녀는 도움을 구했다. - 彼女は助けを求めた。
4527. 우리는 정보를 구한다. - 情報を求める。
4528. 당신들은 지원을 구할 것이다. - あなたはサポートを求める。
4529. 도와줄까요? - お手伝いしましょうか？
4530. 네, 부탁해요. - はい、お願いします。
4531. 당부하다 - 依頼する
4532. 그는 조심을 당부했다. - 彼は注意を求めた。
4533. 나는 성실을 당부한다. - 誠意をお願いします。
4534. 너는 주의를 당부할 것이다. - 注意をお願いします。
4535. 약속해요? - 約束しますか？
4536. 네, 약속해요. - はい、約束します。
4537. 계약하다 - 契約する
4538. 그들은 사업에 계약했다. - 彼らはビジネスを契約した。
4539. 나는 집을 계약한다. - 私は家を契約する。
4540. 너는 작업을 계약할 것이다. - あなたは仕事を契約する。
4541. 성공할까요? - うまくいくでしょうか？
4542. 네, 분명해요. - はい、間違いありません。
4543. 인증하다 - 証明する
4544. 그녀는 자격을 인증했다. - 彼女は資格を証明した。
4545. 우리는 기술을 인증한다. - 私たちは技能を証明します。
4546. 당신들은 능력을 인증할 것이다. - あなたは自分のスキルを証明する。
4547. 준비됐나요? - 準備はいいですか？
4548. 네, 완벽해요. - はい、完璧です。
4549. 등록하다 - 登録する
4550. 나는 강좌에 등록했다. - コースに登録しています。
4551. 너는 대회에 등록한다. - あなたは大会に登録します。
4552. 그는 프로그램에 등록할 것이다. - 彼が登録する

4553. 참여할래? - 参加しますか？
4554. 네, 신나요. - はい、楽しみです。
4555. 유지하다 - 維持するために
4556. 그들은 관계를 유지했다. - 彼らは関係を維持した。
4557. 나는 건강을 유지한다. - 私は健康を維持します。
4558. 너는 균형을 유지할 것이다. - バランスを保つ。
4559. 쉽나요? - 簡単なことですか？
4560. 네, 쉬어요. - はい、簡単です。
4561. 보존하다 - 維持する
4562. 그녀는 전통을 보존했다. - 彼女は伝統を守った。
4563. 우리는 환경을 보존한다. - 私たちは環境を守ります。
4564. 당신들은 문화를 보존할 것이다. - 文化を守る。
4565. 중요하죠? - 大事なことでしょう？
4566. 네, 매우 중요해요. - はい、とても大切です。
4567. 51. 명사 단어들 외우기, 필수 10개 동사의 단어들을 가지고 50문장 연습하기 - 51.名詞の単語を覚え、10個の必須動詞の単語を使って50の文を練習する。
4568. 차 - 車
4569. 옷 - 服
4570. 신발 - 靴
4571. 자동차 - 自動車
4572. 방 - 部屋
4573. 집 - 家
4574. 제품 - 製品
4575. 앱 - アプリ
4576. 게임 - ゲーム
4577. 계획 - プラン
4578. 정보 - インフォメーション
4579. 사실 - 実際に
4580. 편지 - 手紙
4581. 상품 - グッズ
4582. 초대장 - 招待状
4583. 신호 - シグナル
4584. 데이터 - データ

4585. 메시지 - メッセージ
4586. 뉴스 - ニュース
4587. 프로그램 - プログラム
4588. 쇼 - ショー
4589. 영화 - 映画
4590. 음악 - 音楽
4591. 콘서트 - コンサート
4592. 조건 - コンディション
4593. 계약 - 契約
4594. 가격 - 価格
4595. 목표 - 目標
4596. 방침 - 方針
4597. 세척하다 - 洗車する
4598. 그는 차를 세척했다. - 彼は車を洗った。
4599. 나는 옷을 세척한다. - 私は服を洗う。
4600. 너는 신발을 세척할 것이다. - 靴を洗います。
4601. 깨끗해졌나요? - きれいですか？
4602. 네, 반짝반짝해요. - はい、ピカピカです。
4603. 개조하다 - 改装する
4604. 그는 자동차를 개조했다. - 彼は車を改装した。
4605. 나는 방을 개조한다. - 私は部屋を改装します。
4606. 너는 집을 개조할 것이다. - あなたは家を改装します。
4607. 새로워 보이나요? - 新しく見えますか？
4608. 네, 완전히 달라요. - ええ、まったく違いますよ。
4609. 출시하다 - 発売する
4610. 그녀는 새 제품을 출시했다. - 彼女は新製品を発売した。
4611. 우리는 앱을 출시한다. - アプリを発売する。
4612. 당신들은 게임을 출시할 것이다. - あなたたちはゲームを発売する。
4613. 관심 있어요? - 興味ある？
4614. 네, 궁금해요. - ええ、興味あります。
4615. 비밀하다 - 秘密にする
4616. 그들은 계획을 비밀했다. - 彼らは計画を秘密にしていた。
4617. 나는 정보를 비밀한다. - 私は情報を秘密にする。
4618. 너는 사실을 비밀할 것이다. - あなたは事実を秘密にする。

4619. 알고 싶어요? - 知りたいですか？
4620. 아니요, 괜찮아요. - いいえ、結構です。
4621. 발송하다 - 送る
4622. 그녀는 편지를 발송했다. - 彼女は手紙を発送した。
4623. 우리는 상품을 발송한다. - 商品を発送します。
4624. 당신들은 초대장을 발송할 것이다. - 招待状を送るんだ
4625. 받았어요? - 届きましたか？
4626. 네, 잘 받았어요. - はい、しっかり受け取りました。
4627. 송출하다 - 発信する
4628. 그는 신호를 송출했다. - 彼は信号を送信した。
4629. 나는 데이터를 송출한다. - データを送信しています。
4630. 너는 메시지를 송출할 것이다. - メッセージを放送します。
4631. 작동하나요? - うまくいくか？
4632. 네, 잘 되요. - はい、機能します。
4633. 방송하다 - 放送する
4634. 그들은 뉴스를 방송했다. - ニュースを放送する。
4635. 나는 프로그램을 방송한다. - 私は番組を放送します。
4636. 너는 쇼를 방송할 것이다. - あなたは番組を放送します。
4637. 볼래요? - 見たいですか？
4638. 네, 흥미로워요. - はい、面白いですよ。
4639. 스트리밍하다 - ストリーミングする
4640. 그녀는 영화를 스트리밍했다. - 彼女は映画をストリーミングした。
4641. 우리는 음악을 스트리밍한다. - 音楽をストリーミングする。
4642. 당신들은 콘서트를 스트리밍할 것이다. - 君たちはコンサートをストリーミングするんだ。
4643. 즐기나요? - 楽しいですか？
4644. 네, 많이요. - ええ、とても。
4645. 협상하다 - 交渉する
4646. 그는 조건을 협상했다. - 彼は条件を交渉した。
4647. 나는 계약을 협상한다. - 私は契約について交渉する。
4648. 너는 가격을 협상할 것이다. - あなたは価格について交渉する。
4649. 합의했나요? - 合意に達しましたか？
4650. 네, 도달했어요. - はい、合意に達しました。
4651. 합의하다 - 同意する

4652. 그들은 목표에 합의했다. - 彼らは目標について合意した。
4653. 나는 방침에 합의한다. - 方針について合意する。
4654. 너는 계획에 합의할 것이다. - あなたは計画に同意するでしょう。
4655. 만족해요? - 満足しましたか？
4656. 네, 완전히요. - はい、完全に。
4657. 52. 명사 단어들 외우기, 필수 10개 동사의 단어들을 가지고 50문장 연습하기 - 52.名詞の単語を暗記し、10個の必須動詞の単語を使って50文を練習する。
4658. 프로젝트 - プロジェクト
4659. 발전 - 開発
4660. 성공 - 成功
4661. 사진 - 絵
4662. 아이디어 - アイデア
4663. 경험 - 経験
4664. 건물 - 建物
4665. 회의실 - 会議室
4666. 도서관 - 図書館
4667. 파티 - パーティー
4668. 회의 - ミーティング
4669. 강당 - 講堂
4670. 목록 - リスト
4671. 보고서 - レポート
4672. 계획 - プラン
4673. 명단 - リスト
4674. 주제 - 件名
4675. 옵션 - オプション
4676. 시험 - テスト
4677. 비상사태 - 緊急事態
4678. 경쟁 - 競争
4679. 예산 - 予算
4680. 기대 - 期待値
4681. 목표 - 目標
4682. 극한 - 限度額
4683. 한계 - 限度額

4684. 정상 - 通常
4685. 합의 - 合意
4686. 결론 - 結論
4687. 기여하다 - 貢献する
4688. 그녀는 프로젝트에 기여했다. - 彼女はプロジェクトに貢献した。
4689. 우리는 발전에 기여한다. - 私たちは開発に貢献します。
4690. 당신들은 성공에 기여할 것이다. - あなたは成功に貢献する。
4691. 도움됐나요? - 役に立った？
4692. 네, 많이요. - ええ、大いに。
4693. 공유하다 - 共有する
4694. 그는 사진을 공유했다. - 彼は写真を共有した。
4695. 나는 아이디어를 공유한다. - 私はアイデアを共有します。
4696. 너는 경험을 공유할 것이다. - あなたは自分の経験を分かち合う。
4697. 보여줄래요? - 見せてくれますか？
4698. 네, 기꺼이요. - ええ、喜んで
4699. 출입하다 - 出入りする
4700. 그들은 건물에 출입했다. - 彼らは建物に入った。
4701. 나는 회의실에 출입한다. - 私は会議室に入ります。
4702. 너는 도서관에 출입할 것이다. - あなたは図書室に入ります。
4703. 허용되나요? - それは許されますか？
4704. 네, 가능해요. - はい、可能です。
4705. 퇴장하다 - 退出する
4706. 그녀는 파티에서 퇴장했다. - 彼女はパーティーを去りました。
4707. 우리는 회의에서 퇴장한다. - 私たちは退席します。
4708. 당신들은 강당에서 퇴장할 것이다. - 退席していただきます。
4709. 끝났나요? - 終わりましたか？
4710. 네, 끝났어요. - はい、終わりました。
4711. 포함하다 - 含むには
4712. 그는 목록에 이름을 포함했다. - 彼はリストに名前を含めた。
4713. 나는 보고서에 결과를 포함한다. - 私は結果を報告書に含めています。
4714. 너는 계획에 이 아이디어를 포함할 것이다. - あなたはその考えを計画に含める。
4715. 필요해요? - それは必要ですか？
4716. 네, 중요해요. - はい、重要です。

4717. 배제하다 - 除外する
4718. 그들은 명단에서 그를 배제했다. - 彼らはリストから彼を除外した。
4719. 나는 논의에서 주제를 배제한다. - 私はその話題を議論から除外する。
4720. 너는 제안에서 그 옵션을 배제할 것이다. - あなたはその選択肢を提案から除外する。
4721. 제외되나요? - 除外する?
4722. 네, 그렇게 결정했어요. - はい、そう決めました。
4723. 대비하다 - 準備する
4724. 그녀는 시험에 대비했다. - 彼女は試験の準備をした。
4725. 우리는 비상사태에 대비한다. - 私たちは緊急事態に備えます。
4726. 당신들은 경쟁에 대비할 것이다. - あなたは大会の準備をします。
4727. 준비됐나요? - 準備はできていますか?
4728. 네, 완벽해요. - はい、完璧です。
4729. 초과하다 - 超える
4730. 그는 예산을 초과했다. - 彼は予算をオーバーした。
4731. 나는 기대를 초과한다. - 私は期待を超えます。
4732. 너는 목표를 초과할 것이다. - 目標を超えます。
4733. 문제 있나요? - 何か問題がありますか?
4734. 아니요, 괜찮아요. - いいえ、大丈夫です。
4735. 미치다 - クレイジーになる
4736. 그는 극한에 미쳤다. - 彼は極限まで狂っている。
4737. 나는 한계에 미친다. - 限界までクレイジーだ。
4738. 너는 목표에 미칠 것이다. - 目標に向かってクレイジーになる。
4739. 미쳤어? - あなたはクレイジーですか?
4740. 아니, 정상이야. - いいえ、正常です。
4741. 도달하다 - 到達する
4742. 그녀는 정상에 도달했다. - 彼女は頂上に達した。
4743. 우리는 합의에 도달한다. - 私たちは合意に達する。
4744. 당신들은 결론에 도달할 것이다. - 結論に達する。
4745. 도착했니? - 我々はそこにいるのか?
4746. 네, 여기야. - はい、ここにいます。
4747. 53. 명사 단어들 외우기, 필수 10개 동사의 단어들을 가지고 50문장 연습하기 - 53. 名詞の単語を暗記し、10の必須動詞の単語を使って50の文を練習する。

4748. 자원 - リソース
4749. 정보 - 情報
4750. 지지 - サポート
4751. 미래 - 未来
4752. 가능성 - 可能性
4753. 세계 - 世界
4754. 새로운 것 - 新しいもの
4755. 해결 - 解決する
4756. 변화 - 変化
4757. 목표 - 目標
4758. 계획 - 計画
4759. 시험 - テスト
4760. 사업 - ビジネス
4761. 노력 - 努力
4762. 프로젝트 - プロジェクト
4763. 결정 - 決定
4764. 방향 - 方向性
4765. 선택 - 選択
4766. 경고 - 警告
4767. 위험 - 危険
4768. 조언 - アドバイス
4769. 세부사항 - 詳細
4770. 결과 - 結果
4771. 작업 - 仕事
4772. 공부 - 研究
4773. 공원 - 公園
4774. 생각 - 思考
4775. 감정 - 感情
4776. 확보하다 - 確保する
4777. 그들은 자원을 확보했다. - 彼らは資源を確保した。
4778. 나는 정보를 확보한다. - 私は情報を確保する。
4779. 너는 지지를 확보할 것이다. - あなたはサポートを確保する。
4780. 준비됐니? - 準備はできているか？
4781. 네, 다 됐어. - ああ、準備はできている

4782. 상상하다 - 想像する
4783. 그녀는 미래를 상상했다. - 彼女は未来を想像した。
4784. 우리는 가능성을 상상한다. - 可能性を想像する。
4785. 당신들은 세계를 상상할 것이다. - あなたは世界を想像する。
4786. 꿈꿔? - 夢を見る？
4787. 네, 가끔. - ええ、時々
4788. 시도하다 - 試す
4789. 그는 새로운 것을 시도했다. - 彼は新しいことに挑戦した。
4790. 나는 해결을 시도한다. - 解決しようとする。
4791. 너는 변화를 시도할 것이다. - あなたは変わろうとする。
4792. 해봤어? - 試してみた？
4793. 아직 안 해. - まだしていない。
4794. 실패하다 - 失敗する
4795. 그들은 목표에 실패했다. - 彼らは目標に失敗した。
4796. 나는 계획에 실패한다. - 私は計画に失敗した。
4797. 너는 시험에 실패할 것이다. - テストに失敗します。
4798. 실패했니? - 失敗した？
4799. 네, 아쉽게도. - はい、残念ながら。
4800. 성공하다 - 成功する
4801. 그녀는 사업에서 성공했다. - 彼女はビジネスで成功した。
4802. 우리는 노력에서 성공한다. - 私たちは努力で成功する。
4803. 당신들은 프로젝트에서 성공할 것이다. - あなたはプロジェクトで成功するでしょう。
4804. 성공했어? - 成功しましたか？
4805. 네, 됐어! - はい、成功しました！
4806. 확신하다 - 確信する
4807. 그는 결정에 확신했다. - 彼は自分の決断に確信を持っていた。
4808. 나는 방향에 확신한다. - 私は方向性を確信している。
4809. 너는 선택에 확신할 것이다. - 自分の選択に確信が持てる。
4810. 확실해? - 間違いないですか？
4811. 네, 확실해. - はい、確信しています。
4812. 무시하다 - 無視する
4813. 그들은 경고를 무시했다. - 彼らは警告を無視した。
4814. 나는 위험을 무시한다. - 私は危険を無視する。

4815. 너는 조언을 무시할 것이다. - 忠告を無視する。
4816. 무시해? - 無視する？
4817. 아니, 들어. - いいえ、聞いてください。
4818. 주목하다 - 知らせる
4819. 그녀는 변화에 주목했다. - 彼女は変化に気づいた。
4820. 우리는 세부사항에 주목한다. - 細部に注意を払う。
4821. 당신들은 결과에 주목할 것이다. - 結果に気づくでしょう。
4822. 보고 있니? - 見ていますか？
4823. 네, 주목해. - はい、注目しています。
4824. 집중하다 - 集中する
4825. 그는 작업에 집중했다. - 彼は仕事に集中した。
4826. 나는 목표에 집중한다. - 私は目標に集中する。
4827. 너는 공부에 집중할 것이다. - 勉強に集中する。
4828. 집중돼? - 集中していますか？
4829. 네, 잘 돼. - はい、順調です。
4830. 흩어지다 - 分散する
4831. 그들은 공원에서 흩어졌다. - 彼らは公園に散らばった。
4832. 나는 생각에 흩어진다. - 私は考えが散らばる。
4833. 너는 감정에 흩어질 것이다. - 気持ちが散らばる。
4834. 헤어졌어? - 別れたの？
4835. 네, 이제 그래. - はい、今はそうです。
4836. 54. 명사 단어들 외우기, 필수 10개 동사의 단어들을 가지고 50문장 연습하기 - 54. 名詞の単語を覚える、10個の必須動詞の単語を使って50の文を練習する
4837. 자원 - 資源
4838. 관심 - 興味
4839. 투자 - 投資する
4840. 데이터 - データ
4841. 시스템 - システム
4842. 노력 - 努力
4843. 색상 - カラー
4844. 재료 - 成分
4845. 아이디어 - アイデア
4846. 문제 - 問題

4847. 과정 - 手順
4848. 절차 - 手順
4849. 계획 - 計画
4850. 상황 - 状況
4851. 설명 - 説明
4852. 작업 - 仕事
4853. 생각 - 思想
4854. 보고서 - 報告
4855. 내용 - 詳細
4856. 결과 - 結果
4857. 용어 - 用語
4858. 목적 - 目的
4859. 개념 - コンセプト
4860. 주장 - 意見
4861. 의견 - 意見
4862. 결론 - 結論
4863. 이론 - 理論
4864. 가설 - 仮説
4865. 분산하다 - 分散させる
4866. 그들은 자원을 분산했다. - 彼らは資源を分散させた。
4867. 우리는 관심을 분산한다. - 私たちは注意を分散させる。
4868. 당신들은 투자를 분산할 것이다. - あなたは投資を分散させる。
4869. 관심 있어? - 興味はありますか？
4870. 조금 있어. - 少しなら
4871. 통합하다 - 統合する
4872. 그녀는 데이터를 통합했다. - 彼女はデータを統合した。
4873. 우리는 시스템을 통합한다. - 私たちはシステムを統合します。
4874. 당신들은 노력을 통합할 것이다. - あなたの努力を統合するのです。
4875. 쉬웠어? - 簡単でしたか？
4876. 아니, 어려웠어. - いいえ、難しかったです。
4877. 혼합하다 - 混ぜる
4878. 그는 색상을 혼합했다. - 彼は色を混ぜた。
4879. 나는 재료를 혼합한다. - 私は材料を混ぜる。
4880. 너는 아이디어를 혼합할 것이다. - アイデアを混ぜる。

4881. 잘 됐어? - うまくいった？
4882. 네, 잘 됐어. - はい、うまくいきました。
4883. 단순화하다 - 単純化する
4884. 그들은 문제를 단순화했다. - 彼らは問題を単純化した。
4885. 우리는 과정을 단순화한다. - 我々はプロセスを単純化する。
4886. 당신들은 절차를 단순화할 것이다. - 君たちはプロセスを単純化する。
4887. 필요해? - 必要ですか？
4888. 네, 필요해. - はい、必要です。
4889. 복잡하게 하다 - 複雑にする
4890. 그녀는 계획을 복잡하게 했다. - 彼女は計画を複雑にした。
4891. 나는 상황을 복잡하게 한다. - 私は状況を複雑にする。
4892. 너는 설명을 복잡하게 할 것이다. - あなたは説明を複雑にするでしょう。
4893. 문제 있어? - 何か問題でも？
4894. 아니, 괜찮아. - いいえ、大丈夫です。
4895. 간소화하다 - 単純化する
4896. 그는 절차를 간소화했다. - 彼は手順を単純化した。
4897. 나는 작업을 간소화한다. - 私は作業を単純化する。
4898. 너는 생각을 간소화할 것이다. - 思考を単純化する。
4899. 도움 돼? - 役に立ちますか？
4900. 네, 도움 돼. - はい、役に立ちます。
4901. 요약하다 - 要約する
4902. 그들은 보고서를 요약했다. - 彼らは報告書を要約した。
4903. 우리는 내용을 요약한다. - 私たちは内容を要約します。
4904. 당신들은 결과를 요약할 것이다. - あなたは結果を要約する。
4905. 간단해? - シンプルに？
4906. 응, 간단해. - はい、簡単です。
4907. 정의하다 - 定義する
4908. 그녀는 용어를 정의했다. - 彼女は用語を定義した。
4909. 나는 목적을 정의한다. - 私は目的を定義します。
4910. 너는 개념을 정의할 것이다. - あなたはコンセプトを定義する。
4911. 이해했어? - 理解していますか？
4912. 네, 이해했어. - はい、理解しています
4913. 반박하다 - 反論する
4914. 그는 주장을 반박했다. - 彼はその議論に反論した。

4915. 나는 의견을 반박한다. - 私はその意見に反論します。
4916. 너는 결론을 반박할 것이다. - 結論に反論する。
4917. 확실해? - 確かですか？
4918. 네, 확실해. - はい、確信しています。
4919. 논박하다 - 反論する
4920. 그들은 이론을 논박했다. - 彼らは理論に反論した。
4921. 우리는 가설을 논박한다. - 私たちは仮説に反論します。
4922. 당신들은 주장을 논박할 것이다. - あなたはその主張に反論する。
4923. 가능해? - それは可能ですか？
4924. 어렵지만 가능해. - 難しいですが、可能です。
4925. 55. 명사 단어들 외우기, 필수 10개 동사의 단어들을 가지고 50문장 연습하기 - 55.名詞の単語を暗記し、10の必須動詞の単語を使って50の文を練習する。
4926. 문헌 - 文学
4927. 연구 - 研究
4928. 전문가 - 専門家
4929. 사건 - イベント
4930. 이슈 - 問題
4931. 사실 - 実際に
4932. 행복 - 幸福
4933. 목표 - 目標
4934. 성공 - 成功
4935. 기술 - 技術
4936. 학문 - 奨学金
4937. 경력 - キャリア
4938. 발전 - 開発
4939. 계획 - プラン
4940. 집 - ハウス
4941. 사무실 - オフィス
4942. 공간 - スペース
4943. 작품 - 仕事内容
4944. 데이터 - データ
4945. 디자인 - デザイン
4946. 실수 - ミス

4947. 과정 - 手順
4948. 패턴 - パターン
4949. 스타일 - スタイル
4950. 방식 - メソッド
4951. 기법 - テクニック
4952. 동작 - 動作
4953. 말투 - スピーチ
4954. 절차 - 手順
4955. 인용하다 - 引用する
4956. 그녀는 문헌을 인용했다. - 彼女は文献を引用した。
4957. 나는 연구를 인용한다. - 私はある研究を引用する。
4958. 너는 전문가를 인용할 것이다. - あなたは専門家を引用します。
4959. 필요한 거야? - これは必要ですか？
4960. 네, 필요해. - はい、必要です。
4961. 언급하다 - 言及する
4962. 그는 사건을 언급했다. - 彼は事件に言及した。
4963. 나는 이슈를 언급한다. - 私はその問題に言及する。
4964. 너는 사실을 언급할 것이다. - あなたはその事実に言及する
4965. 언급됐어? - 言及した？
4966. 네, 언급됐어. - はい、言及しました。
4967. 추구하다 - 追求する
4968. 그들은 행복을 추구했다. - 彼らは幸福を追求した。
4969. 우리는 목표를 추구한다. - 私たちは目標を追求する。
4970. 당신들은 성공을 추구할 것이다. - あなたは成功を追求する。
4971. 성공했어? - あなたは成功しましたか？
4972. 아직은 모르겠어. - まだ分からない。
4973. 진보하다 - 進歩する
4974. 그녀는 기술에서 진보했다. - 彼女は技術を進歩させた。
4975. 나는 학문에서 진보한다. - 私は勉強で進歩する。
4976. 너는 경력에서 진보할 것이다. - あなたはキャリアにおいて進歩する。
4977. 어떻게 됐어? - 調子はどうですか？
4978. 잘 되고 있어. - 順調です。
4979. 후퇴하다 - 後退する
4980. 그는 발전에서 후퇴했다. - 彼は前進から後退した。

4981. 나는 계획에서 후퇴한다. - 私は計画から後退する。
4982. 너는 목표에서 후퇴할 것이다. - 目標から後退する。
4983. 괜찮아? - 大丈夫ですか？
4984. 괜찮아, 다시 해볼게. - 大丈夫です、もう一度やってみます。
4985. 리모델링하다 - 改造する
4986. 그들은 집을 리모델링했다. - 彼らは家を改造した。
4987. 우리는 사무실을 리모델링한다. - オフィスを改装する。
4988. 당신들은 공간을 리모델링할 것이다. - スペースを改造するんだ。
4989. 비쌌어? - 高かった？
4990. 네, 좀 비쌌어. - ええ、ちょっと高かったです。
4991. 복제하다 - 複製する
4992. 그녀는 작품을 복제했다. - 彼女は自分の作品を複製した。
4993. 나는 데이터를 복제한다. - 私はデータを複製します。
4994. 너는 디자인을 복제할 것이다. - あなたはデザインを複製する。
4995. 허락됐어? - 許されますか？
4996. 네, 허락됐어. - はい、許可されています。
4997. 반복하다 - 繰り返す
4998. 그는 실수를 반복했다. - 彼はミスを繰り返した。
4999. 나는 과정을 반복한다. - 私は繰り返す。
5000. 너는 패턴을 반복할 것이다. - パターンを繰り返します。
5001. 배웠어? - あなたは学びましたか？
5002. 네, 배웠어. - はい、学びました。
5003. 모방하다 - 真似をする
5004. 그들은 스타일을 모방했다. - 彼らはスタイルを真似た。
5005. 우리는 방식을 모방한다. - 私たちは方法を真似る。
5006. 당신들은 기법을 모방할 것이다. - 君たちはテクニックを真似る。
5007. 좋았어? - 良かったですか？
5008. 응, 괜찮았어. - うん、まあまあだった
5009. 따라하다 - 真似るには
5010. 그녀는 동작을 따라했다. - 動作を真似る。
5011. 나는 말투를 따라한다. - 声のトーンを真似る。
5012. 너는 절차를 따라할 것이다. - 手順通りにやる。
5013. 쉬웠어? - 簡単でしたか？
5014. 응, 쉬웠어. - はい、簡単でした。

5015. 56. 명사 단어들 외우기, 필수 10개 동사의 단어들을 가지고 50문장 연습하기 - 56. 名詞の単語を暗記し、10個の必須動詞の単語を使って50文を練習する。
5016. 정보 - 情報
5017. 아이 - 子供
5018. 환경 - 環境
5019. 시장 - 市場
5020. 행동 - 行動
5021. 프로세스 - プロセス
5022. 위험 - 危険
5023. 오류 - エラー
5024. 실패 - 失敗
5025. 질병 - 病気
5026. 사고 - 事故
5027. 문제 - 問題
5028. 아이디어 - アイデア
5029. 시스템 - システム
5030. 의견 - 意見
5031. 자원 - リソース
5032. 데이터 - データ
5033. 옵션 - オプション
5034. 후보 - 候補
5035. 보상 - 報酬
5036. 비용 - 費用
5037. 권리 - 権利
5038. 계획 - プラン
5039. 제안 - 提案
5040. 주장 - 意見
5041. 포지션 - ポジション
5042. 영역 - 地域
5043. 보호하다 - 守る
5044. 그는 정보를 보호했다. - 彼は情報を保護した。
5045. 나는 아이를 보호한다. - 私は子供を守る。
5046. 너는 환경을 보호할 것이다. - 環境を守る。

5047. 중요해? - それは重要なことですか？
5048. 네, 매우 중요해. - はい、とても重要です。
5049. 감시하다 - 監視する
5050. 그들은 시장을 감시했다. - 市場を監視する。
5051. 우리는 행동을 감시한다. - 私たちは行動を監視します。
5052. 당신들은 프로세스를 감시할 것이다. - あなたはプロセスを監視する
5053. 필요했어? - それは必要でしたか？
5054. 네, 필요했어. - はい、必要でした。
5055. 경계하다 - 警戒する
5056. 그녀는 위험을 경계했다. - 彼女は危険を警戒していた。
5057. 나는 오류를 경계한다. - 私はミスを警戒している。
5058. 너는 실패를 경계할 것이다. - 失敗を警戒する。
5059. 조심해야 해? - 注意すべきですか？
5060. 네, 조심해야 해. - はい、気をつけるべきです。
5061. 예방하다 - 予防する
5062. 그녀는 질병을 예방했다. - 彼女は病気を予防した。
5063. 우리는 사고를 예방한다. - 私たちは事故を防ぎます。
5064. 당신들은 문제를 예방할 것이다. - トラブルを防ぐのです。
5065. 감기 걸렸어? - 風邪ですか？
5066. 아니, 괜찮아. - いいえ、大丈夫です。
5067. 혁신하다 - 革新する
5068. 그는 프로세스를 혁신했다. - 彼はプロセスを革新した。
5069. 나는 아이디어를 혁신한다. - 私はアイデアを革新する。
5070. 너는 시스템을 혁신할 것이다. - あなたはシステムを革新する
5071. 새로워? - 新しい？
5072. 응, 새로워. - そう、新しい。
5073. 교환하다 - 交換する
5074. 그녀는 정보를 교환했다. - 彼女は情報を交換した。
5075. 우리는 의견을 교환한다. - 私たちは意見を交換します。
5076. 당신들은 자원을 교환할 것이다. - 資源を交換します。
5077. 바꿨어? - 交換しましたか？
5078. 응, 바꿨어. - はい、しました。
5079. 선별하다 - ふるいにかける
5080. 그는 데이터를 선별했다. - 彼はデータをふるいにかけた。

5081. 나는 옵션을 선별한다. - 私は選択肢をふるいにかけます。
5082. 너는 후보를 선별할 것이다. - あなたは候補者を選別する。
5083. 선택했어? - 選んだのですか？
5084. 네, 했어. - はい、しました。
5085. 청구하다 - 請求する
5086. 그녀는 보상을 청구했다. - 彼女は報酬を請求した。
5087. 우리는 비용을 청구한다. - 私たちは経費を請求します。
5088. 당신들은 권리를 청구할 것이다. - あなたは権利を主張する
5089. 비싸? - 高いですか？
5090. 아니, 적당해. - いいえ、お手頃です。
5091. 동조하다 - 共感する
5092. 그는 의견에 동조했다. - 彼はその意見に共感した。
5093. 나는 계획에 동조한다. - 私はその計画に同意する。
5094. 너는 제안에 동조할 것이다. - あなたはその提案に共感するでしょう。
5095. 동의해? - 賛成ですか？
5096. 응, 동의해. - はい、賛成です。
5097. 방어하다 - 弁護する
5098. 그녀는 주장을 방어했다. - 彼女はその主張を守った。
5099. 우리는 포지션을 방어한다. - 私たちはその地位を守ります。
5100. 당신들은 영역을 방어할 것이다. - あなたは自分の領土を守る。
5101. 준비됐어? - 準備はできていますか？
5102. 네, 준비됐어. - はい、準備はできています。
5103. 57. 명사 단어들 외우기, 필수 10개 동사의 단어들을 가지고 50문장 연습하기 - 57. 名詞の単語を暗記し、必要な10個の動詞の単語を使って50文を練習する。
5104. 오류 - 間違い
5105. 변화 - 変化
5106. 위험 - 危険
5107. 기술 - 技術
5108. 방법 - 方法
5109. 지식 - 知識
5110. 학생들 - 学生
5111. 주제 - 主題
5112. 서류 - ドキュメント

5113. 방 - 部屋
5114. 일정 - スケジュール
5115. 정책 - 方針
5116. 계획 - プラン
5117. 규칙 - ルール
5118. 목표 - 目標
5119. 프로젝트 - プロジェクト
5120. 꿈 - 夢
5121. 결과 - 結果
5122. 성공 - 成功
5123. 예약 - 予約
5124. 주문 - オーダー
5125. 규정 - ルール
5126. 시스템 - システム
5127. 프로그램 - プログラム
5128. 병 - パーティー
5129. 상처 - 傷
5130. 조건 - 条件
5131. 탐지하다 - 検出する
5132. 그는 오류를 탐지했다. - 彼はエラーを検出した。
5133. 나는 변화를 탐지한다. - 変化を感知する
5134. 너는 위험을 탐지할 것이다. - 危険を察知する。
5135. 봤어? - 今の見た？
5136. 응, 봤어. - はい、見ました。
5137. 학습하다 - 学ぶ
5138. 그녀는 기술을 학습했다. - 彼女は技術を学んだ。
5139. 우리는 방법을 학습한다. - 私たちは方法を学ぶ。
5140. 당신들은 지식을 학습할 것이다. - あなたは知識を学ぶ。
5141. 이해해? - 理解できましたか？
5142. 네, 이해해. - はい、理解しています
5143. 교육하다 - 教育する
5144. 그는 학생들을 교육했다. - 彼は生徒を教育した。
5145. 나는 주제를 교육한다. - 私は対象を教育する。
5146. 너는 기술을 교육할 것이다. - あなたは技術を教育する。

5147. 잘 가르쳐? - うまく教える？
5148. 응, 잘 가르쳐. - そう、上手に教える。
5149. 정돈하다 - 整理する
5150. 그녀는 서류를 정돈했다. - 彼女は書類を整理した。
5151. 우리는 방을 정돈한다. - 部屋を整理する。
5152. 당신들은 일정을 정돈할 것이다. - スケジュールを整理します。
5153. 깨끗해? - 清潔ですか？
5154. 네, 깨끗해. - はい、きれいです。
5155. 시행하다 - 強制する
5156. 그는 정책을 시행했다. - 彼は方針を強制した。
5157. 나는 계획을 시행한다. - 私は計画を執行します。
5158. 너는 규칙을 시행할 것이다. - あなたは規則を執行する。
5159. 작동해? - それは機能しますか？
5160. 응, 작동해. - はい、機能します。
5161. 성취하다 - 達成する
5162. 그녀는 목표를 성취했다. - 彼女は目標を達成した。
5163. 우리는 프로젝트를 성취한다. - 私たちはプロジェクトを達成します。
5164. 당신들은 꿈을 성취할 것이다. - あなたは夢を実現します。
5165. 성공했어? - あなたは成功しましたか？
5166. 네, 성공했어. - はい、成功しました。
5167. 달성하다 - 成し遂げる
5168. 그는 결과를 달성했다. - 彼は結果を達成した。
5169. 나는 목표를 달성한다. - 私は目標を達成する。
5170. 너는 성공을 달성할 것이다. - あなたは成功を収める。
5171. 됐어? - 完了しましたか？
5172. 응, 됐어. - はい、完了しました。
5173. 취소하다 - キャンセルする
5174. 그녀는 계획을 취소했다. - 彼女は予定をキャンセルした。
5175. 우리는 예약을 취소한다. - 予約をキャンセルします。
5176. 당신들은 주문을 취소할 것이다. - 注文をキャンセルする
5177. 멈췄어? - 止まりましたか？
5178. 네, 멈췄어. - はい、止まりました。
5179. 폐지하다 - 廃止する
5180. 그는 규정을 폐지했다. - 彼は規制を廃止した。

5181. 나는 시스템을 폐지한다. - 私は制度を廃止する。
5182. 너는 프로그램을 폐지할 것이다. - あなたはプログラムを廃止する。
5183. 없어졌어? - 廃止ですか？
5184. 응, 없어졌어. - はい、廃止します。
5185. 치료하다 - 治す
5186. 그녀는 병을 치료했다. - 彼女は病気が治った。
5187. 우리는 상처를 치료한다. - 私たちは傷を治します。
5188. 당신들은 조건을 치료할 것이다. - 状態を治すのです。
5189. 나았어? - 良くなりましたか？
5190. 네, 나았어. - はい、良くなりました。
5191. 58. 명사 단어들 외우기, 필수 10개 동사의 단어들을 가지고 50문장 연습하기 - 58. 名詞の単語を暗記し、10個の必須動詞の単語を使って50文を練習する。
5192. 데이터 - データ
5193. 시스템 - システム
5194. 기능 - 機能
5195. 중요 파일 - 重要ファイル
5196. 자료 - データ
5197. 잡지 - 雑誌
5198. 뉴스레터 - ニュースレター
5199. 채널 - チャンネル
5200. 계약 - 契約
5201. 멤버십 - メンバーシップ
5202. 서비스 - サービス
5203. 클럽 - クラブ
5204. 조직 - グループ
5205. 그룹 - グループ
5206. 인터넷 - インターネット
5207. 사이트 - サイト
5208. 계정 - アカウント
5209. 앱 - アプリ
5210. 플랫폼 - プラットフォーム
5211. 웹사이트 - ウェブサイト
5212. 정책 - ポリシー

5213. 결정 - 決定
5214. 조치 - アクション
5215. 조정 - 調整
5216. 정확한 정보 - 正確な情報
5217. 적절한 조치 - 適切な行動
5218. 복원하다 - 復元する
5219. 그는 데이터를 복원했다. - 彼はデータを復元した。
5220. 나는 시스템을 복원한다. - 私はシステムを復元します。
5221. 너는 기능을 복원할 것이다. - 機能を復元します。
5222. 돌아왔어? - 戻ってきましたか？
5223. 응, 돌아왔어. - はい、戻りました。
5224. 백업하다 - バックアップする
5225. 그는 데이터를 백업했다. - 彼はデータをバックアップした。
5226. 그녀는 중요 파일을 백업한다. - 彼女は重要なファイルをバックアップしています。
5227. 우리는 자료를 백업할 것이다. - データをバックアップします。
5228. 자료 안전해? - データは安全ですか？
5229. 네, 백업됐어. - はい、バックアップしてあります。
5230. 구독하다 - を購読する
5231. 그녀는 잡지를 구독했다. - 彼女は雑誌を購読している。
5232. 우리는 뉴스레터를 구독한다. - 私たちはニュースレターを購読しています。
5233. 당신들은 채널을 구독할 것이다. - チャンネルを購読します。
5234. 새 소식 있어? - 何かニュースは？
5235. 예, 업데이트 됐어. - はい、更新しました。
5236. 해지하다 - 解約する
5237. 그는 계약을 해지했다. - 彼は契約を解除した。
5238. 그녀는 멤버십을 해지한다. - 彼女は退会します。
5239. 우리는 서비스를 해지할 것이다. - サービスを終了します。
5240. 계약 끝났어? - 契約は終了ですか？
5241. 아니, 진행 중이야. - いいえ、継続中です。
5242. 탈퇴하다 - 退会する
5243. 그녀는 클럽을 탈퇴했다. - 彼女はクラブを辞める。
5244. 우리는 조직을 탈퇴한다. - 団体を脱退する
5245. 당신들은 그룹을 탈퇴할 것이다. - 団体を脱退する

5246. 아직 멤버야? - まだメンバーですか？
5247. 아니, 탈퇴했어. - いいえ、脱退しました。
5248. 접속하다 - アクセスする
5249. 그는 인터넷에 접속했다. - 彼はインターネットにアクセスした。
5250. 그녀는 사이트에 접속한다. - 彼女はサイトにアクセスします。
5251. 우리는 시스템에 접속할 것이다. - システムに接続します。
5252. 인터넷 연결됐어? - インターネットに接続していますか？
5253. 네, 연결됐어. - はい、接続しています。
5254. 로그인하다 - ログインする
5255. 그녀는 계정에 로그인했다. - 彼女は自分のアカウントにログインしました。
5256. 우리는 앱에 로그인한다. - アプリにログインします。
5257. 당신들은 플랫폼에 로그인할 것이다. - プラットフォームにログインします。
5258. 로그인 문제 있어? - ログインに問題はありませんか？
5259. 아니, 잘 됐어. - いいえ、問題ありません。
5260. 로그아웃하다 - ログアウトする
5261. 그는 웹사이트에서 로그아웃했다. - 彼はウェブサイトからログアウトしました。
5262. 그녀는 시스템에서 로그아웃한다. - ログアウトします。
5263. 우리는 계정에서 로그아웃할 것이다. - アカウントからログアウトします。
5264. 로그아웃 했어? - ログアウトしましたか？
5265. 예, 했어. - はい、ログアウトしました。
5266. 항의하다 - 抗議する
5267. 그녀는 정책에 항의했다. - 彼女はその方針に抗議した。
5268. 우리는 결정에 항의한다. - 私たちはその決定に抗議します。
5269. 당신들은 조치에 항의할 것이다. - あなたはその行為に抗議する。
5270. 불만 있어? - 苦情はありますか？
5271. 예, 있어. - はい、あります。
5272. 요구하다 - 要求する
5273. 그는 조정을 요구했다. - 彼は調整を要求した。
5274. 그녀는 정확한 정보를 요구한다. - 彼女は正確な情報を要求する。
5275. 우리는 적절한 조치를 요구할 것이다. - 適切な処置を要求する。
5276. 더 필요한 거 있어? - 他に必要なものはありますか？
5277. 아뇨, 다 됐어요. - いいえ、終わりました。

5278. 59. 명사 단어들 외우기, 필수 10개 동사의 단어들을 가지고 50문장 연습하기 - 59. 名詞の単語を暗記し、10個の必須動詞の単語を使って50文練習する。
5279. 업무 우선순위 - 仕事の優先順位
5280. 프로젝트의 우선순위 - プロジェクトの優先順位
5281. 일의 순서 - 仕事の順番
5282. 회의 - 会議
5283. 이벤트 - イベント
5284. 행사 - イベント
5285. 파티 - パーティー
5286. 대회 - コンペティション
5287. 경연 - コンテスト
5288. 워크숍 - ワークショップ
5289. 세미나 - セミナー
5290. 포럼 - フォーラム
5291. 회사 - 会社
5292. 단체 - 組織
5293. 조직 - グループ
5294. 재단 - 財団
5295. 기관 - 代理店
5296. 학교 - 学校
5297. 클럽 - クラブ
5298. 협회 - 協会
5299. 프로젝트 - プロジェクト
5300. 캠페인 - キャンペーン
5301. 운동 - ワークアウト
5302. 사업 - ビジネス
5303. 파트너십 - パートナーシップ
5304. 모임 - クラス
5305. 조합 - コンビネーション
5306. 집단 - グループ
5307. 우선순위를 정하다 - 優先順位をつける
5308. 그녀는 업무 우선순위를 정했다. - 彼女は仕事に優先順位をつけた。
5309. 우리는 프로젝트의 우선순위를 정한다. - プロジェクトに優先順位をつけ

る。
5310. 당신들은 일의 순서를 정할 것이다. - 仕事の順番を整理する。
5311. 뭐부터 할까? - まず何をしましょうか？
5312. 이거부터 해요. - まずこれをやりましょう。
5313. 개최하다 - 開催する
5314. 그는 회의를 개최했다. - 彼は会議を開いた。
5315. 그녀는 이벤트를 개최한다. - 彼女はイベントを開催している。
5316. 우리는 행사를 개최할 것이다. - 私たちはイベントを開催します。
5317. 장소 예약됐어? - その場所は予約済みですか？
5318. 네, 예약됐어요. - はい、予約済みです。
5319. 주최하다 - 主催する
5320. 그녀는 파티를 주최했다. - 彼女はパーティーを主催した。
5321. 우리는 대회를 주최한다. - 私たちはコンテストを主催します。
5322. 당신들은 경연을 주최할 것이다. - あなたはコンテストを主催します。
5323. 시간 되나요? - 時間はありますか？
5324. 네, 괜찮아요. - はい、大丈夫です。
5325. 주관하다 - 組織する
5326. 그는 워크숍을 주관했다. - 彼はワークショップを企画した。
5327. 그녀는 세미나를 주관한다. - 彼女はセミナーを企画します。
5328. 우리는 포럼을 주관할 것이다. - 私たちはフォーラムを企画します。
5329. 자료 준비됐어? - 資料はお持ちですか？
5330. 네, 다 됐어요. - はい、準備できています。
5331. 창립하다 - 会社を設立した。
5332. 그녀는 회사를 창립했다. - 彼女は会社を設立した。
5333. 우리는 단체를 창립한다. - 私たちは組織を設立した。
5334. 당신들은 조직을 창립할 것이다. - 君たちは組織を立ち上げるんだ。
5335. 명칭 정해졌어? - 名前は決まった？
5336. 예, 정해졌어요. - はい、決まりました。
5337. 설립하다 - 設立する
5338. 그는 재단을 설립했다. - 彼は財団を設立した。
5339. 그녀는 기관을 설립한다. - 団体を設立した。
5340. 우리는 학교를 설립할 것이다. - 学校を設立する。
5341. 위치 결정됐어? - 場所は決まっていますか？
5342. 네, 결정됐어요. - はい、決まっています。

5343. 창설하다 - 創設する
5344. 그는 조직을 창설했다. - 彼は組織を設立した。
5345. 그녀는 클럽을 창설한다. - 彼女はクラブを設立する。
5346. 우리는 협회를 창설할 것이다. - 私たちは協会を設立します。
5347. 이름 정했어? - 名前は決まっていますか？
5348. 아직이야. - まだです。
5349. 발기하다 - 建てる
5350. 그녀는 프로젝트를 발기했다. - 彼女はプロジェクトを立ち上げた。
5351. 우리는 캠페인을 발기한다. - 私たちはキャンペーンを立ち上げます。
5352. 당신들은 운동을 발기할 것이다. - あなたは運動を起こす。
5353. 누가 돕나요? - 誰が手伝うんだ？
5354. 모두 함께해. - 私たち全員です。
5355. 청산하다 - 清算する
5356. 그는 사업을 청산했다. - 彼は事業を清算した。
5357. 그녀는 회사를 청산한다. - 彼女は会社を清算する。
5358. 우리는 파트너십을 청산할 것이다. - 私たちはパートナーシップを清算するつもりです。
5359. 이유 알 수 있어? - なぜかわかりますか？
5360. 비밀이야. - それは秘密です。
5361. 해산하다 - 解散する
5362. 그녀는 모임을 해산했다. - 彼女は会議を解散した。
5363. 우리는 조합을 해산한다. - 組合を解散します。
5364. 당신들은 집단을 해산할 것이다. - あなたはグループを解散します。
5365. 끝난 거야? - 終わりですか？
5366. 그래, 끝났어. - はい、終わりました。
5367. 60. 명사 단어들 외우기, 필수 10개 동사의 단어들을 가지고 50문장 연습하기 - 60.名詞の単語を覚え、10の必須動詞の単語を使って50の文を練習する。
5368. 두 회사 - 二つの会社
5369. 기업들 - 社
5370. 조직 - グループ
5371. 부서 - 部署
5372. 회사 - 会社
5373. 사업 - ビジネス
5374. 새로운 정부 - 新政府

5375. 프로그램 - プログラム
5376. 기관 - 政府機関
5377. 책 - 書籍
5378. 잡지 - 雑誌
5379. 가이드 - ガイド
5380. 신문 - 新聞
5381. 보고서 - レポート
5382. 뉴스레터 - ニュースレター
5383. 포스터 - ポスター
5384. 초대장 - 招待状
5385. 메뉴 - メニュー
5386. 영상 - ビデオ
5387. 문서 - ドキュメント
5388. 콘텐츠 - コンテンツ
5389. 원고 - 原稿
5390. 번역 - 翻訳
5391. 글 - 執筆
5392. 꿈 - 夢
5393. 데이터 - データ
5394. 결과 - 結果
5395. 합병하다 - 合併する
5396. 그는 두 회사를 합병했다. - 彼は2つの会社を合併した。
5397. 그녀는 기업들을 합병한다. - 彼女は会社を合併する。
5398. 우리는 조직을 합병할 것이다. - 私たちは組織を合併します。
5399. 잘 될까요? - うまくいくでしょうか？
5400. 잘 될 거예요. - うまくいくでしょう。
5401. 분할하다 - 分割する
5402. 그녀는 부서를 분할했다. - 彼女は部署を分割した。
5403. 우리는 회사를 분할한다. - 会社を分割する。
5404. 당신들은 사업을 분할할 것이다. - 事業を分割します。
5405. 필요한가요? - それは必要なことですか？
5406. 네, 필요해요. - はい、必要です。
5407. 출범하다 - 発足させる
5408. 그는 새로운 정부를 출범했다. - 彼は新政府を発足させた。

5409. 그녀는 프로그램을 출범한다. - 彼女はプログラムを開始する。
5410. 우리는 기관을 출범할 것이다. - 私たちはある機関を発足させます。
5411. 준비됐나요? - 準備はできていますか？
5412. 다 준비됐어요. - 準備万端です。
5413. 출판하다 - 出版する
5414. 그녀는 책을 출판했다. - 彼女は本を出版した。
5415. 우리는 잡지를 출판한다. - 私たちは雑誌を出版します。
5416. 당신들은 가이드를 출판할 것이다. - 君たちはガイドを出版する。
5417. 새 책 나왔어? - 新しい本は出たの？
5418. 네, 나왔어요. - はい、出版しました。
5419. 발행하다 - 出版する
5420. 그는 신문을 발행했다. - 彼は新聞を発行した。
5421. 그녀는 보고서를 발행한다. - 彼女は報告書を発行する。
5422. 우리는 뉴스레터를 발행할 것이다. - ニュースレターを発行します。
5423. 언제 나와? - いつ出ますか？
5424. 내일 나와. - 明日発行します。
5425. 인쇄하다 - 印刷する
5426. 그녀는 포스터를 인쇄했다. - 彼女はポスターを印刷した。
5427. 우리는 초대장을 인쇄한다. - 招待状を印刷します。
5428. 당신들은 메뉴를 인쇄할 것이다. - あなたたちはメニューを印刷して
5429. 색깔 괜찮아? - 色は大丈夫？
5430. 완벽해요. - 完璧です
5431. 편집하다 - 編集する
5432. 그는 영상을 편집했다. - 彼はビデオを編集した。
5433. 그녀는 문서를 편집한다. - 彼女は文書を編集する。
5434. 우리는 콘텐츠를 편집할 것이다. - 私たちは内容を編集します。
5435. 얼마나 걸려? - どのくらいかかりますか？
5436. 조금 걸려요. - 少し時間がかかります。
5437. 감수하다 - 編集する
5438. 그녀는 원고를 감수했다. - 彼女は原稿を校正します。
5439. 우리는 번역을 감수한다. - 翻訳を校正します。
5440. 당신들은 보고서를 감수할 것이다. - あなたは報告書を校正します。
5441. 검토 끝났어? - 校閲は終わりましたか？
5442. 거의 다 됐어. - ほぼ終わりました。

5443. 번역하다 - 翻訳する
5444. 그는 문서를 번역했다. - 彼は文書を翻訳した。
5445. 그녀는 글을 번역한다. - 彼女は記事を翻訳します。
5446. 우리는 책을 번역할 것이다. - 私たちは本を翻訳します。
5447. 이해 돼요? - これでいいですか？
5448. 네, 잘 돼요. - はい、うまくいきます。
5449. 해석하다 - 解釈する
5450. 그녀는 꿈을 해석했다. - 彼女は夢を解釈した。
5451. 우리는 데이터를 해석한다. - 私たちはデータを解釈する。
5452. 당신들은 결과를 해석할 것이다. - あなたたちは結果を解釈する。
5453. 맞을까요? - それでいいんですか？
5454. 네, 맞아요. - そうです。
5455. 61. 명사 단어들 외우기, 필수 10개 동사의 단어들을 가지고 50문장 연습하기 - 61.名詞の単語を暗記し、10個の必須動詞の単語を使って50の文を練習する。
5456. 범위 - 範囲
5457. 관심 - 興味
5458. 영역 - 地域
5459. 상황 - 状況
5460. 관계 - 関係
5461. 문제 - 問題
5462. 자료 - データ
5463. 정보 - 情報
5464. 요소들 - 要素
5465. 아이디어 - アイデア
5466. 기술 - 技術
5467. 비용 - 費用
5468. 가능성 - 可能性
5469. 결과 - 結果
5470. 가치 - 価値
5471. 상태 - 状況
5472. 품질 - 品質
5473. 변경사항 - 変化
5474. 결정 - 決定

5475. 일정 - スケジュール
5476. 옵션 - オプション
5477. 해결책 - ソリューション
5478. 데이터 - データ
5479. 문서 - ドキュメント
5480. 시스템 - システム
5481. 설정 - 設定
5482. 시계 - クロック
5483. 기기 - デバイス
5484. 확대하다 - をズームインする
5485. 나는 범위를 확대했다. - スコープを拡大してみた。
5486. 너는 관심을 확대한다. - 興味を拡大するのだ。
5487. 그는 영역을 확대할 것이다. - 彼はエリアを拡大します。
5488. 범위 더 넓힐까? - スコープを拡大しますか？
5489. 네, 더 넓혀요. - はい、さらに拡大しましょう。
5490. 악화하다 - 悪化させる
5491. 그녀는 상황을 악화시켰다. - 彼女は状況を悪化させた。
5492. 우리는 관계를 악화시킨다. - 私たちは関係を悪化させる。
5493. 당신들은 문제를 악화시킬 것이다. - 問題を悪化させる。
5494. 상태 더 나빠졌어? - 悪化させた？
5495. 아니, 안 그래. - いいえ、悪化していません。
5496. 참고하다 - 相談する
5497. 그들은 자료를 참고했다. - 彼らは資料を参照した。
5498. 나는 정보를 참고한다. - 私はその情報を参照した。
5499. 너는 자료를 참고할 것이다. - 資料を参照する。
5500. 정보 찾아봤어? - その情報を調べましたか？
5501. 응, 찾아봤어. - はい、調べました。
5502. 조합하다 - 組み合わせる
5503. 나는 요소들을 조합했다. - 要素を組み合わせました。
5504. 너는 아이디어를 조합한다. - あなたはアイデアを組み合わせます。
5505. 그는 기술을 조합할 것이다. - 彼は技術をまとめる。
5506. 아이디어 합칠까? - アイデアを組み合わせましょうか？
5507. 좋아, 합치자. - よし、組み合わせよう。
5508. 추정하다 - 見積もる

5509. 그녀는 비용을 추정했다. - 彼女は費用を見積もった。
5510. 우리는 가능성을 추정한다. - 私たちは可能性を見積もる。
5511. 당신들은 결과를 추정할 것이다. - あなたは結果を見積もるでしょう。
5512. 비용 얼마로 봐? - いくらかかると思う？
5513. 몇 만원 될 거야. - 数千ウォンです。
5514. 감정하다 - 鑑定する
5515. 그들은 가치를 감정했다. - 彼らは価値を鑑定した。
5516. 나는 상태를 감정한다. - 私は状態を鑑定します。
5517. 너는 품질을 감정할 것이다. - あなたは品質を鑑定します。
5518. 가치 평가했어? - 鑑定しましたか？
5519. 예, 평가했어. - はい、鑑定しました。
5520. 통지하다 - 通知する
5521. 나는 변경사항을 통지했다. - 私は変更を通知した。
5522. 너는 결정을 통지한다. - あなたは決定を通知するでしょう。
5523. 그는 일정을 통지할 것이다. - 彼は予定を通知するでしょう。
5524. 소식 받았어? - 知らせを受けましたか？
5525. 아니, 못 받았어. - いいえ、まだです。
5526. 탐색하다 - 探索する
5527. 그녀는 옵션을 탐색했다. - 彼女は選択肢を探った。
5528. 우리는 가능성을 탐색한다. - 私たちは可能性を探る。
5529. 당신들은 해결책을 탐색할 것이다. - 解決策を探るのです。
5530. 더 찾아볼까? - さらに探索しましょうか。
5531. 응, 더 찾아보자. - はい、さらに調べましょう。
5532. 검사하다 - 調べる
5533. 그들은 데이터를 검사했다. - 彼らはデータを調べた。
5534. 나는 문서를 검사한다. - 私は文書を調査します。
5535. 너는 시스템을 검사할 것이다. - あなたはシステムを検査します。
5536. 모두 확인했니? - すべてチェックしましたか？
5537. 네, 확인했어. - はい、チェックしました。
5538. 리셋하다 - リセットする
5539. 나는 설정을 리셋했다. - 私は設定をリセットしました。
5540. 너는 시계를 리셋한다. - あなたは時計をリセットします。
5541. 그는 기기를 리셋할 것이다. - 彼がリセットする
5542. 다시 시작할까? - 再起動しますか？

5543. 응, 다시 시작해. - はい、やり直しましょう。
5544. 62. 명사 단어들 외우기, 필수 10개 동사의 단어들을 가지고 50문장 연습하기 - 62.名詞の単語を覚え、10個の必須動詞の単語を使って50の文を練習する。
5545. 연락 - コミュニケーション
5546. 공급 - 供給
5547. 관계 - 関係
5548. 잠금 - ロック
5549. 계약 - 契約
5550. 약속 - 約束
5551. 자리 - シート
5552. 티켓 - チケット
5553. 방 - 部屋
5554. 회의 - ミーティング
5555. 예약 - 予約
5556. 여행 - 旅行
5557. 보고서 - レポート
5558. 계획 - プラン
5559. 제안 - 提案
5560. 문서 - ドキュメント
5561. 요청 - リクエスト
5562. 프로젝트 - プロジェクト
5563. 대회 - コンペティション
5564. 경기 - 試合
5565. 상대 - 対戦相手
5566. 게임 - 試合
5567. 경쟁 - 対戦
5568. 대결 - バトル
5569. 끊다 - 遮断する
5570. 그녀는 연락을 끊었다. - 彼女は連絡を絶った。
5571. 우리는 공급을 끊는다. - 供給を断つ
5572. 당신들은 관계를 끊을 것이다. - 縁を切る
5573. 연결 끊겼어? - 縁を切る？
5574. 아니, 아직이야. - いや、まだだ

5575. 해제하다 - 解除する
5576. 그들은 잠금을 해제했다. - 解除した
5577. 나는 계약을 해제한다. - 契約を解除する
5578. 너는 약속을 해제할 것이다. - 約束を解除する
5579. 잠금 풀었어? - ロックを解除しましたか？
5580. 네, 풀었어. - はい、解除しました。
5581. 예약하다 - 予約する
5582. 나는 자리를 예약했다. - 座席を予約しました。
5583. 너는 티켓을 예약한다. - あなたはチケットを予約します。
5584. 그는 방을 예약할 것이다. - 彼は部屋を予約します。
5585. 자리 있어? - 席はありますか？
5586. 네, 있어요. - はい、あります。
5587. 예약취소하다 - 予約をキャンセルする
5588. 그녀는 회의를 예약취소했다. - 彼女は会議をキャンセルした。
5589. 우리는 예약을 예약취소한다. - 予約をキャンセルします。
5590. 당신들은 여행을 예약취소할 것이다. - あなたたちは旅行をキャンセルするつもりです。
5591. 취소해야 하나? - キャンセルすべきですか？
5592. 아니, 기다려. - いいえ、待ってください。
5593. 제출하다 - 提出する
5594. 그들은 보고서를 제출했다. - 報告書を提出した。
5595. 나는 계획을 제출한다. - 私は企画書を提出する。
5596. 너는 제안을 제출할 것이다. - 企画書を提出します。
5597. 제출할 준비 됐어? - 提出の準備はできていますか？
5598. 예, 준비됐어. - はい、準備はできています。
5599. 반려하다 - 却下する
5600. 나는 문서를 반려했다. - 私はその文書を拒否しました。
5601. 너는 요청을 반려한다. - あなたは依頼を却下します。
5602. 그는 프로젝트를 반려할 것이다. - 却下します
5603. 다시 보낼까? - 再送しますか？
5604. 아니, 됐어. - いいえ、結構です。
5605. 이기다 - 優勝する
5606. 그녀는 대회를 이겼다. - 彼女は競争に勝った。
5607. 우리는 경기를 이긴다. - 私たちは試合に勝ちます。

5608. 당신들은 상대를 이길 것이다. - 相手に勝つ。
5609. 우리 이겼어? - 私たちは勝ったのですか？
5610. 네, 이겼어! - はい、勝ちました！
5611. 지다 - 負ける
5612. 그는 게임을 졌다. - 彼は試合に負けた。
5613. 너는 경쟁에서 진다. - あなたは競争に負ける。
5614. 그녀는 대결에서 질 것이다. - 彼女は対決に負ける。
5615. 경기 졌어? - 試合に負けましたか？
5616. 응, 졌어. - はい、負けました。
5617. 싸우다 - 戦う
5618. 우리는 자주 싸웠다. - 私たちはよく戦った。
5619. 당신들은 매일 싸운다. - あなたたちは毎日戦っている。
5620. 그들은 내일 싸울 것이다. - 明日も戦うだろう。
5621. 또 싸웠어? - また喧嘩したの？
5622. 아니, 안 그래. - いや、しなかった。
5623. 다투다 - けんか
5624. 나는 친구와 다퉜다. - 友達とけんかした。
5625. 너는 이유 없이 다툰다. - あなたは理由もなくけんかする。
5626. 그는 문제를 다룰 것이다. - 彼はその問題に対処するでしょう。
5627. 왜 자꾸 다투니? - なぜ口論を続けるのですか？
5628. 모르겠어. - わからない。
5629. 63. 명사 단어들 외우기, 필수 10개 동사의 단어들을 가지고 50문장 연습하기 - 63.名詞の単語を覚え、10個の必須動詞の単語を使って50文練習する。
5630. 나 - 私
5631. 우리 - 私たち
5632. 당신들 - あなた
5633. 계획 - 計画
5634. 친구 - 友達
5635. 정당 - パーティー
5636. 자신 - 自分
5637. 노래 - 歌う
5638. 동영상 - ビデオ
5639. 기록 - レコード
5640. 그녀 - 彼女

5641. 의견 - 意見
5642. 회의 - 会議
5643. 교수 - 教授
5644. 세부사항 - 詳細
5645. 제안 - 提案
5646. 결정 - 決定
5647. 소문 - 噂
5648. 혐의 - 担当
5649. 주장 - 意見
5650. 변경사항 - 変更点
5651. 규칙 - ルール
5652. 도전 - 挑戦
5653. 시도 - 裁判
5654. 지지하다 - サポートする
5655. 그녀는 나를 지지했다. - 彼女は私を支えてくれた。
5656. 우리는 서로를 지지한다. - 私たちは互いに支え合う。
5657. 당신들은 계획을 지지할 것이다. - あなたはこの計画を支持するでしょう。
5658. 지지해 줄래? - サポートしてくれますか？
5659. 물론이지. - もちろんです。
5660. 변호하다 - 守る
5661. 나는 친구를 변호했다. - 私は友人を守った。
5662. 너는 정당을 변호한다. - あなたは党を守る。
5663. 그녀는 자신을 변호할 것이다. - 彼女は自分を守る。
5664. 변호할 수 있어? - 守れるか？
5665. 시도해 볼게. - やってみます。
5666. 녹음하다 - 記録する
5667. 우리는 회의를 녹음했다. - 私たちは会議を録音した。
5668. 당신들은 강의를 녹음한다. - 君たちは講義を録音する。
5669. 그들은 공연을 녹음할 것이다. - 彼らはパフォーマンスを録音する。
5670. 녹음 시작했어? - 録音を始めましたか？
5671. 네, 시작했어. - はい、始めました。
5672. 재생하다 - 演奏する
5673. 나는 노래를 재생했다. - 私は曲を演奏しました。
5674. 너는 동영상을 재생한다. - あなたはビデオを再生します。

5675. 그는 기록을 재생할 것이다. - 彼が録音を再生します。
5676. 재생할 준비 됐어? - 演奏の準備はできていますか？
5677. 준비 됐어. - 準備はできています
5678. 발언하다 - 話す
5679. 그녀는 중요한 발언을 했다. - 彼女は重要な発言をした。
5680. 우리는 의견을 발언한다. - 私たちは意見を言う。
5681. 당신들은 회의에서 발언할 것이다. - あなたは会議で発言します。
5682. 발언할 거야? - 発言するのですか？
5683. 아직 몰라. - まだわかりません。
5684. 질문하다 - 質問する
5685. 나는 교수에게 질문했다. - 私は教授に質問した。
5686. 너는 어려운 질문을 한다. - あなたは難しい質問をする。
5687. 그녀는 세부사항을 질문할 것이다. - 彼女は詳しく聞くだろう。
5688. 질문 있어? - 何か質問は？
5689. 없어, 괜찮아. - いいえ、結構です。
5690. 반문하다 - 質問する
5691. 우리는 그의 의견을 반문했다. - 私たちは彼の意見に疑問を呈した。
5692. 당신들은 제안을 반문한다. - あなたはその提案に疑問を呈する。
5693. 그들은 결정을 반문할 것이다. - 彼らは決定に疑問を持つだろう。
5694. 왜 반문해? - なぜ質問するのですか？
5695. 이해 안 돼서. - 理解できないからだ。
5696. 부정하다 - 否定する
5697. 나는 소문을 부정했다. - 私はその噂を否定した。
5698. 너는 혐의를 부정한다. - あなたは疑惑を否定する。
5699. 그는 주장을 부정할 것이다. - 彼は疑惑を否定する
5700. 사실 부정해? - 事実を否定する？
5701. 그래, 부정해. - はい、否定します
5702. 반발하다 - 反抗する
5703. 그녀는 결정에 반발했다. - 彼女は決定に反抗した。
5704. 우리는 변경사항에 반발한다. - 私たちは変化に反発する。
5705. 당신들은 규칙에 반발할 것이다. - ルールに反発する
5706. 반발할 이유 있어? - 反抗する理由がありますか？
5707. 있어, 분명해. - ある。
5708. 포기하다 - あきらめる

5709. 나는 도전을 포기했다. - 私は挑戦をあきらめた。
5710. 너는 시도를 포기한다. - 挑戦をあきらめる。
5711. 그녀는 계획을 포기할 것이다. - 彼女は計画を諦める
5712. 포기해야 할까? - あきらめるべきか？
5713. 아니, 계속해. - いや、続けるんだ。
5714. 64. 명사 단어들 외우기, 필수 10개 동사의 단어들을 가지고 50문장 연습하기 - 64. 名詞の単語を暗記し、10個の必須動詞の単語を使って50文を練習する。
5715. 전략 - 戦略
5716. 생각 - 思考
5717. 자원 - 資源
5718. 군대 - 軍隊
5719. 기술 - 技術
5720. 성공 - 成功
5721. 평화 - 平和
5722. 협력 - 協力
5723. 변화 - 変化
5724. 기회 - チャンス
5725. 해결 - 解決
5726. 미래 - 未来
5727. 결과 - 結果
5728. 영향 - 効果
5729. 상황 - 状況
5730. 질문 - 質問
5731. 발견 - 発見
5732. 말 - 言葉
5733. 지연 - 遅延
5734. 거부 - 拒否
5735. 결정 - 決断
5736. 불의 - 激しい
5737. 부정 - 拒否
5738. 불편함 - 不快感
5739. 장애 - 障害
5740. 태도 - 態度

5741. 반응 - 反応
5742. 재정비하다 - 再編成する
5743. 우리는 전략을 재정비했다. - 我々は戦略を再編成する。
5744. 당신들은 생각을 재정비한다. - あなたは自分の考えを再編成する。
5745. 그들은 자원을 재정비할 것이다. - 資源を再編成するのだ。
5746. 재정비 필요해? - 再編成が必要か？
5747. 네, 필요해. - はい、必要です。
5748. 배치하다 - 配置する
5749. 나는 자원을 배치했다. - 私は資源を配備した。
5750. 너는 군대를 배치한다. - あなたは部隊を展開する。
5751. 그는 기술을 배치할 것이다. - 彼は技術を配備する
5752. 배치 완료됐니? - 配備は終わったのか？
5753. 아직이야. - まだだ
5754. 바라다 - 期待する
5755. 그녀는 성공을 바랐다. - 彼女は成功を願った。
5756. 우리는 평화를 바란다. - 私たちは平和を願う。
5757. 당신들은 협력을 바랄 것이다. - あなたは協力を望んでいる。
5758. 무엇을 바래? - あなたは何を望みますか？
5759. 행복을 바라. - 私は幸せを願っています。
5760. 소망하다 - 願う
5761. 나는 변화를 소망했다. - 私は変化を願います。
5762. 너는 기회를 소망한다. - あなたは機会を願っている。
5763. 그녀는 해결을 소망할 것이다. - 彼女は解決を願うでしょう。
5764. 소망 있어? - あなたには願いがありますか？
5765. 있어, 많아. - ええ、たくさんあります。
5766. 우려하다 - 心配すること
5767. 우리는 미래를 우려했다. - 私たちは将来を心配していました。
5768. 당신들은 결과를 우려한다. - あなたは結果を心配している。
5769. 그들은 영향을 우려할 것이다. - 彼らは影響を心配しているでしょう。
5770. 걱정돼? - あなたは心配していますか？
5771. 응, 걱정돼. - はい、心配しています。
5772. 당황하다 - パニックになる
5773. 나는 상황에 당황했다. - 私は状況に困惑しています。
5774. 너는 질문에 당황한다. - あなたはその質問に当惑している。

5775. 그는 발견에 당황할 것이다. - 発覚して困惑している
5776. 당황했어? - パニックになりましたか？
5777. 응, 많이. - ええ、とても。
5778. 화나다 - 怒っている
5779. 그녀는 말에 화났다. - 彼女は馬に対して怒っている。
5780. 우리는 지연에 화난다. - 私たちは遅れに怒っている。
5781. 당신들은 거부에 화낼 것이다. - あなたたちは不合格に怒っているでしょう。
5782. 화났어? - 怒っていますか？
5783. 네, 많이. - ええ、とても。
5784. 분노하다 - 怒るには
5785. 나는 결정에 분노했다. - 私は決定に怒っている。
5786. 너는 불의에 분노한다. - あなたは不公平に怒っている。
5787. 그녀는 부정에 분노할 것이다. - 彼女は不公平に怒っているでしょう。
5788. 분노해? - 怒る？
5789. 응, 분노해. - そう、憤慨する。
5790. 짜증내다 - イライラする
5791. 우리는 불편함에 짜증냈다. - 私たちは不便さに腹を立てている。
5792. 당신들은 지연에 짜증낸다. - あなたたちは遅れにイライラしている。
5793. 그들은 장애에 짜증낼 것이다. - 彼らは障害に迷惑しているだろう。
5794. 짜증나? - 迷惑？
5795. 응, 짜증나. - そう、イライラする。
5796. 실망하다 - 失望している
5797. 나는 결과에 실망했다. - 私は結果に失望している。
5798. 너는 태도에 실망한다. - あなたは態度に失望している。
5799. 그는 반응에 실망할 것이다. - 彼は反応に失望しているだろう。
5800. 실망했니? - 失望していますか？
5801. 네, 실망했어. - はい、失望しています。
5802. 65. 명사 단어들 외우기, 필수 10개 동사의 단어들을 가지고 50문장 연습하기 - 65. 名詞の単語を暗記し、10個の必須動詞の単語を使って50文を練習する。
5803. 성과 - 結果
5804. 서비스 - サービス
5805. 해결 - 解く

5806. 순간 - 瞬間
5807. 여기 - ここ
5808. 미래 - 未来
5809. 소식 - ニュース
5810. 모임 - クラス
5811. 성공 - 成功
5812. 이별 - 別れ
5813. 상실 - 損失
5814. 사건 - イベント
5815. 손실 - 損失
5816. 결과 - 結果
5817. 고향 - 故郷
5818. 친구 - 友人
5819. 옛날 - 遠い昔
5820. 행동 - 行動
5821. 불의 - 炎
5822. 거짓 - 嘘
5823. 비행 - 飛行
5824. 무례함 - 無礼
5825. 거짓말 - 嘘
5826. 이야기 - ストーリー
5827. 영화 - 映画
5828. 연설 - スピーチ
5829. 만족하다 - 満足
5830. 그녀는 성과에 만족했다. - 彼女はパフォーマンスに満足していた。
5831. 우리는 서비스에 만족한다. - 私たちはサービスに満足しています。
5832. 당신들은 해결에 만족할 것이다. - あなたは解決策に満足するでしょう。
5833. 만족해? - ご満足いただけましたか？
5834. 응, 만족해. - はい、満足しています。
5835. 행복하다 - 満足する
5836. 나는 순간에 행복했다. - その瞬間は幸せでした。
5837. 너는 여기에 행복한다. - あなたはここで幸せです。
5838. 그녀는 미래에 행복할 것이다. - 彼女は将来幸せになる。
5839. 행복해? - あなたは幸せですか？

5840. 네, 매우. - ええ、とても
5841. 즐거워하다 - 喜ぶ
5842. 우리는 소식에 즐거워했다. - 私たちはその知らせを喜んだ。
5843. 당신들은 모임에 즐거워한다. - あなたは会議で喜んでいる。
5844. 그들은 성공에 즐거워할 것이다. - 彼らは成功を喜んでいるでしょう。
5845. 즐거워? - pleased?
5846. 응, 즐거워. - はい、喜んでいます。
5847. 슬퍼하다 - 悲しくなること
5848. 나는 이별에 슬퍼했다. - 私は別れを悲しんだ。
5849. 너는 소식에 슬퍼한다. - あなたはその知らせに悲しんでいる。
5850. 그녀는 상실에 슬퍼할 것이다. - 彼女はその喪失感を悲しむだろう。
5851. 슬퍼? - 悲しい？
5852. 응, 슬퍼. - そう、悲しい。
5853. 애통하다 - 嘆く
5854. 우리는 사건에 애통해했다. - 私たちはその事件を嘆いた。
5855. 당신들은 손실에 애통한다. - あなたはその損失を嘆く。
5856. 그들은 결과에 애통할 것이다. - 彼らは結果を嘆くだろう
5857. 애통해해? - 嘆く？
5858. 네, 깊이. - そう、深く。
5859. 그리워하다 - 懐かしむ
5860. 나는 고향을 그리워했다. - 故郷が恋しい。
5861. 너는 친구를 그리워한다. - 友人を恋しがる。
5862. 그는 옛날을 그리워할 것이다. - 昔を懐かしむ。
5863. 그리워해? - 恋しいですか？
5864. 응, 많이. - ええ、たくさん。
5865. 그립다 - 懐かしい
5866. 나는 고향을 그리웠다. - 故郷が恋しい。
5867. 너는 친구를 그립게 생각한다. - あなたは友人を恋しがっている。
5868. 그는 옛날을 그리울 것이다. - 彼は昔を懐かしむでしょう。
5869. 친구 생각나? - 友人を覚えていますか？
5870. 네, 생각나. - はい、覚えています。
5871. 증오하다 - 憎む
5872. 너는 행동을 증오했다. - あなたはその振る舞いを憎んでいた。
5873. 그는 불의를 증오한다. - 彼は不正を憎む。

5874. 그녀는 거짓을 증오할 것이다. - 彼女は偽りを憎むだろう。
5875. 너 불편해? - 不快ですか？
5876. 네, 불편해. - はい、不快です。
5877. 혐오하다 - 忌み嫌う
5878. 그는 비행을 혐오했다. - 彼は飛ぶことを嫌う。
5879. 그녀는 무례함을 혐오한다. - 彼女は無礼を嫌う。
5880. 우리는 거짓말을 혐오할 것이다. - 私たちは嘘を忌み嫌う。
5881. 이상해? - それは変ですか？
5882. 아니, 괜찮아. - いや、いいんだ。
5883. 감동하다 - 感動する
5884. 그녀는 이야기에 감동했다. - 彼女は物語に感動した。
5885. 우리는 영화에 감동한다. - 私たちは映画に感動します。
5886. 당신들은 연설에 감동할 것이다. - スピーチに感動する。
5887. 울었어? - 泣きましたか？
5888. 아니, 안 울었어. - いいえ、泣いていません。
5889. 66. 명사 단어들 외우기, 필수 10개 동사의 단어들을 가지고 50문장 연습하기 - 66.名詞の単語を覚え、10の必須動詞の単語を使って50の文を練習する。
5890. 경치 - 視覚
5891. 기술 - 技術
5892. 발전 - 開発
5893. 거짓말 - 嘘
5894. 위선 - 偽善
5895. 속임수 - トリック
5896. 실수 - 過ち
5897. 무지함 - 無知
5898. 어리석음 - 愚かさ
5899. 노력 - 努力
5900. 실패 - 失敗
5901. 용기 - 勇気
5902. 제안 - 提案
5903. 변화 - 変化
5904. 혁신 - イノベーション
5905. 박물관 - 博物館
5906. 자연 - 自然

5907. 우주 - 宇宙
5908. 계획 - 計画
5909. 아이디어 - アイデア
5910. 정보 - 情報
5911. 경험 - 経験
5912. 지식 - 知識
5913. 프로젝트 - プロジェクト
5914. 작업 - 仕事
5915. 친구 - 友人
5916. 이웃 - 隣人
5917. 사회 - 社会
5918. 감탄하다 - 賞賛する
5919. 나는 경치에 감탄했다. - 私はその景色を賞賛した。
5920. 너는 기술을 감탄한다. - あなたは技術を賞賛する。
5921. 그는 발전을 감탄할 것이다. - 彼は進歩に感心するだろう。
5922. 멋있어? - かっこいいですか？
5923. 네, 멋있어. - ええ、かっこいいです。
5924. 경멸하다 - 軽蔑する
5925. 너는 거짓말을 경멸했다. - あなたは嘘を軽蔑する。
5926. 그는 위선을 경멸한다. - 彼は偽善を軽蔑するだろう。
5927. 그녀는 속임수를 경멸할 것이다. - 彼女はごまかしを軽蔑するだろう。
5928. 화났어? - 怒ってる？
5929. 네, 화났어. - はい、怒っています。
5930. 비웃다 - 笑う
5931. 그는 실수를 비웃었다. - 彼は自分の間違いを笑う。
5932. 그녀는 무지함을 비웃는다. - 彼女は無知を笑う。
5933. 우리는 어리석음을 비웃을 것이다. - 自分の愚かさを笑う。
5934. 재밌어? - 面白いですか？
5935. 아니, 안 재밌어. - いや、笑えない。
5936. 조롱하다 - 嘲笑する
5937. 그녀는 노력을 조롱했다. - 彼女は努力をあざ笑う。
5938. 우리는 실패를 조롱한다. - 失敗をあざ笑う。
5939. 당신들은 용기를 조롱할 것이다. - 勇気をあざ笑う。
5940. 즐거워? - 楽しいか？

5941. 아니, 즐겁지 않아. - いや、楽しくない。
5942. 배척하다 - 拒絶する
5943. 나는 제안을 배척했다. - 私はその提案を拒絶した。
5944. 너는 변화를 배척하게 생각한다. - あなたは変化を拒絶しようと考えている。
5945. 그는 혁신을 배척할 것이다. - 彼は革新を拒絶するでしょう
5946. 거절해? - 拒否する？
5947. 네, 거절해. - そう、拒絶する。
5948. 탐방하다 - 探検する
5949. 너는 박물관을 탐방했다. - あなたは博物館を探検する。
5950. 그는 자연을 탐방한다. - 彼は自然を探検する。
5951. 그녀는 우주를 탐방할 것이다. - 彼女は宇宙を探検する。
5952. 재밌어? - 楽しいですか？
5953. 네, 재밌어. - はい、楽しいです。
5954. 찬성하다 - 賛成する
5955. 그는 계획을 찬성했다. - 彼はその計画に賛成した。
5956. 그녀는 아이디어를 찬성한다. - 彼女はその考えに賛成である。
5957. 우리는 제안을 찬성할 것이다. - 私たちはその提案に賛成票を投じます。
5958. 동의해? - 賛成しますか？
5959. 네, 동의해. - はい、賛成です。
5960. 교류하다 - 交換する
5961. 그녀는 정보를 교류했다. - 彼女は情報を交換した。
5962. 우리는 경험을 교류한다. - 私たちは経験を交換します。
5963. 당신들은 지식을 교류할 것이다. - あなたは知識を交換します。
5964. 만났어? - 会いましたか？
5965. 아니, 안 만났어. - いいえ、会っていません。
5966. 협조하다 - 協力する
5967. 나는 프로젝트에 협조했다. - 私はその計画に協力した。
5968. 너는 계획을 협조하게 생각한다. - あなたは計画に協力する。
5969. 그는 작업에 협조할 것이다. - 彼は仕事に協力する。
5970. 도울래? - 手伝ってくれますか？
5971. 네, 도울게. - はい、協力します。
5972. 도움을 주다 - 手伝う
5973. 너는 친구에게 도움을 주었다. - あなたは友人を助ける。

5974. 그는 이웃을 돕는다. - 彼は隣人を助ける。
5975. 그녀는 사회를 돕게 될 것이다. - 彼女は社会を助ける。
5976. 필요해? - あなたはそれが必要ですか？
5977. 네, 필요해. - はい、必要です。
5978. 67. 명사 단어들 외우기, 필수 10개 동사의 단어들을 가지고 50문장 연습하기 - 67. 名詞の単語を暗記し、10の必須動詞の単語を使って50の文を練習する
5979. 목표 - 目標
5980. 성공 - 成功
5981. 꿈 - 夢
5982. 보고서 - 報告
5983. 프로젝트 - プロジェクト
5984. 계획 - 計画
5985. 여행 - 旅行
5986. 모임 - クラス
5987. 학창 시절 - 学校での日々
5988. 과제 - 課題
5989. 미션 - ミッション
5990. 도전 - チャレンジ
5991. 전시 - 展覧会
5992. 음악 - 音楽
5993. 예술 - アート
5994. 선생님 - 教師
5995. 리더 - リーダー
5996. 선구자 - 先駆者
5997. 자유 - 自由
5998. 평화 - 平和
5999. 행복 - 幸福
6000. 제안 - 提案
6001. 초대 - 招待
6002. 조건 - 条件
6003. 문제 - 問題
6004. 경쟁 - 競う
6005. 노력하다 - 努力する
6006. 그는 목표를 달성하기 위해 노력했다. - 彼は目標を達成するために努力し

た。
6007. 그녀는 성공을 위해 노력한다. - 彼女は成功のために努力する。
6008. 우리는 꿈을 이루기 위해 노력할 것이다. - 夢を実現するために努力する。
6009. 힘들어? - 難しいですか？
6010. 네, 힘들어. - はい、難しいです。
6011. 작업하다 - に取り組む。
6012. 그녀는 보고서를 작업했다. - 彼女はレポートに取り組んだ。
6013. 우리는 프로젝트를 작업한다. - 私たちはプロジェクトに取り組みます。
6014. 당신들은 계획을 작업할 것이다. - あなたたちは計画に取り組む。
6015. 바빠? - 忙しいですか？
6016. 네, 바빠. - はい、忙しいです。
6017. 추억하다 - 回想する
6018. 나는 여행을 추억했다. - 私は旅行のことを思い出した。
6019. 너는 모임을 추억하게 생각한다. - あなたは会議のことを思い出すでしょう。
6020. 그는 학창 시절을 추억할 것이다. - 彼は学生時代のことを思い出すでしょう。
6021. 잊었어? - 忘れましたか？
6022. 아니, 안 잊었어. - いいえ、忘れていません。
6023. 완수하다 - やり遂げる
6024. 너는 과제를 완수했다. - あなたは任務を完了した。
6025. 그는 미션을 완수한다. - 彼は任務を完了する。
6026. 그녀는 도전을 완수할 것이다. - 彼女は任務を遂行する。
6027. 성공했어? - あなたは成功しましたか？
6028. 네, 성공했어. - はい、成功しました。
6029. 이루다 - 果たす
6030. 그는 꿈을 이루었다. - 彼は夢を果たす。
6031. 그녀는 목표를 이룬다. - 彼女は目標を果たす。
6032. 우리는 희망을 이룰 것이다. - 希望をかなえる。
6033. 가능해? - それは可能ですか？
6034. 네, 가능해. - はい、可能です。
6035. 감상하다 - 評価する
6036. 그녀는 전시를 감상했다. - 彼女は展覧会を鑑賞した。
6037. 우리는 음악을 감상한다. - 私たちは音楽を鑑賞する。

6038. 당신들은 예술을 감상할 것이다. - 芸術を鑑賞する。
6039. 좋아해? - 好きですか？
6040. 네, 좋아해. - はい、好きです。
6041. 동경하다 - 称賛する
6042. 나는 선생님을 동경했다. - 私は先生を尊敬しています。
6043. 너는 리더를 동경하게 생각한다. - あなたは指導者を賞賛する。
6044. 그는 선구자를 동경할 것이다. - 彼は先駆者を賞賛する。
6045. 원해? - 欲しいですか？
6046. 네, 원해. - はい、欲しいです。
6047. 갈망하다 - 憧れる
6048. 너는 자유를 갈망했다. - あなたは自由を切望する。
6049. 그는 평화를 갈망한다. - 彼は平和を切望する。
6050. 그녀는 행복을 갈망할 것이다. - 彼女は幸福を切望する
6051. 필요해? - 必要ですか？
6052. 네, 필요해. - はい、必要です。
6053. 수락하다 - 受け入れる
6054. 그는 제안을 수락했다. - 彼は申し出を受け入れた。
6055. 그녀는 초대를 수락한다. - 彼女は招待を受け入れる。
6056. 우리는 조건을 수락할 것이다. - 条件を受け入れます。
6057. 동의해? - 同意しますか？
6058. 네, 동의해. - はい、同意します。
6059. 공격하다 - 攻撃する
6060. 그녀는 문제를 공격적으로 다루었다. - 彼女はその問題に攻撃的に対処した。
6061. 우리는 경쟁을 공격적으로 대한다. - 私たちは競技を攻撃的に扱う。
6062. 당신들은 도전을 공격할 것이다. - あなたは挑戦を攻撃する。
6063. 준비됐어? - 準備はできていますか？
6064. 네, 준비됐어. - はい、準備はできています。
6065. 68. 명사 단어들 외우기, 필수 10개 동사의 단어들을 가지고 50문장 연습하기 - 68. 名詞の単語を暗記し、10個の必須動詞の単語を使って50文を練習する。
6066. 대회 - 競争
6067. 동료 - 同僚
6068. 시장 - 市場

6069. 위험 - 危険
6070. 문제 - 問題
6071. 기회 - 機会
6072. 환경 - 環境
6073. 변화 - 変化
6074. 미래 - 未来
6075. 규칙 - ルール
6076. 기준 - 標準
6077. 요구 - リクエスト
6078. 권력 - 権限
6079. 영향력 - 影響力
6080. 지식 - 知識
6081. 아이 - キッド
6082. 책 - 本
6083. 모형 - モデル
6084. 인형 - 人形
6085. 간판 - サイン
6086. 조형물 - 彫刻
6087. 담요 - 毛布
6088. 식탁 - テーブル
6089. 화면 - スクリーン
6090. 창문 - 窓
6091. 눈 - 目
6092. 거울 - 鏡
6093. 정보 - インフォメーション
6094. 경쟁하다 - 競争する
6095. 나는 대회에서 경쟁했다. - 私は競技会に出場した。
6096. 너는 동료와 경쟁하게 생각한다. - あなたは同僚と競争しようと考えている。
6097. 그는 시장에서 경쟁할 것이다. - 彼は市場で競争する。
6098. 이겼어? - 勝ったのですか？
6099. 아니, 안 이겼어. - いいえ、勝ちませんでした。
6100. 인지하다 - 認識する
6101. 너는 위험을 인지했다. - あなたはリスクを認識した。

6102. 그는 문제를 인지한다. - 彼は問題を認識する。
6103. 그녀는 기회를 인지할 것이다. - 彼女はチャンスを認識する。
6104. 알아챘어? - あなたはそれに気づきましたか？
6105. 네, 알아챘어. - はい、気づきました。
6106. 적응하다 - 適応する
6107. 그는 새 환경에 적응했다. - 彼は新しい環境に適応した。
6108. 그녀는 변화에 적응한다. - 彼女は変化に適応する。
6109. 우리는 미래에 적응할 것이다. - 私たちは未来に適応する。
6110. 쉬워? - それは簡単なことですか？
6111. 아니, 어려워. - いいえ、難しいです。
6112. 순응하다 - 順応する
6113. 그녀는 규칙에 순응했다. - 彼女は規則に合わせる。
6114. 우리는 기준에 순응한다. - 私たちは基準に合わせる。
6115. 당신들은 요구에 순응할 것이다. - 要求に従う。
6116. 따라가? - 従いますか？
6117. 네, 따라가. - はい、従います。
6118. 휘두르다 - 力を振るう
6119. 나는 권력을 휘둘렀다. - 私は権力を行使した。
6120. 너는 영향력을 휘두르게 생각한다. - あなたは影響力を行使すると思っている。
6121. 그는 지식을 휘두를 것이다. - 彼は知識を振るう
6122. 무서워? - 怖いか？
6123. 아니, 안 무서워. - いや、怖くない。
6124. 눕히다 - 寝かせる
6125. 나는 아이를 눕혔다. - 私は子供を寝かせた。
6126. 너는 책을 눕힌다. - あなたは本を置く。
6127. 그는 모형을 눕힐 것이다. - 模型を寝かせる。
6128. 편안해? - 快適ですか？
6129. 네, 편안해. - はい、快適です。
6130. 세우다 - 置く
6131. 너는 인형을 세웠다. - あなたは人形を立てる。
6132. 그는 간판을 세운다. - 彼は看板を立てる。
6133. 그녀는 조형물을 세울 것이다. - 彼女は彫刻を立てる。
6134. 잘 섰어? - 上手に立てましたか？

6135. 네, 잘 섰어. - はい、うまく立っています。
6136. 덮다 - 覆う
6137. 그는 책을 덮었다. - 彼は本を覆った。
6138. 그녀는 담요를 덮는다. - 彼女は毛布を覆う。
6139. 우리는 식탁을 덮을 것이다. - 私たちは食卓を覆います。
6140. 춥니? - 寒いですか？
6141. 아니, 안 춥다. - いいえ、寒くはありません。
6142. 어둡게 하다 - 暗くする
6143. 그녀는 방을 어둡게 했다. - 彼女は部屋を暗くした。
6144. 우리는 화면을 어둡게 한다. - 私たちはスクリーンを暗くします。
6145. 당신들은 창문을 어둡게 할 것이다. - 窓を暗くします。
6146. 밝아? - 明るいですか？
6147. 아니, 어두워. - いいえ、暗いです。
6148. 가리다 - 覆う
6149. 나는 눈을 가렸다. - 私は目を覆った。
6150. 너는 거울을 가린다. - あなたは鏡を隠す。
6151. 그는 정보를 가릴 것이다. - 彼は情報を隠す
6152. 보여? - 見えますか？
6153. 아니, 안 보여. - いいえ、見えません
6154. 69. 명사 단어들 외우기, 필수 10개 동사의 단어들을 가지고 50문장 연습하기 - 69. 名詞の単語を暗記し、10個の必須動詞の単語を使って50の文を練習しなさい。
6155. 고양이 - 猫
6156. 표면 - 表面
6157. 식물 - 植物
6158. 설정 - セッティング
6159. 기계 - 機械
6160. 시스템 - システム
6161. 문 - ドア
6162. 탁자 - テーブル
6163. 북 - ノース
6164. 등 - その他
6165. 바닥 - フロア
6166. 복권 - 抽選券

6167. 비밀 - シークレット
6168. 데이터 - データ
6169. 계획 - プラン
6170. 협의 - 料金
6171. 주장 - オピニオン
6172. 관계 - 関係
6173. 휴가 - 休暇
6174. 자유 - 自由
6175. 성과 - 結果
6176. 만지다 - 触れる
6177. 너는 고양이를 만졌다. - あなたは猫に触れた。
6178. 그는 표면을 만진다. - 彼は表面に触れた。
6179. 그녀는 식물을 만질 것이다. - 彼女は植物に触れる。
6180. 부드러워? - 柔らかい？
6181. 네, 부드러워. - はい、柔らかいです。
6182. 건드리다 - 触れる
6183. 그는 설정을 건드렸다. - 彼はセッティングに触れた。
6184. 그녀는 기계를 건드린다. - 彼女は機械に触る。
6185. 우리는 시스템을 건드릴 것이다. - システムに触る。
6186. 괜찮아? - 大丈夫ですか？
6187. 네, 괜찮아. - はい、大丈夫です。
6188. 두드리다 - ノックする
6189. 그녀는 문을 두드렸다. - 彼女はドアをノックした。
6190. 우리는 탁자를 두드린다. - テーブルをノックする
6191. 당신들은 북을 두드릴 것이다. - ドラムを叩くのです。
6192. 소리났어? - 音がしましたか？
6193. 네, 소리났어. - はい、音がしました。
6194. 긁다 - 掻く
6195. 나는 등을 긁었다. - 私は背中を掻いた。
6196. 너는 바닥을 긁는다. - あなたは床を掻く。
6197. 그는 복권을 긁을 것이다. - 彼は宝くじを引っ掻く。
6198. 가려워? - 痒い？
6199. 아니, 안 가려워. - いや、痒くないよ。
6200. 잠들다 - 眠りに落ちる

6201. 너는 빨리 잠들었다. - あなたはすぐに眠った。
6202. 그는 조용히 잠든다. - 彼は静かに眠りにつく。
6203. 그녀는 편안히 잠들 것이다. - 彼女は心地よく眠るだろう。
6204. 졸려? - 眠いですか？
6205. 네, 졸려. - はい、眠いです。
6206. 미소짓다 - 微笑む
6207. 그는 기쁨에 미소지었다. - 彼は嬉しそうに微笑む。
6208. 그녀는 친절하게 미소짓는다. - 彼女は親切に微笑む。
6209. 우리는 성공에 미소질 것이다. - 私たちは成功に微笑みます。
6210. 행복해? - あなたは幸せですか？
6211. 네, 행복해. - はい、幸せです。
6212. 새기다 - 名前を刻む
6213. 그녀는 이름을 새겼다. - 彼女は自分の名前を刻んだ。
6214. 우리는 메시지를 새긴다. - 私たちはメッセージを刻みます。
6215. 당신들은 기념을 새길 것이다. - 記念を刻みます。
6216. 기억나? - 覚えていますか？
6217. 네, 기억나. - はい、覚えています。
6218. 노출하다 - 暴露する
6219. 나는 비밀을 노출했다. - 私は秘密を暴露した。
6220. 너는 데이터를 노출한다. - あなたはデータを暴露する。
6221. 그는 계획을 노출할 것이다. - 彼は計画を暴露する。
6222. 위험해? - 危険ですか？
6223. 아니, 안 위험해. - いいえ、危険ではありません。
6224. 부인하다 - 否定する
6225. 너는 혐의를 부인했다. - あなたは疑惑を否定した。
6226. 그는 주장을 부인한다. - 彼は疑惑を否定する。
6227. 그녀는 관계를 부인할 것이다. - 彼女は関係を否定する
6228. 거짓말해? - 嘘をついていますか？
6229. 아니, 안 해. - いいえ
6230. 향유하다 - 楽しむ
6231. 그는 휴가를 향유했다. - 彼は休暇を楽しんだ。
6232. 그녀는 자유를 향유한다. - 彼女は自由を楽しむだろう。
6233. 우리는 성과를 향유할 것이다. - 私たちは成果を楽しむでしょう。
6234. 즐거워? - 楽しんでいますか？

6235. 네, 즐거워. - はい、楽しんでいます。
6236. 70. 명사 단어들 외우기, 필수 10개 동사의 단어들을 가지고 50문장 연습하기 - 70.名詞の単語を覚え、10の必須動詞の単語を使って50の文を練習する。
6237. 파티 - パーティー
6238. 여행 - 旅行
6239. 공연 - 見せる
6240. 여유 - 余裕
6241. 풍경 - 視力
6242. 성공 - 成功
6243. 모임 - クラス
6244. 프로젝트 - プロジェクト
6245. 캠페인 - キャンペーン
6246. 기부 - 寄付
6247. 지식 - 知識
6248. 노력 - 努力
6249. 커뮤니티 - コミュニティー
6250. 단체 - 組織
6251. 이벤트 - イベント
6252. 조사 - 視察
6253. 실험 - 実験
6254. 평가 - 評価
6255. 작품 - 作業内容
6256. 사진 - 写真
6257. 발명품 - 発明
6258. 자료 - データ
6259. 환자 - 患者
6260. 물품 - 記事
6261. 권리 - 権利
6262. 이념 - イデオロギー
6263. 평화 - 平和
6264. 즐기다 - 楽しむ
6265. 그녀는 파티를 즐겼다. - 彼女はパーティーを楽しんだ。
6266. 우리는 여행을 즐긴다. - 私たちは旅行を楽しむ。
6267. 당신들은 공연을 즐길 것이다. - コンサートを楽しむでしょう。

6268. 재미있어? - 楽しんでいますか？
6269. 네, 재미있어. - はい、楽しいです。
6270. 누리다 - 楽しむ
6271. 나는 여유를 누렸다. - レジャーを楽しみました。
6272. 너는 풍경을 누린다. - あなたは景色を楽しむ。
6273. 그는 성공을 누릴 것이다. - 彼は成功を楽しむだろう。
6274. 만족해? - 満足していますか？
6275. 네, 만족해. - はい、満足しています。
6276. 동참하다 - 参加する
6277. 너는 모임에 동참했다. - あなたは会議に参加する。
6278. 그는 프로젝트에 동참한다. - 彼はそのプロジェクトに参加する。
6279. 그녀는 캠페인에 동참할 것이다. - 彼女はキャンペーンに参加します。
6280. 함께할래? - あなたも参加しますか？
6281. 네, 함께할래. - はい、参加します。
6282. 공헌하다 - 貢献する
6283. 그는 기부를 공헌했다. - 彼は寄付をした。
6284. 그녀는 지식을 공헌한다. - 彼女は自分の知識を貢献する。
6285. 우리는 노력을 공헌할 것이다. - 私たちは努力に貢献します。
6286. 도움됐어? - 役に立ちましたか？
6287. 네, 도움됐어. - はい、役に立ちました。
6288. 봉사하다 - 奉仕する
6289. 그녀는 커뮤니티에 봉사했다. - 彼女は地域に奉仕した。
6290. 우리는 단체에 봉사한다. - 私たちは組織に奉仕します。
6291. 당신들은 이벤트에 봉사할 것이다. - あなたはイベントに奉仕する。
6292. 기쁘니? - うれしいですか？
6293. 네, 기뻐. - はい、うれしいです。
6294. 착수하다 - 引き受ける
6295. 나는 프로젝트에 착수했다. - 私はそのプロジェクトを引き受けた。
6296. 너는 작업에 착수한다. - あなたはその仕事を引き受けます。
6297. 그는 연구에 착수할 것이다. - 彼は研究に着手する。
6298. 준비됐어? - 準備はできていますか？
6299. 네, 준비됐어. - はい、準備はできています。
6300. 실시하다 - 実施する
6301. 너는 조사를 실시했다. - あなたは調査を行った。

6302. 그는 실험을 실시한다. - 彼は実験をする。
6303. 그녀는 평가를 실시할 것이다. - 彼女は評価を行う。
6304. 성공할까? - うまくいくでしょうか？
6305. 네, 성공할 거야. - はい、成功します。
6306. 전시하다 - 展示する
6307. 그는 작품을 전시했다. - 彼は作品を展示した。
6308. 그녀는 사진을 전시한다. - 彼女は写真を展示する。
6309. 우리는 발명품을 전시할 것이다. - 私たちは発明品を展示します。
6310. 관심있어? - 興味はありますか？
6311. 네, 관심있어. - はい、興味があります。
6312. 이송하다 - 移送する
6313. 그녀는 자료를 이송했다. - 彼女は材料を運んだ。
6314. 우리는 환자를 이송한다. - 私達は患者を移送します。
6315. 당신들은 물품을 이송할 것이다. - あなたは荷物を運びます。
6316. 빨라? - 速いですか？
6317. 네, 빨라. - はい、速いです。
6318. 옹호하다 - 擁護する
6319. 나는 권리를 옹호했다. - 私は権利を擁護した。
6320. 너는 이념을 옹호한다. - あなたはイデオロギーを提唱する。
6321. 그는 평화를 옹호할 것이다. - 彼は平和を主張する
6322. 중요해? - それは重要ですか？
6323. 네, 중요해. - はい、重要です
6324. 71. 명사 단어들 외우기, 필수 10개 동사의 단어들을 가지고 50문장 연습하기 - 71. 名詞の単語を暗記し、10個の必須動詞の単語を使って50文練習する。
6325. 계획 - 計画
6326. 문제 - 問題
6327. 전략 - 戦略
6328. 조건 - 条件
6329. 계약 - 契約
6330. 합의 - 契約
6331. 약속 - 約束
6332. 규칙 - ルール
6333. 비밀 - 秘密

6334. 사고 - 事故
6335. 오류 - エラー
6336. 손실 - 損失
6337. 결정 - 決定
6338. 제안 - 提案
6339. 가능성 - 可能性
6340. 의견 - 意見
6341. 방안 - 対策
6342. 초콜릿 - チョコレート
6343. 여름 - 夏
6344. 온라인 수업 - オンライン授業
6345. 위험 - 危険
6346. 논쟁 - 議論
6347. 갈등 - 衝突
6348. 상의하다 - 話し合う
6349. 너는 계획을 상의했다. - あなたは計画について話し合った。
6350. 그는 문제를 상의한다. - 彼はその問題について話し合う。
6351. 그녀는 전략을 상의할 것이다. - 彼女は作戦について話し合う。
6352. 동의해? - 同意しますか？
6353. 네, 동의해. - はい、賛成です。
6354. 협의하다 - 話し合う
6355. 그는 조건을 협의했다. - 彼は条件について交渉した。
6356. 그녀는 계약을 협의한다. - 彼女は契約について交渉する。
6357. 우리는 합의를 협의할 것이다. - 私たちは契約について交渉します。
6358. 결정났어? - 決まりましたか？
6359. 네, 결정났어. - はい、決まりました。
6360. 지키다 - 守る
6361. 그녀는 약속을 지켰다. - 彼女は約束を守った。
6362. 우리는 규칙을 지킨다. - ルールを守る。
6363. 당신들은 비밀을 지킬 것이다. - 秘密は守る。
6364. 안전해? - 安全ですか？
6365. 네, 안전해. - はい、安全です
6366. 방지하다 - 防ぐ
6367. 나는 사고를 방지했다. - 私は事故を防ぎました。

6368. 너는 오류를 방지한다. - あなたはミスを防ぐでしょう。
6369. 그는 손실을 방지할 것이다. - 彼は損失を防ぐだろう。
6370. 필요해? - 必要ですか？
6371. 네, 필요해. - はい、必要です。
6372. 재검토하다 - 再考する
6373. 너는 결정을 재검토했다. - あなたは決断を考え直した。
6374. 그는 계획을 재검토한다. - 彼は計画を考え直すだろう。
6375. 그녀는 정책을 재검토할 것이다. - 彼女は方針を考え直すだろう。
6376. 변했어? - 方針は変わりましたか？
6377. 네, 변했어. - はい、変わりました。
6378. 고려하다 - 検討する
6379. 나는 그 제안을 고려했다. - 私はその提案を検討した。
6380. 너는 가능성을 고려한다. - あなたはその可能性を検討する。
6381. 그는 의견을 고려할 것이다. - 彼はその意見を検討する。
6382. 생각해봤어? - 検討しましたか？
6383. 네, 봤어. - はい、検討しました。
6384. 숙고하다 - 熟考する
6385. 너는 결정을 숙고했다. - あなたはその決定を熟考した。
6386. 그는 방안을 숙고한다. - 彼はその計画について熟考するだろう。
6387. 그녀는 제안을 숙고할 것이다. - 彼女はその提案について熟考するだろう。
6388. 충분히 생각했어? - 十分に考えましたか？
6389. 네, 했어. - はい、考えました。
6390. 의논하다 - 話し合う
6391. 그는 계획을 의논했다. - 彼はその計画について話し合った。
6392. 그녀는 문제를 의논한다. - 彼女はその問題について討議する。
6393. 우리는 전략을 의논할 것이다. - 私たちは作戦について話し合う。
6394. 의견 있어? - あなたは意見をお持ちですか？
6395. 네, 있어. - はい、あります。
6396. 선호하다 - 好む
6397. 그녀는 초콜릿을 선호했다. - 彼女はチョコレートを好む。
6398. 우리는 여름을 선호한다. - 私たちは夏を好む。
6399. 당신들은 온라인 수업을 선호할 것이다. - あなたはオンラインクラスを好むでしょう。
6400. 좋아해? - 好きですか？

6401. 네, 좋아해. - はい、好きです。
6402. 기피하다 - 避ける
6403. 나는 위험을 기피했다. - 私は危険を避けた。
6404. 너는 논쟁을 기피한다. - あなたは論争を避ける。
6405. 그는 갈등을 기피할 것이다. - 彼は争いを避ける。
6406. 싫어해? - 嫌いですか？
6407. 네, 싫어해. - はい、嫌いです。
6408. 72. 명사 단어들 외우기, 필수 10개 동사의 단어들을 가지고 50문장 연습하기 - 72. 名詞の単語を暗記し、必要な10個の動詞の単語で50文を練習する。
6409. 목표 - 目標
6410. 의도 - 意図
6411. 계획 - 計画
6412. 비밀 - 秘密
6413. 진실 - 真実
6414. 결과 - 結果
6415. 세부사항 - 詳細
6416. 문서 - ドキュメント
6417. 보고서 - レポート
6418. 상품 - 商品
6419. 편지 - 手紙
6420. 선물 - ギフト
6421. 하나님 - 父
6422. 예수님 - イエス
6423. 기여 - 貢献する
6424. 능력 - 能力
6425. 아이디어 - アイデア
6426. 의견 - 意見
6427. 친구 - 友人
6428. 이웃 - 隣人
6429. 동료 - 同僚
6430. 손실 - 損失
6431. 상실 - 喪失
6432. 고인 - 故人
6433. 기술 - 技術

6434. 지원 - サポート
6435. 도움 - ヘルプ
6436. 성공 - 成功
6437. 소식 - ニュース
6438. 선언하다 - 宣言する
6439. 너는 목표를 선언했다. - 目標を宣言する
6440. 그는 의도를 선언한다. - 彼は自分の意思を宣言する。
6441. 그녀는 계획을 선언할 것이다. - 彼女は計画を宣言する。
6442. 말했어? - 言いましたか？
6443. 네, 말했어. - はい、言いました。
6444. 드러나다 - 明らかにする
6445. 그는 비밀을 드러냈다. - 彼は秘密を明かした。
6446. 그녀는 진실을 드러낸다. - 彼女は真実を明らかにする。
6447. 우리는 결과를 드러낼 것이다. - 結果を明らかにする。
6448. 알게 됐어? - 分かったか？
6449. 네, 됐어. - はい、分かりました。
6450. 살피다 - 目を通す
6451. 그녀는 세부사항을 살폈다. - 彼女は詳細に目を通した。
6452. 우리는 문서를 살핀다. - 書類に目を通す。
6453. 당신들은 보고서를 살필 것이다. - 報告書を精査する
6454. 확인했어? - チェックしましたか？
6455. 네, 했어. - はい、しました。
6456. 배송하다 - 配送するために
6457. 나는 상품을 배송했다. - 商品を発送しました。
6458. 너는 편지를 배송한다. - 手紙を届けてください。
6459. 그는 선물을 배송할 것이다. - 彼は贈り物を発送する。
6460. 도착했어? - それは届きましたか？
6461. 네, 도착했어. - はい、届きました。
6462. 찬양하다 - 賛美する
6463. 나는 하나님을 찬양했다. - 私は神を賛美した。
6464. 그는 예수님을 찬양한다. - 彼はイエスを賛美する。
6465. 그녀는 기여를 찬양할 것이다. - 彼女は献金を賛美する。
6466. 기뻐해? - 喜ぶ？
6467. 네, 기뻐해. - はい、喜びます。

6468. 비하하다 - 卑下する
6469. 그는 능력을 비하했다. - 彼は能力を卑下する。
6470. 그녀는 아이디어를 비하한다. - 彼女はその考えを卑下する。
6471. 우리는 의견을 비하할 것이다. - 私たちは意見を卑下する。
6472. 나빠? - 悪いこと？
6473. 네, 나빠. - そう、悪い。
6474. 돕다 - 助ける
6475. 그녀는 친구를 도왔다. - 彼女は友人を助けた。
6476. 우리는 이웃을 돕는다. - 隣人を助ける。
6477. 당신들은 동료를 도울 것이다. - 同僚を助けます。
6478. 도와줄래? - 私を助けてくれますか？
6479. 네, 도와줄게. - はい、手伝います。
6480. 애도하다 - 嘆く
6481. 나는 손실을 애도했다. - 私はその喪失を嘆いた。
6482. 너는 상실을 애도한다. - あなたは亡くなった方を悼む。
6483. 그는 고인을 애도할 것이다. - 故人を悼むでしょう。
6484. 슬퍼? - 嘆く？
6485. 네, 슬퍼. - そう、悲しむ。
6486. 의존하다 - 頼る
6487. 너는 기술에 의존했다. - あなたは技術に頼っていた。
6488. 그는 지원에 의존한다. - 彼はサポートに頼っている。
6489. 그녀는 도움에 의존할 것이다. - 彼女は援助に頼るだろう。
6490. 필요해? - 必要ですか？
6491. 네, 필요해. - はい、必要です。
6492. 기뻐하다 - 喜ぶ
6493. 그는 성공을 기뻐했다. - 彼は成功を喜んだ。
6494. 그녀는 소식을 기뻐한다. - 彼女はそのニュースを喜ぶ。
6495. 우리는 결과를 기뻐할 것이다. - 私たちは結果を喜ぶでしょう。
6496. 행복해? - あなたは幸せですか？
6497. 네, 행복해. - はい、喜んでいます。
6498. 73. 명사 단어들 외우기, 필수 10개 동사의 단어들을 가지고 50문장 연습하기 - 73. 名詞の単語を暗記し、必要な10個の動詞の単語を使って50の文を練習しなさい。
6499. 문제 - 問題

6500. 상황 - 状況
6501. 처리 - プロセス
6502. 서비스 - サービス
6503. 결정 - 決定
6504. 정책 - 方針
6505. 도움 - ヘルプ
6506. 지원 - サポート
6507. 기회 - チャンス
6508. 실수 - ミス
6509. 오해 - 誤解
6510. 불편 - 不都合
6511. 제안 - 提案
6512. 변화 - 変更
6513. 조언 - アドバイス
6514. 순간 - 瞬間
6515. 가능성 - 可能性
6516. 기준 - スタンダード
6517. 목소리 - 音声
6518. 가격 - 価格
6519. 모자 - 帽子
6520. 장갑 - 手袋
6521. 유니폼 - ユニフォーム
6522. 과일 - 果物
6523. 야채 - 野菜
6524. 고기 - 肉
6525. 샐러드 - サラダ
6526. 재료 - 食材
6527. 반죽 - 生地
6528. 불평하다 - 文句を言う
6529. 그녀는 문제를 불평했다. - 彼女は問題を訴えた。
6530. 우리는 상황을 불평한다. - 私たちは状況について不平を言う。
6531. 당신들은 처리를 불평할 것이다. - 治療について文句を言う。
6532. 불만 있어? - 苦情はありますか？
6533. 네, 있어. - はい、あります。

6534. 불만을 표하다 - 文句を言う
6535. 나는 서비스에 불만을 표했다. - サービスについて苦情を言いました。
6536. 너는 결정에 불만을 표한다. - あなたは決定に不満です。
6537. 그는 정책에 불만을 표할 것이다. - 方針に不満を表明する。
6538. 안 좋아해? - お気に召しませんか？
6539. 네, 안 좋아해. - はい、気に入りません。
6540. 고맙다고 하다 - お礼を言う
6541. 너는 도움에 고맙다고 했다. - あなたは助けてくれてありがとうと言う。
6542. 그는 지원에 고맙다고 한다. - 彼は支援に感謝すると言うだろう。
6543. 그녀는 기회에 고맙다고 할 것이다. - 彼女は感謝しているだろう。
6544. 감사해? - あなたは感謝していますか？
6545. 네, 감사해. - はい、感謝しています。
6546. 용서를 구하다 - 許しを請う
6547. 그는 실수에 용서를 구했다. - 彼は過ちに対して許しを請う。
6548. 그녀는 오해에 용서를 구한다. - 彼女は誤解に対して許しを請う。
6549. 우리는 불편에 용서를 구할 것이다. - ご迷惑をおかけしたことをお許しください。
6550. 용서해줄래? - お許しいただけますか？
6551. 네, 용서해줄게. - はい、許します。
6552. 받아들이다 - 受け入れる
6553. 그녀는 제안을 받아들였다. - 彼女は申し出を受け入れた。
6554. 우리는 변화를 받아들인다. - 変更を受け入れます。
6555. 당신들은 조언을 받아들일 것이다. - アドバイスを受け入れます。
6556. 좋아해? - 気に入りましたか？
6557. 네, 좋아해. - はい、気に入っています。
6558. 붙잡다 - つかむ
6559. 나는 기회를 붙잡았다. - 私はチャンスをつかんだ。
6560. 너는 순간을 붙잡는다. - あなたはその瞬間をつかむ。
6561. 그는 가능성을 붙잡을 것이다. - 彼は可能性をつかむ。
6562. 준비됐어? - 準備はいいか？
6563. 네, 됐어. - ああ、準備はできている
6564. 올리다 - 上げる
6565. 너는 기준을 올렸다. - あなたはレベルを上げる。
6566. 그는 목소리를 올린다. - 彼は声を上げる。

6567. 그녀는 가격을 올릴 것이다. - 彼女は値段を上げる。
6568. 높아졌어? - 上げました？
6569. 네, 높아졌어. - はい、上げました。
6570. 착용하다 - かぶる
6571. 그는 모자를 착용했다. - 彼は帽子をかぶった。
6572. 그녀는 장갑을 착용한다. - 彼女は手袋をはめる。
6573. 우리는 유니폼을 착용할 것이다. - ユニフォームを着る。
6574. 맞아? - それでいいんですか？
6575. 네, 맞아. - はい、その通りです。
6576. 썰다 - スライスする
6577. 그녀는 과일을 썼다. - 彼女は果物をスライスした。
6578. 우리는 야채를 썬다. - 私たちは野菜を切ります。
6579. 당신들은 고기를 썰 것이다. - あなたたちは肉をスライスします。
6580. 잘랐어? - あなたが切ったのですか？
6581. 네, 잘랐어. - はい、切りました。
6582. 버무리다 - をトスします。
6583. 나는 샐러드를 버무렸다. - サラダをトスしました。
6584. 너는 재료를 버무린다. - あなたは材料をトスします。
6585. 그는 반죽을 버무릴 것이다. - 彼が生地をこねます。
6586. 완성됐어? - できましたか？
6587. 네, 됐어. - はい、できました。
6588. 74. 명사 단어들 외우기, 필수 10개 동사의 단어들을 가지고 50문장 연습하기 - 74.名詞の単語を覚え、10の必須動詞の単語を使って50の文を練習する。
6589. 꽃의 향기 - 花の香り
6590. 커피의 향기 - コーヒーの香り
6591. 향수의 향기 - 香水の香り
6592. 손가락 - 指
6593. 발 - 足
6594. 종이 - 紙
6595. 공 - ボール
6596. 문 - ドア
6597. 볼 - 頬
6598. 기회 - チャンス
6599. 성공 - 成功

6600. 명성 - 名声
6601. 친구 - 友人
6602. 팀 - チーム
6603. 가족 - 家族
6604. 자전거 - 自転車
6605. 휴가 - 休暇
6606. 대학 입학 - 大学進学
6607. 건강한 생활 - 健康生活
6608. 사업 확장 - 事業拡大
6609. 가구 - 家具
6610. 쓰레기 - ゴミ
6611. 문서 - ドキュメント
6612. 파일 - ファイル
6613. 이메일 - メール
6614. 데이터 - データ
6615. 메시지 - メッセージ
6616. 정보 - インフォメーション
6617. 향기를 맡다 - 香りを嗅ぐ
6618. 너는 꽃의 향기를 맡았다. - あなたは花の香りを嗅ぐ。
6619. 그는 커피의 향기를 맡는다. - 彼はコーヒーの香りをかぐ。
6620. 그녀는 향수의 향기를 맡을 것이다. - 彼女は香水の香りをかぐ。
6621. 좋아해? - 好きですか？
6622. 네, 좋아해. - はい、好きです。
6623. 찌르다 - 刺す
6624. 그는 손가락을 찔렀다. - 彼は指を刺した。
6625. 그녀는 발을 찌른다. - 彼女は足を刺した。
6626. 우리는 종이로 손을 찔을 것이다. - 紙で手を刺す。
6627. 아파? - 痛いですか？
6628. 네, 아파. - はい、痛いです。
6629. 차다 - 蹴る
6630. 그녀는 공을 찼다. - 彼女はボールを蹴った。
6631. 우리는 문을 찬다. - 私たちはドアを蹴ります。
6632. 당신들은 볼을 찰 것이다. - ボールを蹴る。
6633. 세게 찼어? - 強く蹴った？

6634. 네, 세게 찼어. - はい、強く蹴りました。
6635. 탐발하다 - チャンスをつかむ
6636. 나는 기회를 탐발했다. - 私はチャンスをつかんだ。
6637. 너는 성공을 탐발한다. - あなたは成功するでしょう。
6638. 그는 명성을 탐발할 것이다. - 彼は名声を欲しがるだろう。
6639. 원해? - 欲しいか？
6640. 네, 원해. - はい、欲しいです。
6641. 의지하다 - 頼る
6642. 너는 친구에게 의지했다. - あなたは友人に頼った。
6643. 그는 팀에 의지한다. - 彼はチームを頼るだろう。
6644. 그녀는 가족에 의지할 것이다. - 彼女は家族に頼る。
6645. 의존해? - 頼る？
6646. 네, 의존해. - そう、頼る。
6647. 욕망하다 - 欲望へ
6648. 나는 새로운 자전거를 욕망했다. - 私は新しい自転車が欲しくなった。
6649. 너는 성공을 욕망한다. - あなたは成功を望む。
6650. 그는 휴가를 욕망할 것이다. - 彼は休暇を望むだろう。
6651. 더 필요한 거 있어? - 他に何か？
6652. 모두 좋아, 감사해. - ありがとう。
6653. 목표하다 - 目指す
6654. 그녀는 대학 입학을 목표했다. - 彼女は大学に入ることを目指した。
6655. 우리는 건강한 생활을 목표한다. - 私たちは健康的な生活を目指す。
6656. 당신들은 사업 확장을 목표할 것이다. - あなたたちはビジネスの拡大を目指す。
6657. 목표가 뭐야? - あなたの目標は何ですか？
6658. 행복해지기야. - 幸せになること。
6659. 폐기하다 - 処分する
6660. 우리는 오래된 가구를 폐기했다. - 私たちは古い家具を処分します。
6661. 당신들은 쓰레기를 폐기한다. - あなたはゴミを処分する。
6662. 그들은 불필요한 문서를 폐기할 것이다. - 不要な書類を処分する。
6663. 이거 버려도 돼? - これは捨ててもいいですか？
6664. 네, 필요 없어. - はい、不要です。
6665. 암호화하다 - 暗号化する
6666. 그는 중요한 파일을 암호화했다. - 彼は重要なファイルを暗号化した。

6667. 그녀는 이메일을 암호화한다. - 彼女はメールを暗号化する。
6668. 나는 내 데이터를 암호화할 것이다. - 私はデータを暗号化する。
6669. 비밀번호 설정했어? - パスワードを設定しましたか？
6670. 이미 했어, 안심해. - もうしたよ、心配しないで。
6671. 복호화하다 - 解読する
6672. 그녀는 메시지를 복호화했다. - 彼女はメッセージを解読した。
6673. 우리는 정보를 복호화한다. - 私たちは情報を解読します。
6674. 당신들은 문서를 복호화할 것이다. - あなたは文書を解読します。
6675. 열쇠 찾았어? - 鍵は見つかった？
6676. 아직 못 찾았어. - いいえ、まだ見つかりません。
6677. 75. 명사 단어들 외우기, 필수 10개 동사의 단어들을 가지고 50문장 연습하기 - 75.名詞の単語を暗記し、10の必須動詞の単語を使って50の文を練習する。
6678. 파일들 - ファイル
6679. 사진 - 画像
6680. 자료 - データ
6681. 문서 - ドキュメント
6682. 바코드 - バーコード
6683. 신분증 - ID
6684. 중요한 부분 - パーツ
6685. 텍스트 - テキスト
6686. 포인트 - ポイント
6687. 데이터 - データ
6688. 주소 - アドレス
6689. 내 정보 - マイインフォ
6690. 보고서 - レポート
6691. 이메일 - Eメール
6692. 계획 - プラン
6693. 클럽 - クラブ
6694. 프로그램 - プログラム
6695. 도서관 - ライブラリー
6696. 목표 - ターゲット
6697. 성공 - 成功
6698. 해결책 - 解決策

6699. 위험 - 危険
6700. 집 - 家
6701. 삶 - ライフ
6702. 경력 - キャリア
6703. 공기 - 空気
6704. 물 - 水
6705. 환경 - 環境
6706. 압축하다 - 圧縮する
6707. 나는 파일들을 압축했다. - ファイルを圧縮しました。
6708. 너는 사진을 압축한다. - あなたは写真を圧縮します。
6709. 그는 자료를 압축할 것이다. - 彼は素材を圧縮します。
6710. 공간 충분해? - 十分なスペースはありますか？
6711. 네, 충분해. - はい、十分です。
6712. 스캔하다 - スキャンする
6713. 그녀는 문서를 스캔했다. - 彼女は書類をスキャンした。
6714. 우리는 바코드를 스캔한다. - バーコードをスキャンします。
6715. 당신들은 신분증을 스캔할 것이다. - あなた方はIDをスキャンしてください。
6716. 다 됐어? - 終わりましたか？
6717. 네, 다 됐어. - はい、終わりました。
6718. 하이라이트하다 - ハイライトする
6719. 우리는 중요한 부분을 하이라이트했다. - 重要な部分をハイライトしました。
6720. 당신들은 텍스트를 하이라이트한다. - テキストをハイライトするんだ。
6721. 그들은 포인트를 하이라이트할 것이다. - ポイントをハイライトするつもりです。
6722. 이 부분 강조할까? - ハイライトしますか？
6723. 좋아, 해줘. - OK やって
6724. 입력하다 - を入力する
6725. 그는 데이터를 입력했다. - 彼はデータを入力した。
6726. 그녀는 주소를 입력한다. - 彼女は住所を入力します。
6727. 나는 내 정보를 입력할 것이다. - 私の情報を入力します。
6728. 정보 다 넣었어? - 終わりましたか？
6729. 네, 다 했어. - はい、終わりました。

6730. 타이핑하다 - タイプする
6731. 나는 보고서를 타이핑했다. - 私は報告書を入力しました。
6732. 너는 이메일을 타이핑한다. - あなたはメールを入力します。
6733. 그는 계획을 타이핑할 것이다. - 彼はプランをタイプします。
6734. 글 쓰고 있어? - 執筆中ですか？
6735. 아니, 쉬고 있어. - いいえ、休んでいます。
6736. 가입하다 - 入会する
6737. 나는 클럽에 가입했다. - 私はクラブに入りました。
6738. 너는 프로그램에 가입한다. - あなたはプログラムに参加します。
6739. 그는 도서관에 가입할 것이다. - 彼は図書館に入会します。
6740. 회원 되고 싶어? - 会員になりたいですか。
6741. 네, 가입할래요. - はい、入会したいです。
6742. 근접하다 - 近づく
6743. 그녀는 목표에 근접했다. - 彼女は目標に近づいている。
6744. 우리는 성공에 근접한다. - 我々は成功に近づいている。
6745. 당신들은 해결책에 근접할 것이다. - 解決まであと少しです。
6746. 거의 다 왔어? - あと少しですか？
6747. 네, 거의 다 왔어요. - はい、もうすぐです。
6748. 멀어지다 - から離れる
6749. 우리는 위험으로부터 멀어졌다. - 私たちは危険から遠ざかりました。
6750. 당신들은 목표로부터 멀어진다. - あなたは目標から遠ざかっている。
6751. 그들은 서로로부터 멀어질 것이다. - 互いに遠ざかる。
6752. 떠나고 싶어? - 出て行きますか？
6753. 아니요, 여기 있을래요. - いいえ、ここに残ります。
6754. 재건하다 - 建て直す
6755. 그는 그의 집을 재건했다. - 彼は家を建て直した。
6756. 그녀는 그녀의 삶을 재건한다. - 彼女は人生を建て直す。
6757. 나는 내 경력을 재건할 것이다. - 私はキャリアを立て直す。
6758. 다시 시작할 준비 됐어? - やり直す準備はできていますか？
6759. 네, 준비 됐어요. - はい、準備はできています。
6760. 정화하다 - 浄化する
6761. 그녀는 공기를 정화했다. - 彼女は空気を浄化した。
6762. 우리는 물을 정화한다. - 私たちは水を浄化します。
6763. 당신들은 환경을 정화할 것이다. - あなたは環境を浄化する。

6764. 더 깨끗해졌어? - きれいになりましたか？
6765. 네, 훨씬 나아졌어요. - はい、ずっと良くなりました。
6766. 76. 명사 단어들 외우기, 필수 10개 동사의 단어들을 가지고 50문장 연습하기 - 76.名詞の単語を覚え、10の必須動詞の単語を使って50の文を練習する。
6767. 상처 - 傷
6768. 방 - 部屋
6769. 장비 - 設備
6770. 여행 - 旅行
6771. 회의 - 会議
6772. 발표 - プレゼンテーション
6773. 프로젝트 - プロジェクト
6774. 이벤트 - イベント
6775. 캠페인 - キャンペーン
6776. 아이디어 - アイデア
6777. 생각 - 思想
6778. 방법 - 方法
6779. 해 - 太陽
6780. 미래 - 未来
6781. 기회 - 機会
6782. 능력 - 能力
6783. 가치 - 価値
6784. 이론 - 理論
6785. 주장 - 意見
6786. 사실 - 実際に
6787. 무죄 - イノセンス
6788. 삶의 의미 - 生きる意味
6789. 자연의 아름다움 - 自然の美
6790. 과거의 실수 - 過去の過ち
6791. 행동 - 行動
6792. 결정 - 決断
6793. 추억 - 記憶
6794. 약속 - 約束
6795. 역사 - 歴史
6796. 소독하다 - 消毒する

6797. 나는 상처를 소독했다. - 私は傷口を消毒した。
6798. 너는 방을 소독한다. - あなたは部屋を消毒します。
6799. 그는 장비를 소독할 것이다. - 彼は器具を消毒します。
6800. 이게 안전해? - これは安全ですか？
6801. 네, 안전해요. - はい、安全です。
6802. 예정하다 - 予定を立てる
6803. 그녀는 여행을 예정했다. - 彼女は旅行の予定を立てた。
6804. 우리는 회의를 예정한다. - 私たちは会議を予定しています。
6805. 당신들은 발표를 예정할 것이다. - あなたはプレゼンテーションを予定しています。
6806. 일정 정했어? - 予定を立てましたか？
6807. 네, 다 정했어요. - はい、すべて計画しています。
6808. 기획하다 - 計画する
6809. 우리는 프로젝트를 기획했다. - 私たちはプロジェクトを計画しました。
6810. 당신들은 이벤트를 기획한다. - あなたはイベントを企画します。
6811. 그들은 캠페인을 기획할 것이다. - キャンペーンを企画するそうです。
6812. 뭐 계획 중이야? - 何を計画しているのですか？
6813. 새로운 시작이에요. - 新しい始まりです。
6814. 발상하다 - 思いつく
6815. 그는 훌륭한 아이디어를 발상했다. - 彼は素晴らしいアイデアを思いついた。
6816. 그녀는 창의적인 생각을 발상한다. - 彼女は独創的なアイデアを思いつく。
6817. 나는 새로운 방법을 발상할 것이다. - 私は新しい方法を発明します。
6818. 아이디어 있어? - 何かアイデアはありますか？
6819. 네, 몇 개 있어요. - はい、いくつかあります。
6820. 바라보다 - 見るために
6821. 나는 해가 지는 것을 바라봤다. - 私は日が沈むのを眺めた。
6822. 너는 미래를 바라본다. - あなたは未来に目を向ける。
6823. 그는 기회를 바라볼 것이다. - チャンスに目を向ける。
6824. 희망 가지고 있어? - 希望を持っていますか？
6825. 네, 항상 그래요. - ええ、いつもそうです。
6826. 증명하다 - 証明する
6827. 그녀는 자신의 능력을 증명했다. - 彼女は自分の能力を証明した。
6828. 우리는 우리의 가치를 증명한다. - 私たちは自分の価値を証明する。

6829. 당신들은 이론을 증명할 것이다. - 理論を証明する
6830. 진짜야? - それは本当ですか？
6831. 네, 진짜에요. - はい、本物です
6832. 입증하다 - 証明する
6833. 우리는 우리의 주장을 입증했다. - 我々は我々の主張を証明する。
6834. 당신들은 사실을 입증한다. - あなたは事実を証明します。
6835. 그들은 무죄를 입증할 것이다. - 無実を証明する
6836. 증거 있어? - 証拠はありますか？
6837. 네, 여기 있어요. - はい、ここにあります
6838. 묵상하다 - 瞑想する
6839. 나는 삶의 의미를 묵상했다. - 私は人生の意味について瞑想した。
6840. 너는 미래에 대해 묵상한다. - あなたは未来について瞑想する。
6841. 그는 자연의 아름다움을 묵상할 것이다. - 自然の美しさに目を瞑る。
6842. 조용한 곳 찾고 있어? - 静かな場所をお探しですか？
6843. 네, 필요해. - はい、必要です。
6844. 반성하다 - 反省する
6845. 그녀는 과거의 실수를 반성했다. - 彼女は過去の過ちを反省した。
6846. 우리는 행동을 반성한다. - 私たちは自分の行動を反省する。
6847. 당신들은 결정을 반성할 것이다. - あなたは自分の決断を反省するでしょう。
6848. 후회하는 거 있어? - 後悔していることはありますか？
6849. 응, 몇 가지 있어. - はい、少しあります。
6850. 상기하다 - 思い出す
6851. 우리는 좋은 추억을 상기했다. - 私たちは良い思い出を思い出しました。
6852. 당신들은 약속을 상기한다. - あなたは約束を思い出す。
6853. 그들은 역사를 상기할 것이다. - 彼らは歴史を思い出す。
6854. 기억 나? - 覚えていますか？
6855. 네, 잘 기억나. - はい、よく覚えています。
6856. 77. 명사 단어들 외우기, 필수 10개 동사의 단어들을 가지고 50문장 연습하기 - 77. 名詞の単語を暗記し、10の必須動詞の単語を使って50の文を練習する。
6857. 상황 - 状況
6858. 그녀 - 彼女
6859. 불행한 이들 - 不幸な人

6860. 아이 - 子供
6861. 친구 - 友達
6862. 군중 - 群衆
6863. 물건 - 事
6864. 진행 상황 - 進歩
6865. 동물의 이동 경로 - 動物移動経路
6866. 생각 - 思考
6867. 계획 - 計画
6868. 직업 - 仕事
6869. 문제 - 問題
6870. 프로젝트 - プロジェクト
6871. 도전 - 挑戦
6872. 어려움 - 困難
6873. 두려움 - 恐怖
6874. 장애 - 障害
6875. 위기 - 危険
6876. 혼란 - 混乱
6877. 취미 - 趣味
6878. 과학 - 科学
6879. 예술 - アート
6880. 하늘 - 空
6881. 바다 - 海
6882. 고대 유물 - 古美術
6883. 지식 - 知識
6884. 재능 - 才能
6885. 동정하다 - 共感する
6886. 나는 그의 상황에 동정했다. - 私は彼の境遇に同情した。
6887. 너는 그녀를 동정한다. - あなたは彼女に同情する。
6888. 그는 불행한 이들을 동정할 것이다. - 彼は不幸な人に同情する。
6889. 도와줄 수 있어? - 彼を助けてあげられる？
6890. 물론, 도와줄게. - もちろん、手伝うよ。
6891. 타이르다 - 結ぶ
6892. 그녀는 울고 있는 아이를 타이렀다. - 彼女は泣いている子供を縛った。
6893. 우리는 화난 친구를 타이른다. - 怒っている友人を縛る。

6894. 당신들은 분노한 군중을 타이를 것이다. - 怒っている群衆を縛ります。
6895. 진정됐어? - 落ち着いた？
6896. 네, 좀 나아졌어. - はい、気分が良くなりました。
6897. 추적하다 - 追跡する
6898. 우리는 분실된 물건을 추적했다. - 私たちは紛失物を追跡しました。
6899. 당신들은 진행 상황을 추적한다. - あなたは進歩を追跡する。
6900. 그들은 동물의 이동 경로를 추적할 것이다. - 動物の移動を追跡するでしょう。
6901. 뭐 찾고 있어? - 何かお探しですか？
6902. 네, 찾고 있어. - はい、何かを探しています。
6903. 바꾸다 - 変える
6904. 나는 생각을 바꾸었다. - 気が変わった。
6905. 너는 계획을 바꾼다. - 計画を変更する。
6906. 그는 직업을 바꿀 것이다. - 仕事を変えるだろう。
6907. 마음 바뀌었어? - 気が変わったの？
6908. 아니, 그대로야. - いいえ、変わりません。
6909. 해내다 - 成し遂げる
6910. 그녀는 어려운 문제를 해냈다. - 彼女は難しい問題を解決した。
6911. 우리는 프로젝트를 해낸다. - 私たちはプロジェクトを成し遂げる。
6912. 당신들은 도전을 해낼 것이다. - あなたは課題を成し遂げる。
6913. 할 수 있겠어? - あなたはできますか？
6914. 응, 할 수 있어. - はい、できます。
6915. 극복하다 - 克服する
6916. 우리는 어려움을 극복했다. - 私たちは困難を克服します。
6917. 당신들은 두려움을 극복한다. - あなたは恐れを克服します。
6918. 그들은 장애를 극복할 것이다. - 障害を克服します。
6919. 문제 해결됐어? - 問題は解決した？
6920. 네, 다 해결됐어. - はい、すべて解決しました。
6921. 헤쳐나가다 - 乗り越えるために
6922. 나는 위기를 헤쳐나갔다. - 私は危機を乗り越えた。
6923. 너는 어려움을 헤쳐나간다. - 困難を乗り越える。
6924. 그는 혼란을 헤쳐나갈 것이다. - 彼は混乱を乗り越える。
6925. 길 찾았어? - 道は見つかった？
6926. 네, 찾았어. - はい、見つけました。

6927. 관심을 가지다 - 興味を持つ
6928. 나는 새 취미에 관심을 가졌다. - 私は新しい趣味に興味を持った。
6929. 그는 과학에 관심을 가진다. - 彼は科学に興味がある。
6930. 그녀는 예술에 관심을 가질 것이다. - 彼女は芸術に興味があるだろう。
6931. 관심 있어? - あなたは興味がありますか？
6932. 네, 많이. - ええ、とても。
6933. 응시하다 - 見つめる
6934. 그녀는 멀리 응시했다. - 彼女は遠くを見つめた。
6935. 우리는 하늘을 응시한다. - 私たちは空を見つめる。
6936. 그들은 바다를 응시할 것이다. - 彼らは海を見つめる。
6937. 뭐 응시해? - 何を見つめる？
6938. 별을 봐. - 星を見る。
6939. 발굴하다 - 発掘する
6940. 나는 고대 유물을 발굴했다. - 私は古代の遺物を発掘した。
6941. 그는 지식을 발굴한다. - 彼は知識を掘り起こす。
6942. 그녀는 재능을 발굴할 것이다. - 彼女は才能を発掘する。
6943. 더 발굴할까? - もっと掘りましょうか？
6944. 그래, 계속해. - ええ、続けて。
6945. 78. 명사 단어들 외우기, 필수 10개 동사의 단어들을 가지고 50문장 연습하기 - 78. 名詞の単語を暗記し、10の必須動詞の単語を使って50の文を練習しなさい。
6946. 도구 - 設備
6947. 컴퓨터 - コンピューター
6948. 신기술 - 新技術
6949. 시간 - 時間
6950. 에너지 - エネルギー
6951. 자원 - 資源
6952. 돈 - お金
6953. 물 - 水
6954. 기회 - 機会
6955. 추억 - 記憶
6956. 사진 - 写真
6957. 비밀 - 秘密
6958. 문서 - ドキュメント

6959. 환경 - 環境
6960. 장벽 - バリア
6961. 자동차 - 自動車
6962. 기계 - 機械
6963. 모델 - モデル
6964. 부품 - 部品
6965. 시스템 - システム
6966. 시계 - 時計
6967. 퍼즐 - パズル
6968. 계획 - プラン
6969. 기업 - 企業
6970. 아이디어 - アイデア
6971. 팀 - チーム
6972. 사용하다 - 使用する
6973. 우리는 도구를 사용했다. - ツールを使った
6974. 그는 컴퓨터를 사용한다. - 彼はコンピューターを使う。
6975. 그들은 신기술을 사용할 것이다. - 新しい技術を使う。
6976. 사용해볼까? - やってみましょうか？
6977. 좋아, 해봐. - よし、やってみよう。
6978. 소비하다 - 消費する
6979. 나는 시간을 소비했다. - 私は時間を費やした。
6980. 그녀는 에너지를 소비한다. - 彼女はエネルギーを消費する。
6981. 너는 자원을 소비할 것이다. - 資源を消費する。
6982. 많이 소비했어? - たくさん消費しましたか？
6983. 아니, 조금만. - いいえ、少しです。
6984. 절약하다 - 節約する
6985. 그는 돈을 절약했다. - 彼はお金を節約した。
6986. 우리는 물을 절약한다. - 私たちは水を節約します。
6987. 당신들은 에너지를 절약할 것이다. - エネルギーを節約する。
6988. 절약하고 있어? - 節約していますか？
6989. 응, 노력중이야. - はい、努力しています。
6990. 낭비하다 - 無駄にする
6991. 그녀는 기회를 낭비했다. - 彼女は機会を無駄にした。
6992. 너는 시간을 낭비한다. - 時間を無駄にする。

6993. 그들은 자원을 낭비할 것이다. - 資源を無駄にする
6994. 낭비하지 않았어? - 無駄にしなかった？
6995. 아냐, 조심했어. - いや、気をつけたよ。
6996. 간직하다 - 保つために
6997. 우리는 추억을 간직했다. - 私たちは思い出をとっておいた。
6998. 그는 사진을 간직한다. - 彼は写真を保管する。
6999. 그녀는 비밀을 간직할 것이다. - 彼女は秘密を守る。
7000. 계속 간직할 거야? - あなたはそれを守るつもりですか？
7001. 네, 영원히. - はい、永遠に
7002. 파괴하다 - 破棄する
7003. 나는 문서를 파괴했다. - 私は書類を破棄した。
7004. 그들은 환경을 파괴한다. - 環境を破壊する
7005. 그녀는 장벽을 파괴할 것이다. - 彼女は壁を破壊する
7006. 파괴해야 돼? - 壊すべきか？
7007. 아니, 다른 방법 찾자. - いや、別の方法を考えよう。
7008. 손상하다 - 破壊する
7009. 그는 자동차를 손상했다. - 彼は車を壊した。
7010. 그녀는 기계를 손상한다. - 彼女は機械を壊した。
7011. 우리는 환경을 손상할 것이다. - 環境にダメージを与える
7012. 손상됐어? - 損傷？
7013. 응, 고쳐야 해. - はい、修理が必要です。
7014. 대치하다 - 代用する
7015. 나는 오래된 모델을 대치했다. - 私は古い機種を取り替えた。
7016. 그들은 부품을 대치한다. - 彼らは部品を取り替えるでしょう。
7017. 그녀는 시스템을 대치할 것이다. - 彼女はシステムを交換します。
7018. 대치할 필요 있어? - 交換する必要がありますか？
7019. 네, 필수야. - はい、必要です。
7020. 맞추다 - 時間を作る
7021. 우리는 시계를 맞췄다. - 私たちは時計を合わせた。
7022. 그는 퍼즐을 맞춘다. - 彼はパズルを組み立てた。
7023. 그녀는 계획을 맞출 것이다. - 彼女は計画に合わせる。
7024. 잘 맞춰졌어? - 私たちは一致しましたか？
7025. 완벽해! - 完璧だ！
7026. 합치다 - まとめる

7027. 그들은 두 기업을 합쳤다. - 彼らは2つの事業を合併した。
7028. 너는 아이디어를 합친다. - アイデアを統合する。
7029. 우리는 팀을 합칠 것이다. - 私たちはチームを統合します。
7030. 합치기로 했어? - 合併することに決めたんですか？
7031. 응, 그렇게 결정했어. - はい、そう決めました。
7032. 79. 명사 단어들 외우기, 필수 10개 동사의 단어들을 가지고 50문장 연습하기 - 79. 名詞の単語を暗記し、10個の必須動詞の単語を使って50文を練習する。
7033. 자원 - 資源
7034. 시간 - 時間
7035. 업무 - 仕事
7036. 친구 - 友人
7037. 음식 - 食べ物
7038. 이익 - 利益
7039. 경험 - 経験
7040. 요구사항 - 必要条件
7041. 기대 - 期待値
7042. 조건 - 条件
7043. 아이 - 子供
7044. 상황 - 状況
7045. 분위기 - 雰囲気
7046. 부모님 - 両親
7047. 동료 - 同僚
7048. 대표 - 代表者
7049. 프로젝트 - プロジェクト
7050. 최우수 작품 - 最高の仕事
7051. 건강 - 健康
7052. 안전 - 安全
7053. 효율성 - 効率
7054. 이론 - 理論
7055. 정책 - 方針
7056. 연구 - 研究
7057. 작업 - 仕事
7058. 결정 - 意思決定

7059. 팀 - チーム
7060. 의견 - 意見
7061. 계획 - 計画
7062. 배분하다 - 割り当てる
7063. 그녀는 자원을 배분했다. - 彼女は資源を割り当てた。
7064. 우리는 시간을 배분한다. - 我々は時間を配分する。
7065. 너는 업무를 배분할 것이다. - あなたは仕事を割り当てる。
7066. 잘 배분됐어? - うまくいきましたか？
7067. 네, 잘 됐어. - はい、うまくいきました。
7068. 나누다 - 分かち合う
7069. 나는 친구와 음식을 나눴다. - 私は友人と料理を分け合った。
7070. 그들은 이익을 나눈다. - 彼らは利益を分かち合う。
7071. 당신들은 경험을 나눌 것이다. - あなたは経験を分かち合うでしょう。
7072. 같이 나눌래? - 分かち合いたいですか？
7073. 좋아, 나눠보자. - オーケー、分かち合いましょう。
7074. 충족하다 - 満たす
7075. 우리는 요구사항을 충족했다. - 我々は要件を満たした。
7076. 그는 기대를 충족한다. - 彼は期待に応える。
7077. 그녀는 조건을 충족할 것이다. - 彼女は条件を満たすだろう。
7078. 충족시킬 수 있어? - あなたは果たせますか？
7079. 응, 할 수 있어. - はい、できます。
7080. 진정시키다 - 落ち着かせる
7081. 그녀는 아이를 진정시켰다. - 彼女は子供を落ち着かせた。
7082. 너는 상황을 진정시킨다. - あなたは状況を落ち着かせる。
7083. 그들은 분위기를 진정시킬 것이다. - 彼らは雰囲気を落ち着かせる。
7084. 진정됐어? - 落ち着きましたか？
7085. 네, 괜찮아졌어. - はい、大丈夫です。
7086. 안심시키다 - 安心させる
7087. 나는 부모님을 안심시켰다. - 両親を安心させた。
7088. 그는 친구를 안심시킨다. - 彼は友人を安心させる。
7089. 그녀는 동료를 안심시킬 것이다. - 彼女は同僚を安心させる。
7090. 안심할까? - 安心させる？
7091. 응, 안심해. - はい、安心しました。
7092. 선정하다 - 選ぶ

7093. 우리는 대표를 선정했다. - 我々は代表を選んだ。
7094. 그들은 프로젝트를 선정한다. - 彼らがプロジェクトを選ぶ。
7095. 당신들은 최우수 작품을 선정할 것이다. - あなたは最も優れた作品を選ぶ。
7096. 어떤 걸 선정할까? - どれを選ぶんですか？
7097. 가장 좋은 걸로. - 最良のものを
7098. 우선하다 - 優先順位をつける
7099. 그는 건강을 우선했다. - 彼は健康を優先した。
7100. 그녀는 안전을 우선한다. - 彼女は安全を優先する。
7101. 우리는 효율성을 우선할 것이다. - 効率を優先する。
7102. 무엇을 우선해야 해? - 何を優先すべきか？
7103. 안전을 우선해. - 安全を優先する。
7104. 논쟁하다 - 議論する
7105. 나는 친구와 논쟁했다. - 私は友人と議論した。
7106. 당신들은 이론을 논쟁한다. - あなたは理論を主張する。
7107. 그들은 정책을 논쟁할 것이다. - 彼らは政策を主張する。
7108. 계속 논쟁할 거야? - 議論を続けるつもりですか？
7109. 아니, 여기서 멈출게. - いいえ、ここでやめます。
7110. 보조하다 - 援助する
7111. 그녀는 연구를 보조했다. - 彼女は研究を手伝った。
7112. 우리는 작업을 보조한다. - 私たちは仕事を手伝います。
7113. 너는 결정을 보조할 것이다. - あなたは決定を援助する。
7114. 도움 될까? - それは助けになりますか？
7115. 네, 많이 돼. - ええ、大いに。
7116. 형성하다 - 結成する
7117. 그들은 팀을 형성했다. - 彼らはチームを結成した。
7118. 그는 의견을 형성한다. - 彼は意見を形成する。
7119. 그녀는 계획을 형성할 것이다. - 彼女は計画を立てる。
7120. 형성 잘 되고 있어? - 結成は順調ですか？
7121. 응, 잘 되고 있어. - はい、順調です。
7122. 80. 명사 단어들 외우기, 필수 10개 동사의 단어들을 가지고 50문장 연습하기 - 80. 名詞の単語を暗記し、10個の必須動詞の単語を使って50文を練習する。
7123. 방법 - 方法

7124. 제품 - 製品
7125. 시스템 - システム
7126. 프로젝트 - プロジェクト
7127. 연구 - 研究
7128. 과제 - 課題
7129. 색상 - カラー
7130. 팀원 - チームメンバー
7131. 환경 - 環境
7132. 일 - 日
7133. 삶 - 生活
7134. 수요 - 需要
7135. 공급 - 供給
7136. 이해관계 - 利益
7137. 결론 - 結論
7138. 정보 - 情報
7139. 결과 - 結果
7140. 사건 - イベント
7141. 변화 - 変化
7142. 역사적 순간 - 歴史的瞬間
7143. 어려움 - 困難
7144. 성장통 - 成長痛
7145. 꽃 향기 - 花の香り
7146. 바다 냄새 - 海の匂い
7147. 신선한 공기 - オゾン
7148. 서비스 - サービス
7149. 품질 - 品質
7150. 고통 - 痛み
7151. 압력 - 入る
7152. 시련 - テスト
7153. 창안하다 - 発明する
7154. 나는 새로운 방법을 창안했다. - 私は新しい方法を発明した。
7155. 그들은 제품을 창안한다. - 彼らは製品を発明する。
7156. 당신들은 시스템을 창안할 것이다. - あなたはシステムを発明します。
7157. 창안할 아이디어 있어? - 発明するアイデアはありますか？

7158. 네, 몇 가지 있어. - はい、いくつかあります。
7159. 협업하다 - 協力する
7160. 우리는 프로젝트에서 협업했다. - 私たちはあるプロジェクトで協力した。
7161. 그들은 연구에서 협업한다. - 彼らは共同で研究をする。
7162. 당신들은 과제에서 협업할 것이다. - 課題で協力する。
7163. 협업 효과적이었어? - 共同作業は効果的でしたか？
7164. 네, 매우 효과적이었어. - はい、とても効果的でした。
7165. 조화하다 - 調和させる
7166. 그녀는 색상을 조화롭게 사용했다. - 彼女は調和して色を使った。
7167. 그는 팀원들과 조화를 이룬다. - 彼はチームメイトと調和している。
7168. 우리는 환경과 조화를 이룰 것이다. - 我々は環境と調和する。
7169. 조화롭게 될까? - 調和する？
7170. 응, 될 거야. - はい、調和します。
7171. 균형을 맞추다 - バランスをとる
7172. 나는 일과 삶의 균형을 맞췄다. - 仕事と生活のバランスをとる。
7173. 그들은 수요와 공급의 균형을 맞춘다. - 需要と供給のバランスをとる。
7174. 당신들은 이해관계를 균형있게 맞출 것이다. - あなたは自分の利益のバランスを取る。
7175. 균형 잘 맞춰지고 있어? - バランスは取れていますか？
7176. 네, 잘 맞춰지고 있어. - はい、うまくいっています。
7177. 추론하다 - 推論する
7178. 그녀는 결론을 추론했다. - 彼女は結論を推論した。
7179. 우리는 정보를 추론한다. - 私たちは情報を推論します。
7180. 너는 결과를 추론할 것이다. - 結果を推論する。
7181. 추론이 맞을까? - その推論は正しいですか？
7182. 가능성이 높아. - おそらくそうだろう。
7183. 목격하다 - 目撃する
7184. 나는 사건을 목격했다. - 私はその出来事を目撃した。
7185. 그는 변화를 목격한다. - 彼は変化を目撃する。
7186. 그녀는 역사적 순간을 목격할 것이다. - 彼女は歴史的瞬間を目撃する。
7187. 정말 그걸 목격했어? - 本当に目撃したのですか？
7188. 네, 내 눈으로 봤어. - はい、この目で見ました。
7189. 겪다 - 苦しむ
7190. 우리는 어려움을 겪었다. - 私たちは困難を経験した。

7191. 그들은 성장통을 겪는다. - 成長痛を経験する。
7192. 당신들은 변화를 겪을 것이다. - 変化を経験する。
7193. 많이 겪었어? - 多くのことを経験しましたか？
7194. 응, 꽤 많이. - ええ、かなりね。
7195. 냄새맡다 - 匂いを嗅ぐ
7196. 나는 꽃 향기를 맡았다. - 私は花の香りを嗅いだ。
7197. 그는 바다 냄새를 맡는다. - 彼は海の匂いを嗅ぐ。
7198. 그녀는 신선한 공기를 맡을 것이다. - 彼女は新鮮な空気の匂いを嗅ぐ。
7199. 무슨 냄새가 나? - あなたは何を嗅ぎますか？
7200. 꽃 향기가 나. - 花の香りがする。
7201. 불만족하다 - 不満に思う
7202. 그녀는 결과에 불만족했다. - 彼女は結果に不満だった。
7203. 우리는 서비스에 불만족한다. - 私達はサービスに不満です。
7204. 당신들은 품질에 불만족할 것이다. - あなたは品質に不満でしょう。
7205. 불만족해? - 不満ですか？
7206. 네, 기대에 못 미쳐. - はい、期待に添えませんでした。
7207. 견디다 - 耐える
7208. 나는 고통을 견뎠다. - 私は痛みに耐えた。
7209. 그는 압력을 견딘다. - 彼はプレッシャーに耐える。
7210. 그녀는 시련을 견딜 것이다. - 彼女は試練に耐えるだろう。
7211. 견딜 수 있을까? - 耐えられますか？
7212. 응, 견딜 수 있어. - はい、耐えられます。
7213. 81. 명사 단어들 외우기, 필수 10개 동사의 단어들을 가지고 50문장 연습하기 - 81. 名詞の単語を暗記し、10個の必須動詞の単語を使って50文を練習する。
7214. 어려움 - 困難
7215. 지연 - 遅延
7216. 도전 - 挑戦
7217. 불편함 - 不快感
7218. 소음 - 騒音
7219. 기다림 - 待つ
7220. 친구 - 友人
7221. 동물 - 動物
7222. 사람들 - 人々

7223. 피해자 - 被害者
7224. 건물 - 建物
7225. 위험 - 危険
7226. 범인 - 犯罪者
7227. 용의자 - 容疑者
7228. 도망자 - 逃亡者
7229. 사람 - 人物
7230. 포로 - 捕虜
7231. 증거 - 証拠
7232. 생각 - 思想
7233. 제약 - 制限
7234. 방법 - 方法
7235. 생활 방식 - ライフスタイル
7236. 아이디어 - アイデア
7237. 공지 - 通知
7238. 사진 - 写真
7239. 연구 결과 - 結果
7240. 인내하다 - 耐える
7241. 우리는 어려움을 인내했다. - 困難を耐え抜く。
7242. 그들은 지연을 인내한다. - 彼らは遅れに耐える。
7243. 당신들은 도전을 인내할 것이다. - 困難を耐え抜く。
7244. 인내가 필요해? - 私には忍耐が必要ですか？
7245. 네, 많이 필요해. - はい、たくさん必要です。
7246. 참다 - 我慢する
7247. 그녀는 불편함을 참았다. - 彼女は不快を我慢した。
7248. 우리는 소음을 참는다. - 私たちは騒音を我慢する。
7249. 너는 기다림을 참을 것이다. - 待つのを我慢する。
7250. 얼마나 더 참아야 해? - あとどれくらい我慢すればいいの？
7251. 조금만 더 참자. - もう少し我慢しましょう。
7252. 구출하다 - 救出する
7253. 나는 친구를 구출했다. - 私は友人を救助した。
7254. 그는 동물을 구출한다. - 彼は動物を救助する。
7255. 그녀는 사람들을 구출할 것이다. - 彼女は人を救助する。
7256. 구출할 수 있을까? - あなたは救助できますか？

7257. 네, 할 수 있어. - はい、できます。
7258. 구조하다 - 救出する
7259. 우리는 피해자를 구조했다. - 我々は被害者を救出した。
7260. 그들은 건물에서 구조한다. - 彼らはビルから救出した。
7261. 당신들은 위험에서 구조할 것이다. - あなたは彼らを危険から救い出す。
7262. 구조 작업 잘 되고 있어? - 救助は順調ですか？
7263. 네, 잘 되고 있어. - はい、順調です。
7264. 체포하다 - 逮捕する
7265. 그녀는 범인을 체포했다. - 彼女は犯人を逮捕した。
7266. 경찰은 용의자를 체포한다. - 警察は容疑者を逮捕した。
7267. 보안관은 도망자를 체포할 것이다. - 保安官は逃亡犯を逮捕する。
7268. 체포됐어? - 逮捕されましたか？
7269. 네, 체포됐어. - はい、逮捕されました。
7270. 구금하다 - 拘留する
7271. 나는 잠시 구금됐다. - しばらく拘留されました。
7272. 그는 현재 구금 중이다. - 彼は現在拘留中です。
7273. 그녀는 나중에 구금될 것이다. - 彼女は後で拘留されます。
7274. 여전히 구금 중이야? - 彼女はまだ拘留中ですか？
7275. 네, 아직이야. - はい、まだです。
7276. 석방하다 - 釈放する
7277. 우리는 억울한 사람을 석방했다. - 我々は冤罪の者を釈放した。
7278. 그들은 포로를 석방한다. - 彼らは囚人を釈放する。
7279. 당신들은 증거 부족으로 석방될 것이다. - あなたは証拠不十分で釈放されます。
7280. 석방될 수 있을까? - 釈放されますか？
7281. 가능성이 있어. - 可能性はある。
7282. 해방하다 - 解放する
7283. 그녀는 스스로를 해방했다. - 彼女は自分自身を解放した。
7284. 우리는 생각에서 해방한다. - 私たちは思考から解放される。
7285. 너는 제약에서 해방될 것이다. - あなたは束縛から解放される。
7286. 정말 해방감을 느껴? - 本当に解放されたと感じますか？
7287. 네, 완전히. - ええ、完全に。
7288. 채택하다 - 採用する
7289. 나는 새로운 방법을 채택했다. - 私は新しい方法を採用した。

7290. 그는 건강한 생활 방식을 채택한다. - 彼は健康的なライフスタイルを採用する。
7291. 그녀는 혁신적인 아이디어를 채택할 것이다. - 彼女は革新的なアイデアを採用する。
7292. 채택하기로 결정했어? - 採用することにしましたか？
7293. 네, 결정했어. - はい、決めました。
7294. 게시하다 - 公表する
7295. 우리는 공지를 게시했다. - 我々は通知を掲載した。
7296. 그들은 사진을 소셜 미디어에 게시한다. - SNSに写真を投稿するのです。
7297. 당신들은 연구 결과를 게시할 것이다. - あなたたちは調査結果を公表する
7298. 이미 게시됐어? - もう公表されているのですか？
7299. 네, 게시됐어. - はい、発表しました。
7300. 82. 명사 단어들 외우기, 필수 10개 동사의 단어들을 가지고 50문장 연습하기 - 82.名詞の単語を暗記し、10個の必須動詞の単語を使って50の文を練習する。
7301. 정보 - 情報
7302. 기록 - 記録
7303. 데이터베이스 - データベース
7304. 이메일 - メール
7305. 뉴스 - ニュース
7306. 콘텐츠 - コンテンツ
7307. 화면 - スクリーン
7308. 순간 - モーメント
7309. 교통 위반 - 交通違反
7310. 규칙 - ルール
7311. 불법 - 違法
7312. 자재 - 材料
7313. 필요한 물품 - 必要物資
7314. 자금 - 資金
7315. 상품 - 物品
7316. 화물 - 貨物
7317. 물건 - 物
7318. 자금 (운용) - 資金 (オペレーション)
7319. 계획 (운용) - 計画 (オペレーション)

7320. 사업 - 事業
7321. 집 - 家
7322. 차 - 車
7323. 회사 - 会社
7324. 주식 - ストック
7325. 지식 - 知識
7326. 기술 - テクノロジー
7327. 경험 - 経験
7328. 정보 (얻다) - 情報
7329. 지식 (얻다) - 知識を得る
7330. 조회하다 - 調べる
7331. 그녀는 정보를 조회했다. - 彼女は情報を調べた。
7332. 우리는 기록을 조회한다. - 私たちは記録を調べます。
7333. 너는 데이터베이스를 조회할 것이다. - データベースを照会します。
7334. 조회 결과는 어때? - 検索の結果はどうでしたか？
7335. 찾고 있던 정보가 나왔어. - 探していた情報を得ました。
7336. 필터링하다 - フィルターをかける
7337. 나는 이메일을 필터링했다. - 私はメールをフィルタリングした。
7338. 그는 뉴스를 필터링한다. - 彼はニュースをフィルタリングします。
7339. 그녀는 콘텐츠를 필터링할 것이다. - 彼女はコンテンツをフィルタリングする。
7340. 필터링 효과적이야? - フィルタリングは効果的ですか？
7341. 네, 매우 효과적이야. - はい、とても効果的です。
7342. 캡처하다 - をキャプチャする
7343. 나는 화면을 캡처했다. - 私は画面をキャプチャした。
7344. 너는 순간을 캡처한다. - あなたは一瞬をキャプチャします。
7345. 그는 정보를 캡처할 것이다. - 彼は情報をキャプチャします。
7346. 사진 잘 나왔어? - いい写真が撮れましたか？
7347. 네, 완벽해요. - はい、完璧です。
7348. 단속하다 - 取り締まる
7349. 그녀는 교통 위반을 단속했다. - 彼女は交通違反を取り締まった。
7350. 우리는 규칙을 단속한다. - 規則を取り締まる。
7351. 당신들은 불법을 단속할 것이다. - 違法行為を取り締まります。
7352. 규칙 지켰어? - ルールは守りましたか？

7353. 네, 항상 지켜요. - はい、いつも守っています。
7354. 조달하다 - 調達する
7355. 그들은 자재를 조달했다. - 彼らは材料を調達した。
7356. 나는 필요한 물품을 조달한다. - 私は必要な物資を調達します。
7357. 너는 자금을 조달할 것이다. - あなたは資金を調達します。
7358. 자재 다 구했어? - 材料は全部揃いましたか？
7359. 아직 몇 개 더 필요해. - まだ少し必要です。
7360. 운송하다 - 輸送する
7361. 그녀는 상품을 운송했다. - 彼女は商品を輸送した。
7362. 우리는 화물을 운송한다. - 荷物を運びます。
7363. 당신들은 물건을 운송할 것이다. - あなたが荷物を運びます。
7364. 화물 도착했어? - 貨物は到着しましたか？
7365. 네, 방금 도착했어요. - はい、到着したばかりです。
7366. 운용하다 - 運用する
7367. 나는 자금을 운용했다. - 私は資金を運用しました。
7368. 너는 계획을 운용한다. - あなたが計画を運営してください。
7369. 그는 사업을 운용할 것이다. - 彼が事業を運営する。
7370. 계획 잘 되가? - 計画は順調ですか？
7371. 네, 순조로워요. - はい、順調です。
7372. 소유하다 - 所有する
7373. 그들은 집을 소유했다. - 彼らは家を所有していた。
7374. 나는 차를 소유한다. - 車を所有する。
7375. 너는 회사를 소유할 것이다. - あなたは会社を所有する。
7376. 새 차 샀어? - 新しい車を買いましたか？
7377. 아니요, 아직이에요. - いいえ、まだです。
7378. 보유하다 - 保有する
7379. 그녀는 주식을 보유했다. - 彼女は株を保有していた。
7380. 우리는 지식을 보유한다. - 私たちは知識を保持します。
7381. 당신들은 기술을 보유할 것이다. - スキルが身につきます。
7382. 주식 많이 가졌어? - ストックはたくさんありますか？
7383. 조금씩 모으고 있어요. - 少しずつ集めています。
7384. 얻다 - 経験を積む
7385. 나는 경험을 얻었다. - 経験を積む。
7386. 너는 정보를 얻는다. - あなたは情報を得る。

7387. 그는 지식을 얻을 것이다. - 彼は知識を得る。
7388. 정보 찾았어? - 情報を見つけたのですか？
7389. 네, 찾았어요. - はい、見つけました。
7390. 83. 명사 단어들 외우기, 필수 10개 동사의 단어들을 가지고 50문장 연습하기 - 83.名詞の単語を覚え、10個の必須動詞の単語を使って50の文を練習する。
7391. 자격증 - 証明書
7392. 승인 - 承認
7393. 인증 - 認証
7394. 신뢰 - 信頼
7395. 기회 - 機会
7396. 접근 - アクセス
7397. 능력 - 能力
7398. 재능 - 才能
7399. 창의력 - 創造性
7400. 품질 - 品質
7401. 관심 - 関心
7402. 성능 - パフォーマンス
7403. 서울 - ソウル
7404. 지역 - 地域
7405. 국가 - 国家
7406. 버스 - バス
7407. 인터넷 - インターネット
7408. 서비스 - サービス
7409. 채무 - 財政義務
7410. 문제 - 問題
7411. 우려 - 懸念
7412. 아이디어 - アイデア
7413. 계획 - 計画
7414. 가치 - 価値
7415. 사고 - 事故
7416. 변화 - 変化
7417. 현상 - 現象
7418. 회의 - ミーティング

7419. 이벤트 - イベント
7420. 획득하다 - 獲得する
7421. 그들은 자격증을 획득했다. - 資格を獲得した
7422. 나는 승인을 획득한다. - 認証を取得する
7423. 너는 인증을 획득할 것이다. - 認定を取得する
7424. 자격증 시험 봤어? - 認定試験を受けましたか？
7425. 네, 합격했어요. - はい、合格しました。
7426. 상실하다 - 失う
7427. 그녀는 신뢰를 상실했다. - 彼女は信頼を失った。
7428. 우리는 기회를 상실한다. - 機会を失う。
7429. 당신들은 접근을 상실할 것이다. - アクセスを失う。
7430. 기회 놓쳤어? - 機会を失った？
7431. 아니요, 아직 있어요. - いいえ、まだあります。
7432. 발휘하다 - 能力を発揮する
7433. 나는 능력을 발휘했다. - 私は能力を発揮した。
7434. 너는 재능을 발휘한다. - あなたは才能を発揮する。
7435. 그는 창의력을 발휘할 것이다. - 彼は創造性を発揮する。
7436. 잘 할 수 있겠어? - 本当にできるんですか？
7437. 네, 자신 있어요. - はい、自信があります。
7438. 저하하다 - 劣化させる
7439. 그들은 품질을 저하시켰다. - 彼らは品質を劣化させた。
7440. 나는 관심을 저하시킨다. - 私は関心を低下させる。
7441. 너는 성능을 저하시킬 것이다. - パフォーマンスを劣化させる。
7442. 성능 나빠졌어? - パフォーマンスを落とした？
7443. 아니요, 괜찮아요. - いいえ、大丈夫です。
7444. 교통하다 - 交通
7445. 그녀는 자주 서울을 교통했다. - 彼女はよくソウルに行った。
7446. 우리는 지역 간을 교통한다. - 地域間を移動します。
7447. 당신들은 국가를 교통할 것이다. - 国と国を行き来することになります。
7448. 출퇴근 괜찮아? - 通勤は大丈夫ですか？
7449. 네, 문제 없어요. - はい、問題ありません。
7450. 이용하다 - 利用する
7451. 나는 버스를 이용했다. - 私はバスを使いました。
7452. 너는 인터넷을 이용한다. - インターネットを使います。

7453. 그는 서비스를 이용할 것이다. - 彼はサービスを利用します。
7454. 인터넷 빨라? - インターネットは速いですか？
7455. 네, 아주 빨라요. - はい、とても速いです。
7456. 소멸하다 - 消滅させる
7457. 그들은 채무를 소멸시켰다. - 彼らは借金を消した。
7458. 나는 문제를 소멸시킨다. - 私は問題を消滅させる。
7459. 너는 우려를 소멸시킬 것이다. - あなたはその心配を消します。
7460. 문제 해결됐어? - 問題が解決した？
7461. 네, 다 해결됐어요. - はい、すべて解決しました。
7462. 생성하다 - 生み出す
7463. 그녀는 아이디어를 생성했다. - 彼女はアイデアを生み出した。
7464. 우리는 계획을 생성한다. - 私たちは計画を生み出す。
7465. 당신들은 가치를 생성할 것이다. - あなたたちは価値を生み出す。
7466. 계획 세웠어? - 計画はあるのか？
7467. 네, 다 준비됐어요. - はい、準備万端です。
7468. 발생하다 - 事件を起こす
7469. 나는 사고를 발생시켰다. - 事件を発生させ
7470. 너는 변화를 발생시킨다. - 変化を起こす。
7471. 그는 현상을 발생시킬 것이다. - 彼は現象を起こす。
7472. 문제 있었어? - 何か問題がありましたか？
7473. 아니요, 괜찮아요. - いいえ、大丈夫です。
7474. 나타나다 - 出現する
7475. 그들은 갑자기 나타났다. - 彼らはどこからともなく現れた。
7476. 나는 회의에 나타난다. - 私は会議に現れる。
7477. 너는 이벤트에 나타날 것이다. - あなたはイベントに現れます。
7478. 회의에 갈 거야? - ミーティングに行きますか？
7479. 네, 갈게요. - はい、行きます。
7480. 84. 명사 단어들 외우기, 필수 10개 동사의 단어들을 가지고 50문장 연습하기 - 84. 名詞の単語を暗記し、10個の必須動詞の単語を使って50文を練習する。
7481. 무대 - ステージ
7482. 공원 - 公園
7483. 화면 - スクリーン
7484. 생각 - 思想

7485. 계획 - 計画
7486. 방향 - 方向性
7487. 의사소통 - コミュニケーション
7488. 동전 - コイン
7489. 쓰레기 - ゴミ
7490. 아이디어 - アイデア
7491. 책 - 本
7492. 우산 - 傘
7493. 지도 - 地図
7494. 감정 - 感情
7495. 열정 - 情熱
7496. 옷 - 服
7497. 벽 - 壁
7498. 캔버스 - キャンバス
7499. 종이 - 紙
7500. 나무 - ツリー
7501. 친구 - 友人
7502. 제안 - 提案
7503. 정책 - 方針
7504. 스프 - スープ
7505. 음료 - 飲み物
7506. 소스 - ソース
7507. 사라지다 - 姿を消す
7508. 그녀는 무대에서 사라졌다. - 彼女はステージから姿を消した。
7509. 우리는 공원에서 사라진다. - 公園で消える。
7510. 당신들은 화면에서 사라질 것이다. - 画面から消える。
7511. 걱정 끝났어? - 心配は終わった？
7512. 네, 사라졌어요. - はい、消えました。
7513. 변하다 - 変える
7514. 나는 생각이 변했다. - 気が変わった。
7515. 너는 계획을 변화시킨다. - あなたは計画を変える。
7516. 그는 방향을 변할 것이다. - 方向を変えるだろう。
7517. 의견 달라졌어? - 意見を変えましたか？
7518. 네, 바뀌었어요. - はい、変わりました。

7519. 의사소통하다 - コミュニケーションをとる
7520. 그들은 효과적으로 의사소통했다. - 彼らは効果的にコミュニケーションをとった。
7521. 나는 명확하게 의사소통한다. - 私は明確に伝える。
7522. 너는 직접 의사소통할 것이다. - あなたは直接コミュニケーションを取ります。
7523. 말 잘 통해? - 言葉を通して？
7524. 네, 잘 통해요. - そう、言葉を通して
7525. 줍다 - 拾う
7526. 그녀는 동전을 주웠다. - 彼女はコインを拾った。
7527. 우리는 쓰레기를 줍는다. - 私たちはゴミを拾う。
7528. 당신들은 아이디어를 줍을 것이다. - あなたはアイデアを拾う。
7529. 도와줄까? - 手伝いましょうか？
7530. 네, 고마워요. - はい、ありがとうございます。
7531. 펴다 - 開く
7532. 나는 책을 펴었다. - 私は本を開いた。
7533. 너는 우산을 편다. - あなたは傘を開きます。
7534. 그는 지도를 펼 것이다. - 彼は地図を広げます。
7535. 책 재밌어? - その本は面白いですか？
7536. 네, 흥미로워요. - はい、面白いです。
7537. 넘치다 - 溢れんばかりに
7538. 그들은 감정이 넘쳤다. - 彼らは感動で溢れていた。
7539. 나는 열정이 넘친다. - 私は熱意に溢れている。
7540. 너는 아이디어로 넘칠 것이다. - アイデアがあふれてきます。
7541. 행복해? - 幸せですか？
7542. 네, 넘쳐나요. - はい、あふれています。
7543. 물들다 - 色をつける
7544. 그녀는 옷을 물들였다. - 彼女は服に色をつけた。
7545. 우리는 벽을 물들인다. - 私たちは壁に色をつけます。
7546. 당신들은 캔버스를 물들일 것이다. - あなたはキャンバスに色をつけます。
7547. 색상 결정했어? - 色は決まった？
7548. 네, 정했어요. - はい、決めました。
7549. 태우다 - 燃やす
7550. 나는 종이를 태웠다. - 私は紙を燃やした。

7551. 너는 나무를 태운다. - あなたは木を燃やします。
7552. 그는 쓰레기를 태울 것이다. - ゴミを燃やす。
7553. 추워? - 寒いですか？
7554. 아니, 따뜻해요. - いや、暖かいよ。
7555. 지지하다 - サポートする
7556. 나는 친구를 지지했다. - 私は友人を支持した。
7557. 너는 제안을 지지한다. - あなたはその提案を支持する。
7558. 그는 정책을 지지할 것이다. - 彼はその政策を支持する。
7559. 지지 받아? - 支持しますか？
7560. 네, 받아. - はい、わかりました。
7561. 젓다 - かき混ぜる
7562. 그녀는 스프를 저었다. - 彼女はスープをかき混ぜた。
7563. 우리는 음료를 젓는다. - 私たちは飲み物をかき混ぜる。
7564. 당신들은 소스를 저을 것이다. - 君たちはソースをかき混ぜる。
7565. 잘 섞였어? - うまく混ざっていますか？
7566. 네, 섞였어. - はい、混ざっています。
7567. 85. 명사 단어들 외우기, 필수 10개 동사의 단어들을 가지고 50문장 연습하기 - 85.名詞の単語を覚え、10個の必須動詞の単語を使って50の文を練習する。
7568. 물 - 水
7569. 팬 - パン
7570. 수프 - スープ
7571. 상자 - 箱
7572. 창문 - 窓
7573. 미래 - 未来
7574. 아이디어 - アイデア
7575. 계획 - 計画
7576. 해결책 - ソリューション
7577. 스케줄 - スケジュール
7578. 로드맵 - ロードマップ
7579. 자금 - 資金
7580. 자리 - シート
7581. 기회 - 機会
7582. 용기 - 勇気

7583. 장비 - 設備
7584. 자격 - 資格
7585. 실험실 - ラボ
7586. 컴퓨터 - コンピューター
7587. 연구소 - ラボ
7588. 선물 - ギフト
7589. 정보 - インフォメーション
7590. 소식 - ニュース
7591. 메시지 - メッセージ
7592. 경고 - 警告
7593. 차 - 車
7594. 배 - 船
7595. 화물 - 貨物
7596. 트럭 - トラック
7597. 상품 - 商品
7598. 가열하다 - 熱する
7599. 그는 물을 가열했다. - 彼はお湯を沸かした。
7600. 나는 팬을 가열한다. - 私は鍋を温めます。
7601. 너는 수프를 가열할 것이다. - あなたはスープを温めます。
7602. 뜨거워? - 熱いですか？
7603. 네, 뜨거워. - はい、熱いです。
7604. 들여다보다 - 覗き込む
7605. 그들은 상자 안을 들여다보았다. - 彼らは箱を覗き込んだ。
7606. 나는 창문으로 들여다본다. - 私は窓から覗く。
7607. 너는 미래를 들여다볼 것이다. - あなたは未来を覗くでしょう。
7608. 뭐 보여? - 何が見えますか？
7609. 네, 보여. - はい、見えます。
7610. 떠올리다 - 思いつくこと
7611. 그녀는 아이디어를 떠올렸다. - 彼女はアイデアを思いついた。
7612. 우리는 계획을 떠올린다. - 計画を思いつく。
7613. 당신들은 해결책을 떠올릴 것이다. - あなたたちは解決策を考え出す。
7614. 기억나? - 覚えていますか？
7615. 네, 나와. - はい、私です。
7616. 짜다 - 整理する

7617. 나는 스케줄을 짰다. - 私はスケジュールを整理しました。
7618. 너는 계획을 짠다. - あなたは計画を整理する。
7619. 그는 로드맵을 짤 것이다. - 彼はロードマップを整理する。
7620. 준비됐어? - 準備はできていますか？
7621. 네, 됐어. - はい、準備はできています。
7622. 마련하다 - 手配する
7623. 그들은 자금을 마련했다. - 彼らは資金を手配した。
7624. 나는 자리를 마련한다. - 私は席を手配する。
7625. 너는 기회를 마련할 것이다. - あなたは機会を手配する。
7626. 다 됐어? - 終わりましたか？
7627. 네, 됐어. - はい、準備できました。
7628. 갖추다 - 装備する
7629. 그녀는 용기를 갖췄다. - 彼女は勇気を備えている。
7630. 우리는 장비를 갖춘다. - 私たちは装備されている。
7631. 당신들은 자격을 갖출 것이다. - あなたは資格を得る。
7632. 준비됐어? - 準備はできたか？
7633. 네, 됐어. - はい、準備はできています。
7634. 장비하다 - 装備する
7635. 나는 실험실을 장비했다. - 私は研究室に設備を整えました。
7636. 너는 컴퓨터를 장비한다. - あなたはコンピューターを装備します。
7637. 그는 연구소를 장비할 것이다. - 彼が研究室に装備します。
7638. 필요한 거 있어? - 何か必要なものはありますか？
7639. 아니, 없어. - いいえ、必要ありません。
7640. 갖다 - 持参する
7641. 그들은 선물을 갖다 주었다. - 彼らは贈り物を持ってきました。
7642. 나는 정보를 갖다 준다. - 私は情報を持ってくる。
7643. 너는 소식을 갖다 줄 것이다. - あなたはニュースを持ってきてください。
7644. 도착했어? - 到着しましたか？
7645. 네, 도착했어. - はい、到着しました。
7646. 전하다 - 届ける
7647. 그녀는 소식을 전했다. - 彼女はニュースを届けた。
7648. 우리는 메시지를 전한다. - 私たちはメッセージを届けます。
7649. 당신들은 경고를 전할 것이다. - あなたは警告を伝える。
7650. 알려줄까? - お知らせしましょうか？

7651. 네, 알려줘. - はい、お知らせします。
7652. 싣다 - 積み込む
7653. 나는 차에 짐을 실었다. - 私は車を積んだ。
7654. 너는 배에 화물을 싣는다. - 船に貨物を積み込む。
7655. 그는 트럭에 상품을 실을 것이다. - トラックに荷物を積み込む。
7656. 무거워? - 重いですか？
7657. 아니, 괜찮아. - いいえ、大丈夫です。
7658. 86. 명사 단어들 외우기, 필수 10개 동사의 단어들을 가지고 50문장 연습하기 - 86. 名詞の単語を暗記し、10個の必須動詞の単語を使って50の文を練習しなさい。
7659. 신제품 - 新製品
7660. 제안 - 提案
7661. 보고서 - 報告書
7662. 앞줄 - 前列
7663. 중앙 - 中央
7664. 위치 - 場所
7665. 결과 - 結果
7666. 휴가 - 休暇
7667. 성공 - 成功
7668. 포스터 - ポスター
7669. 사진 - 写真
7670. 장식 - デコレーション
7671. 목도리 - マフラー
7672. 리본 - リボン
7673. 배지 - バッジ
7674. 오해 - 誤解
7675. 상황 - 状況
7676. 문제 - 問題
7677. 이웃 - 隣人
7678. 친구 - 友人
7679. 동료 - 同僚
7680. 이벤트 - イベント
7681. 프로젝트 - プロジェクト
7682. 캠페인 - キャンペーン

7683. 제품 - 製品
7684. 서비스 - サービス
7685. 앱 - アプリ
7686. 선반 - シェルフ
7687. 문 - ドア
7688. 카메라 - カメラ
7689. 내다 - が出てくる
7690. 그들은 신제품을 내놓았다. - 新しい製品を考え出した。
7691. 나는 제안을 낸다. - 企画書を出す
7692. 너는 보고서를 내놓을 것이다. - 報告書を出してくる。
7693. 성공할까? - うまくいきますか？
7694. 네, 할 거야. - はい、うまくいきます
7695. 위치하다 - ポジションを決める
7696. 그녀는 앞줄에 위치했다. - 彼女は最前列に位置した。
7697. 우리는 중앙에 위치한다. - 私たちは中央です。
7698. 당신들은 최적의 위치에 위치할 것이다. - ベストポジションになります。
7699. 찾았어? - 見つけましたか？
7700. 네, 찾았어. - はい、見つけました。
7701. 기대다 - 期待する
7702. 나는 결과를 기대했다. - 私は結果を期待した。
7703. 너는 휴가를 기대한다. - あなたは休暇を期待している。
7704. 그는 성공을 기대할 것이다. - 彼は成功を期待するだろう。
7705. 기뻐? - 嬉しいですか？
7706. 네, 기뻐. - ええ、うれしいです。
7707. 매달다 - 吊るす
7708. 그들은 포스터를 매달았다. - 彼らはポスターを掛けた。
7709. 나는 사진을 매달린다. - 私は絵を掛ける。
7710. 너는 장식을 매달을 것이다. - あなたは飾りを掛ける。
7711. 예쁘게 됐어? - きれいにできた？
7712. 네, 됐어. - はい、できました。
7713. 매다 - 掛ける
7714. 그녀는 목도리를 맸다. - 彼女はショールを掛けた。
7715. 우리는 리본을 맨다. - 私たちはリボンをつけます。
7716. 당신들은 배지를 맬 것이다. - 君たちはバッジをつける。

7717. 추워? - 寒くないですか？
7718. 아니, 괜찮아. - いえ、大丈夫です。
7719. 해명하다 - はっきりさせる
7720. 나는 오해를 해명했다. - 誤解を解きました。
7721. 너는 상황을 해명한다. - あなたは状況を説明する。
7722. 그는 문제를 해명할 것이다. - 彼は問題を明確にします。
7723. 이해됐어? - わかりましたか？
7724. 네, 됐어. - はい、わかりました。
7725. 도와주다 - 助ける
7726. 그들은 이웃을 도와주었다. - 彼らは隣人を助けた。
7727. 나는 친구를 도와준다. - 私は友人を助ける。
7728. 너는 동료를 도와줄 것이다. - あなたは同僚を助ける。
7729. 필요해? - 必要ですか？
7730. 아니, 괜찮아. - いいえ、結構です。
7731. 홍보하다 - 宣伝する
7732. 그녀는 이벤트를 홍보했다. - 彼女はイベントを宣伝した。
7733. 우리는 프로젝트를 홍보한다. - 私たちはプロジェクトを宣伝します。
7734. 당신들은 캠페인을 홍보할 것이다. - あなたたちはキャンペーンを宣伝する。
7735. 봤어? - ご覧になりましたか？
7736. 네, 봤어. - はい、見ました。
7737. 광고하다 - 宣伝する
7738. 나는 제품을 광고했다. - 私は製品を宣伝した。
7739. 너는 서비스를 광고한다. - あなたはサービスを宣伝する。
7740. 그는 앱을 광고할 것이다. - 彼はアプリを宣伝するつもりだ。
7741. 효과 있어? - それは機能しますか？
7742. 네, 있어. - はい、そうです。
7743. 고정하다 - 直す
7744. 그들은 선반을 고정했다. - 彼らは棚を直した。
7745. 나는 문을 고정한다. - 私はドアを固定する。
7746. 너는 카메라를 고정할 것이다. - カメラを固定する
7747. 단단해? - 頑丈ですか？
7748. 네, 단단해. - はい、しっかりしています。
7749. 87. 명사 단어들 외우기, 필수 10개 동사의 단어들을 가지고 50문장 연습

하기 - 87.名詞の単語を覚え、10の必須動詞の単語を使って50の文を練習する。
7750. 문 - ドア
7751. 창문 - 窓
7752. 자전거 - 自転車
7753. 컴퓨터 - コンピューター
7754. 음료 - 飲料
7755. 시스템 - システム
7756. 기계 - マシン
7757. 부품 - 部品
7758. 장난감 - 玩具
7759. 종이 - 紙
7760. 플라스틱 - プラスチック
7761. 금속 - 金属
7762. 엔진 - エンジン
7763. 장치 - デバイス
7764. 상품 - 商品
7765. 편지 - 手紙
7766. 상 - アワード
7767. 영화 - ムービー
7768. 제품 - 製品
7769. 서비스 - サービス
7770. 집 - 家
7771. 차 - 車
7772. 휴대폰 - 携帯電話
7773. 책 - 本
7774. 의류 - 洋服
7775. 예술작품 - 美術品
7776. 잠그다 - 鍵をかける
7777. 그녀는 문을 잠갔다. - 彼女はドアに鍵をかけた。
7778. 우리는 창문을 잠근다. - 窓に鍵をかけます。
7779. 당신들은 자전거를 잠글 것이다. - 自転車に鍵をかけます。
7780. 안전해? - 安全ですか？
7781. 네, 안전해. - はい、安全です。
7782. 냉각하다 - 冷やす

7783. 나는 컴퓨터를 냉각했다. - パソコンを冷やしました。
7784. 너는 음료를 냉각한다. - 飲み物を冷やしてください。
7785. 그는 시스템을 냉각할 것이다. - 彼はシステムを冷やすでしょう。
7786. 충분해? - 十分ですか？
7787. 네, 충분해. - はい、十分です。
7788. 재조립하다 - 組み立てる
7789. 그들은 기계를 재조립했다. - 彼らは機械を組み立て直した。
7790. 나는 부품을 재조립한다. - 私は部品を組み立てる。
7791. 너는 장난감을 재조립할 것이다. - あなたはおもちゃを組み立てる。
7792. 어려워? - 難しいですか？
7793. 아니, 쉬워. - いいえ、簡単です。
7794. 재활용하다 - リサイクルする
7795. 그녀는 종이를 재활용했다. - 彼女は紙をリサイクルしました。
7796. 우리는 플라스틱을 재활용한다. - 私たちはプラスチックをリサイクルします。
7797. 당신들은 금속을 재활용할 것이다. - 君たちは金属をリサイクルする。
7798. 좋은 생각이야? - それはいい考えですか？
7799. 네, 좋아. - はい、いい考えです。
7800. 구동하다 - 運転する
7801. 나는 기계를 구동했다. - 私は機械を運転した。
7802. 너는 시스템을 구동한다. - あなたはシステムを運転する。
7803. 그는 엔진을 구동할 것이다. - 彼がエンジンを運転する
7804. 작동 돼? - 動くのか？
7805. 네, 작동돼. - はい、動きます
7806. 부팅하다 - 起動する
7807. 그녀는 컴퓨터를 부팅했다. - 彼女はコンピューターを起動した。
7808. 우리는 시스템을 부팅한다. - システムを起動します。
7809. 당신들은 장치를 부팅할 것이다. - あなたたちはデバイスを起動させる
7810. 켜졌어? - 電源は入っていますか？
7811. 네, 켜졌어. - はい、オンです。
7812. 수령하다 - 受け取る
7813. 나는 상품을 수령했다. - 商品を受け取りました。
7814. 너는 편지를 수령한다. - 手紙を受け取ります。
7815. 그는 상을 수령할 것이다. - 賞品を受け取ります。

7816. 도착했어? - 届きましたか？
7817. 네, 도착했어. - はい、届きました。
7818. 리뷰하다 - 見直す
7819. 그들은 영화를 리뷰했다. - 彼らは映画を見直した。
7820. 나는 제품을 리뷰한다. - 私は製品をレビューします。
7821. 너는 서비스를 리뷰할 것이다. - あなたはサービスをレビューします。
7822. 좋았어? - それは良かったですか？
7823. 네, 좋았어. - はい、良かったです。
7824. 구매하다 - 購入する
7825. 그녀는 집을 구매했다. - 彼女は家を買いました。
7826. 우리는 차를 구매한다. - 私たちは車を買います。
7827. 당신들은 휴대폰을 구매할 것이다. - 君たちは携帯電話を買うんだ。
7828. 필요해? - 必要ですか？
7829. 네, 필요해. - はい、必要です。
7830. 판매하다 - 売るために
7831. 나는 책을 판매했다. - 私は本を売りました。
7832. 너는 의류를 판매한다. - あなたは服を売る。
7833. 그는 예술작품을 판매할 것이다. - 作品を売る。
7834. 잘 팔려? - 売れていますか？
7835. 네, 잘 팔려. - ええ、よく売れています。
7836. 88. 명사 단어들 외우기, 필수 10개 동사의 단어들을 가지고 50문장 연습하기 - 88. 名詞の単語を暗記し、10の必須動詞の単語を使って50の文を練習しなさい。
7837. 물건 - 物
7838. 옷 - 服
7839. 기기 - 装置
7840. 티켓 - チケット
7841. 비용 - 費用
7842. 등록금 - 授業料
7843. 자전거 - 自転車
7844. 책 - 本
7845. 카메라 - カメラ
7846. 도서 - 書籍
7847. 장비 - 備品

7848. 노트북 - ノートパソコン
7849. 계좌 - アカウント
7850. 전화선 - 電話回線
7851. 인터넷 - インターネット
7852. 계정 - アカウント
7853. 상점 - ショップ
7854. 공장 - 工場
7855. 파일 - ファイル
7856. 시계 - 時計
7857. 시스템 - システム
7858. 문제 - 問題
7859. 아이디어 - アイデア
7860. 방법 - メソッド
7861. 문서 - ドキュメント
7862. 규정 - ルール
7863. 자료 - データ
7864. 사진 - 画像
7865. 보고서 - レポート
7866. 반환하다 - 返品する
7867. 그들은 물건을 반환했다. - 商品を返品した。
7868. 나는 옷을 반환한다. - 服を返します。
7869. 너는 기기를 반환할 것이다. - デバイスを返却する。
7870. 가능해? - それは可能ですか？
7871. 네, 가능해. - はい、可能です。
7872. 환불하다 - 払い戻す
7873. 그녀는 티켓을 환불받았다. - 彼女はチケットを返金してもらった。
7874. 우리는 비용을 환불받는다. - 私たちはお金を取り戻します。
7875. 당신들은 등록금을 환불받을 것이다. - 授業料を返金してもらう。
7876. 받을 수 있어? - 返金してもらえますか？
7877. 네, 받을 수 있어. - はい、もらえます。
7878. 대여하다 - 借りる
7879. 나는 자전거를 대여했다. - 自転車を借りました。
7880. 너는 책을 대여한다. - あなたは本を借ります。
7881. 그는 카메라를 대여할 것이다. - 彼はカメラを借ります。

7882. 빌릴까? - 借りましょうか。
7883. 네, 빌려. - はい、借ります。
7884. 반납하다 - 返す
7885. 그들은 도서를 반납했다. - 彼らは本を返しました。
7886. 나는 장비를 반납한다. - 私は機材を返します。
7887. 너는 노트북을 반납할 것이다. - ノートパソコンを返します。
7888. 시간 됐어? - 時間ですか？
7889. 네, 됐어. - はい、準備できました。
7890. 개통하다 - 開く
7891. 그녀는 계좌를 개통했다. - 彼女は口座を開設しました。
7892. 우리는 전화선을 개통한다. - 電話回線を開設します。
7893. 당신들은 인터넷을 개통할 것이다. - 君たちはインターネットを開設する。
7894. 준비됐어? - 準備はいいですか？
7895. 네, 준비됐어. - はい、準備はできています。
7896. 폐쇄하다 - を閉じる
7897. 나는 계정을 폐쇄했다. - 口座を閉じました。
7898. 너는 상점을 폐쇄한다. - 店を閉めます。
7899. 그는 공장을 폐쇄할 것이다. - 工場を閉鎖します。
7900. 닫혔어? - 閉店ですか？
7901. 네, 닫혔어. - はい、閉鎖しました。
7902. 동기화하다 - 同期させる
7903. 그녀는 파일을 동기화했다. - 彼女はファイルを同期させた。
7904. 우리는 시계를 동기화한다. - 我々は時計を同期させる。
7905. 당신들은 시스템을 동기화할 것이다. - 君たちはシステムを同期させる。
7906. 맞춰졌어? - 同期していますか？
7907. 네, 맞춰졌어. - はい、同期しています。
7908. 예시하다 - 例証する
7909. 나는 문제를 예시했다. - 私は問題を例証した。
7910. 너는 아이디어를 예시한다. - あなたはアイデアを例証する。
7911. 그는 방법을 예시할 것이다. - 彼は方法を例証する。
7912. 이해됐어? - これで理解できましたか？
7913. 네, 이해됐어. - はい、理解できます。
7914. 참조하다 - 参照する
7915. 그들은 문서를 참조했다. - 彼らは文書を参照した。

7916. 나는 규정을 참조한다. - 私は規定を参照する。
7917. 너는 자료를 참조할 것이다. - あなたは資料を参照する。
7918. 봤어? - ご覧になりましたか？
7919. 네, 봤어. - はい、見ました。
7920. 첨부하다 - 添付する
7921. 그녀는 사진을 첨부했다. - 彼女は写真を添付した。
7922. 우리는 파일을 첨부한다. - ファイルを添付します。
7923. 당신들은 보고서를 첨부할 것이다. - 報告書を添付します。
7924. 붙였어? - 添付しましたか？
7925. 네, 붙였어. - はい、添付しました。
7926. 89. 명사 단어들 외우기, 필수 10개 동사의 단어들을 가지고 50문장 연습하기 - 89. 名詞の単語を覚えよう、10の必須動詞の単語で50の文を練習しよう
7927. 소프트웨어 - ソフトウェア
7928. 기능 - 機能
7929. 제품 - 製品
7930. 코드 - コード
7931. 시스템 - システム
7932. 애플리케이션 - アプリケーション
7933. 은행 - 銀行
7934. 자금 - 資金
7935. 주택 대출 - 住宅ローン
7936. 빚 - 負債
7937. 대출 - ローン
7938. 융자 - ローン
7939. 돈 - 資金
7940. 금액 - 金額
7941. 재산 - 財産
7942. 주식 - 在庫
7943. 사업 - 事業
7944. 부동산 - 不動産
7945. 친구 - 友人
7946. 가족 - 家族
7947. 회사 - 会社
7948. 계좌 - アカウント

7949. 자동화기기 - オートメーション機器
7950. 급여 - 給与
7951. 테스트하다 - テストする
7952. 나는 소프트웨어를 테스트했다. - ソフトウェアをテストしました。
7953. 너는 기능을 테스트한다. - あなたは機能をテストします。
7954. 그는 제품을 테스트할 것이다. - 彼は製品をテストする。
7955. 잘 돼? - うまくいっていますか？
7956. 네, 잘 돼. - はい、うまくいっています。
7957. 디버그(오류수정)하다 - デバッグする（エラーを修正する)
7958. 그들은 코드를 디버그했다. - 彼らはコードをデバッグした。
7959. 나는 시스템을 디버그한다. - 私はシステムをデバッグする。
7960. 너는 애플리케이션을 디버그할 것이다. - あなたはアプリケーションをデバッグするでしょう。
7961. 고쳤어? - 修正しましたか？
7962. 네, 고쳤어. - はい、直しました。
7963. 대출하다 - 借りる
7964. 그녀는 은행에서 대출받았다. - 彼女は銀行から借金をした。
7965. 우리는 자금을 대출받는다. - 私たちはお金を借ります。
7966. 당신들은 주택 대출을 받을 것이다. - あなたたちは家のローンを組むんだ。
7967. 필요해? - 必要ですか？
7968. 네, 필요해. - はい、必要です。
7969. 상환하다 - 返済する
7970. 나는 빚을 상환했다. - 借金を返済した。
7971. 너는 대출을 상환한다. - あなたはローンを返済する。
7972. 그는 융자를 상환할 것이다. - 彼は返済します。
7973. 끝났어? - 完了しましたか？
7974. 네, 끝났어. - はい、終わりました。
7975. 저축하다 - 貯蓄する
7976. 그들은 돈을 저축했다. - 彼らはお金を貯めた。
7977. 나는 금액을 저축한다. - 私はお金を節約する。
7978. 너는 재산을 저축할 것이다. - あなたは大金を節約するでしょう。
7979. 모았어? - 節約しましたか？
7980. 네, 모았어. - はい、貯めました。
7981. 투자하다 - 投資する

7982. 그녀는 주식에 투자했다. - 彼女は株に投資した。
7983. 우리는 사업에 투자한다. - 私たちは事業に投資します。
7984. 당신들은 부동산에 투자할 것이다. - あなたは不動産に投資します。
7985. 이득 봤어? - 儲かりましたか？
7986. 네, 이득 봤어. - はい、儲けました。
7987. 송금하다 - 送金する
7988. 나는 친구에게 송금했다. - 友人に送金しました。
7989. 너는 가족에게 송금한다. - あなたは家族に送金します。
7990. 그는 회사에 송금할 것이다. - 会社に送金する。
7991. 받았어? - 受け取った？
7992. 네, 받았어. - はい、受け取りました。
7993. 예치하다 - 入金する
7994. 그들은 돈을 예치했다. - お金を預けました。
7995. 나는 계좌에 예치한다. - 口座に入金します。
7996. 너는 자금을 예치할 것이다. - 入金します。
7997. 넣었어? - 入金しましたか？
7998. 네, 넣었어. - はい、入金しました。
7999. 인출하다 - 引き出す
8000. 그녀는 은행에서 인출했다. - 彼女は銀行から引き出した。
8001. 우리는 자동화기기에서 인출한다. - 自動機から引き出します。
8002. 당신들은 계좌에서 인출할 것이다. - 口座から引き出します。
8003. 뺐어? - 引き出しましたか？
8004. 네, 뺐어. - はい、引き出しました。
8005. 이체하다 - 振り込む
8006. 나는 계좌로 이체했다. - 口座に振り込みました。
8007. 너는 돈을 이체한다. - あなたはお金を振り込む。
8008. 그는 급여를 이체할 것이다. - 給料を振り込む。
8009. 보냈어? - 送りましたか？
8010. 네, 보냈어. - はい、送りました。
8011. 90. 명사 단어들 외우기, 필수 10개 동사의 단어들을 가지고 50문장 연습하기 - 90. 名詞の単語を覚え、10の必須動詞の単語を使って50の文を練習しなさい。
8012. 신용카드 - クレジットカード
8013. 현금 - 現金

8014. 모바일 - モバイル
8015. 주식 - 在庫
8016. 물건 - 物
8017. 부동산 - 不動産
8018. 팀 - チーム
8019. 회사 - 会社
8020. 학급 - クラス
8021. 시장 - 市場
8022. 결정 - 決定
8023. 결과 - 結果
8024. 날씨 - 天気
8025. 소식 - ニュース
8026. 경제 - 経済
8027. 목록 - リスト
8028. 예외 - 例外
8029. 조항 - 記事
8030. 요청 - リクエスト
8031. 접근 - アクセス
8032. 변경 - 変更
8033. 토론 - 討論
8034. 생각 - 思想
8035. 결론 - 結論
8036. 웃음 - 笑い
8037. 호기심 - 好奇心
8038. 혼란 - 混乱
8039. 투자 - 投資
8040. 관광객 - 観光
8041. 회원 - メンバー
8042. 결제하다 - 支払う
8043. 그들은 신용카드로 결제했다. - 彼らはクレジットカードで支払った。
8044. 나는 현금으로 결제한다. - 現金で支払う
8045. 너는 모바일로 결제할 것이다. - 携帯で支払います。
8046. 됐어? - いいですか？
8047. 네, 됐어. - はい、大丈夫です。

8048. 거래하다 - 取引する
8049. 그는 주식을 거래했다. - 彼は株を取引した。
8050. 우리는 물건을 거래한다. - 物を取引する。
8051. 당신들은 부동산을 거래할 것이다. - 君たちは不動産を取引する。
8052. 필요한 거 있어? - 何か必要なものはありますか？
8053. 아니, 괜찮아. - いえ、大丈夫です。
8054. 대표하다 - 代表として
8055. 그녀는 팀을 대표했다. - 彼女はチームの代表。
8056. 나는 회사를 대표한다. - 私は会社の代表。
8057. 너는 학급을 대표할 것이다. - あなたはクラスの代表です。
8058. 준비됐어? - 準備はいいですか？
8059. 네, 준비됐어. - はい、準備はできています。
8060. 영향을 주다 - 影響を与える
8061. 그들은 시장에 영향을 주었다. - 彼らは市場に影響を与えた。
8062. 나는 결정에 영향을 준다. - 私は決定に影響を与える。
8063. 너는 결과에 영향을 줄 것이다. - あなたは結果に影響を与える。
8064. 변화됐어? - 変わりましたか？
8065. 네, 변화됐어. - はい、変わりました。
8066. 영향을 받다 - 影響を受ける
8067. 나는 날씨에 영향을 받았다. - 私は天気に影響された。
8068. 너는 소식에 영향을 받는다. - あなたはニュースに影響される。
8069. 그는 경제에 영향을 받을 것이다. - 彼は経済の影響を受けるだろう。
8070. 괜찮아? - 大丈夫ですか？
8071. 네, 괜찮아. - はい、大丈夫です。
8072. 제외하다 - 除外する
8073. 그녀는 목록에서 제외됐다. - 彼女はリストから除外された。
8074. 우리는 예외를 제외한다. - 我々は例外を除外する。
8075. 당신들은 조항을 제외할 것이다. - 条項を除外します。
8076. 빠진 거 있어? - 何か見逃しましたか？
8077. 아니, 없어. - いいえ、何もありません。
8078. 허용하다 - 許可する
8079. 그는 요청을 허용했다. - 彼は要求を許可した。
8080. 나는 접근을 허용한다. - 私はアクセスを許可します。
8081. 너는 변경을 허용할 것이다. - 変更を許可する。

8082. 가능해? - できるか？
8083. 네, 가능해. - はい、可能です。
8084. 유도하다 - 引き出す
8085. 그들은 토론을 유도했다. - 彼らは議論を誘発した。
8086. 나는 생각을 유도한다. - 私は考えを引き出す。
8087. 너는 결론을 유도할 것이다. - あなたは結論を引き出す。
8088. 알겠어? - わかりましたか？
8089. 네, 알겠어. - はい、分かりました。
8090. 유발하다 - 引き起こす
8091. 그녀는 웃음을 유발했다. - 彼女は笑いを引き起こす。
8092. 우리는 호기심을 유발한다. - 好奇心を引き起こす。
8093. 당신들은 혼란을 유발할 것이다. - あなたたちは混乱を引き起こす。
8094. 웃겼어? - 面白かったですか？
8095. 네, 웃겼어. - はい、面白かったです。
8096. 유치하다 - 引き付ける
8097. 나는 투자를 유치했다. - 私は投資を誘致した。
8098. 너는 관광객을 유치한다. - あなたは観光客を引きつける。
8099. 그는 회원을 유치할 것이다. - 彼は会員を引き付ける。
8100. 성공했어? - 成功しましたか？
8101. 네, 성공했어. - はい、成功しました。
8102. 91. 명사 단어들 외우기, 필수 10개 동사의 단어들을 가지고 50문장 연습하기 - 91.名詞の単語を覚え、10個の必須動詞の単語を使って50文練習する。
8103. 프로젝트 - プロジェクト
8104. 팀 - チーム
8105. 운동 - ワークアウト
8106. 결혼 생활 - 結婚生活
8107. 과거 - 過去
8108. 문제 - 問題
8109. 방문객 - 訪問者
8110. 길 - 道
8111. 미래 - 未来
8112. 땅 - 地球
8113. 계획 - 計画
8114. 성공 - 成功

8115. 관심 - 関心
8116. 변화 - 変化
8117. 학교 - 学校
8118. 대학 - 大学
8119. 고등학교 - 高校
8120. 경험 - 経験
8121. 지식 - 知識
8122. 환경 - 環境
8123. 사회 - 社会
8124. 줄 - ライン
8125. 기회 - 機会
8126. 사과 - 謝る
8127. 피자 - ピザ
8128. 과자 - スナック
8129. 이끌다 - リードする
8130. 그들은 프로젝트를 이끌었다. - 彼らはプロジェクトを率いた。
8131. 나는 팀을 이끈다. - 私はチームを率いる。
8132. 너는 운동을 이끌 것이다. - あなたはワークアウトをリードする。
8133. 준비됐니? - 準備はいいですか？
8134. 네, 준비됐어. - はい、準備はできています。
8135. 이혼하다 - 離婚する
8136. 그녀는 결혼 생활을 이혼했다. - 彼女は結婚を離婚した。
8137. 나는 과거를 이혼한다. - 私は過去と離婚する。
8138. 너는 문제에서 이혼할 것이다. - 問題から自分を切り離す。
8139. 괜찮니? - 大丈夫ですか？
8140. 네, 괜찮아. - はい、大丈夫です。
8141. 인도하다 - 導く
8142. 그는 방문객을 인도했다. - 彼は訪問者を案内した。
8143. 우리는 새로운 길을 인도한다. - 新しい道へと導く。
8144. 당신들은 미래로 인도할 것이다. - 未来への道を導くのだ。
8145. 맞는 길이야? - これが正しい道ですか？
8146. 네, 맞아. - そうだ。
8147. 일구다 - 働くこと
8148. 그들은 땅을 일궜다. - 彼らは土地を耕し

8149. 나는 계획을 일군다. - 私は計画を立てる。
8150. 너는 성공을 일굴 것이다. - あなたは成功する。
8151. 진행됐어? - うまくいったのか？
8152. 네, 진행됐어. - はい、成功です。
8153. 일으키다 - 引き起こす
8154. 그녀는 관심을 일으켰다. - 彼女は関心を引き起こした。
8155. 우리는 문제를 일으킨다. - 私たちは問題を引き起こします。
8156. 당신들은 변화를 일으킬 것이다. - あなたは変化を引き起こす。
8157. 뭐야 그거? - それは何ですか？
8158. 중요한 거야. - 重要なことだ
8159. 입학하다 - 入学する
8160. 나는 학교에 입학했다. - 私は学校に入った。
8161. 너는 대학에 입학한다. - あなたは大学に入学します。
8162. 그는 고등학교에 입학할 것이다. - 高校に入学します。
8163. 준비됐어? - 準備はできていますか？
8164. 네, 준비됐어. - はい、準備はできています。
8165. 자라다 - 成長するために
8166. 그들은 함께 자랐다. - 彼らは一緒に成長した。
8167. 나는 경험으로 자란다. - 経験を積んで成長する。
8168. 너는 지식으로 자랄 것이다. - 知識を得て成長する。
8169. 컸니? - 成長した？
8170. 네, 컸어. - はい、成長しました。
8171. 작용하다 - 行動する
8172. 그녀는 팀에 작용했다. - 彼女はチームのために行動した。
8173. 우리는 환경에 작용한다. - 私たちは環境のために行動します。
8174. 당신들은 사회에 작용할 것이다. - 社会に対して行動する。
8175. 느꼈어? - 感じましたか？
8176. 네, 느꼈어. - はい、感じました。
8177. 잡아당기다 - 引っ張る
8178. 나는 줄을 잡아당겼다. - 糸を引っ張った。
8179. 너는 관심을 잡아당긴다. - あなたは注意を引く。
8180. 그는 기회를 잡아당길 것이다. - 彼はチャンスに引っ張られる。
8181. 성공했니? - 成功しましたか？
8182. 네, 성공했어. - はい、成功しました。

8183. 잡아먹다 - 食べる
8184. 나는 사과를 잡아먹었다. - 私はリンゴをつかんだ。
8185. 너는 피자를 잡아먹는다. - あなたはピザを食べる。
8186. 그는 과자를 잡아먹을 것이다. - 彼はお菓子をつまむでしょう。
8187. 배고파? - お腹が空いていますか？
8188. 네, 배고파. - はい、お腹が空いています。
8189. 92. 명사 단어들 외우기, 필수 10개 동사의 단어들을 가지고 50문장 연습하기 - 92. 名詞の単語を覚え、10個の必須動詞の単語を使って50の文を練習しなさい。
8190. 공 - ボール
8191. 기회 - 機会
8192. 순간 - 瞬間
8193. 상황 - 状況
8194. 시장 - 市場
8195. 분위기 - 雰囲気
8196. 카메라 - カメラ
8197. 배터리 - バッテリー
8198. 부품 - パート
8199. 논쟁 - 議論
8200. 소음 - 騒音
8201. 갈등 - 衝突
8202. 권리 - 権利
8203. 위치 - 場所
8204. 우승 - チャンピオンシップ
8205. 집 - 家
8206. 차 - 車
8207. 자산 - アセット
8208. 손 - ハンド
8209. 발 - 足
8210. 어깨 - 肩
8211. 약속 - 約束
8212. 계획 - 計画
8213. 기계 - 機械
8214. 데이터 - データ

8215. 시스템 - システム
8216. 도시 - 都市
8217. 영역 - 地域
8218. 지역 - 地域
8219. 잡아채다 - キャッチする
8220. 그는 공을 잡아챘다. - 彼はボールをキャッチした。
8221. 그녀는 기회를 잡아챈다. - 彼女はチャンスをつかんだ。
8222. 우리는 순간을 잡아챌 것이다. - 私たちはその瞬間をつかむ。
8223. 봤어? - 今の見た？
8224. 아니, 못 봤어. - いいえ、見ていません
8225. 장악하다 - を支配する
8226. 그녀는 상황을 장악했다. - 彼女は状況を掌握した。
8227. 우리는 시장을 장악한다. - 我々は市場をコントロールする。
8228. 당신들은 분위기를 장악할 것이다. - あなたは雰囲気をコントロールする。
8229. 준비됐어? - 準備はいいか？
8230. 네, 준비됐어. - はい、準備はできています
8231. 장착하다 - マウントする
8232. 나는 카메라를 장착했다. - 私はカメラをマウントした。
8233. 너는 배터리를 장착한다. - バッテリーをマウントする
8234. 그는 부품을 장착할 것이다. - 彼は部品を取り付ける。
8235. 맞아? - それでいいのか？
8236. 네, 맞아. - はい、その通りです。
8237. 잦아들다 - 議論をやめる
8238. 그는 논쟁이 잦아들었다. - 彼は口論をやめた。
8239. 그녀는 소음이 잦아든다. - 彼女は騒ぐのをやめるだろう。
8240. 우리는 갈등이 잦아들 것이다. - 私たちは衝突することが少なくなるでしょう。
8241. 끝났어? - 終わりましたか？
8242. 아니, 안 끝났어. - いいえ、終わっていません。
8243. 쟁기다 - 耕す
8244. 그녀는 권리를 쟁겼다. - 彼女は権利のために耕した。
8245. 우리는 위치를 쟁긴다. - 私たちはポジションのために耕す。
8246. 당신들은 우승을 쟁길 것이다. - あなたは勝利のために耕す。
8247. 이겼어? - 勝ったのか？

8248. 네, 이겼어. - はい、勝ちました。
8249. 저당잡히다 - 抵当に入れる
8250. 나는 집이 저당잡혔다. - 私は家を抵当に入れた。
8251. 너는 차가 저당잡힌다. - あなたは車を抵当に入れる。
8252. 그는 자산이 저당잡힐 것이다. - 資産を抵当に入れる。
8253. 괜찮아? - 大丈夫ですか？
8254. 아니, 안 괜찮아. - いや、大丈夫じゃない。
8255. 저리다 - ヒリヒリする。
8256. 나는 손이 저렸다. - 手がしびれる。
8257. 너는 발이 저린다. - 足がしびれる。
8258. 그는 어깨가 저릴 것이다. - 肩がしびれる。
8259. 아파? - 痛いですか？
8260. 네, 아파. - ええ、痛いです。
8261. 저버리다 - 放棄する
8262. 그녀는 약속을 저버렸다. - 彼女は約束を反故にした。
8263. 우리는 계획을 저버린다. - 計画を放棄する。
8264. 당신들은 기회를 저버릴 것이다. - チャンスを無駄にする。
8265. 실망했어? - がっかりしましたか？
8266. 네, 실망했어. - はい、失望しています。
8267. 점검하다 - チェックする
8268. 그는 기계를 점검했다. - 彼は機械をチェックした。
8269. 그녀는 데이터를 점검한다. - 彼女はデータをチェックする。
8270. 우리는 시스템을 점검할 것이다. - システムをチェックします。
8271. 문제 있어? - 問題はありますか？
8272. 아니, 문제 없어. - いいえ、問題はありません。
8273. 점령하다 - 占領する
8274. 그들은 도시를 점령했다. - 街を占領した。
8275. 당신들은 영역을 점령한다. - 領土を奪うのだ
8276. 그는 지역을 점령할 것이다. - 彼が領土を占領する
8277. 성공했어? - 成功したのか？
8278. 네, 성공했어. - はい、成功しました
8279. 93. 명사 단어들 외우기, 필수 10개 동사의 단어들을 가지고 50문장 연습하기 - 93. 名詞の単語を暗記し、必要な10個の動詞の単語を使って50の文を練習する

8280. 목표 - 目標
8281. 위치 - 場所
8282. 대상 - 目標
8283. 신청서 - 応用
8284. 문의 - 問い合わせ
8285. 요청 - リクエスト
8286. 고객 - お客様
8287. 팀 - チーム
8288. 파트너 - パートナー
8289. 산 - 山
8290. 과제 - 課題
8291. 도전 - チャレンジ
8292. 시스템 - システム
8293. 상황 - 状況
8294. 관계 - 関係
8295. 도시 - 都市
8296. 직장 - 直腸
8297. 커뮤니티 - コミュニティ
8298. 계획 - 計画
8299. 날짜 - 日付
8300. 의문 - 質問
8301. 이슈 - 問題
8302. 문제 - 問題
8303. 차 - 車
8304. 속도 - スピード
8305. 진행 - 進歩
8306. 반대 - 逆
8307. 상대 - 相手
8308. 점찍다 - 指差す
8309. 그녀는 목표를 점찍었다. - ゴールを指差した
8310. 우리는 위치를 점찍는다. - 私たちは場所を指さします。
8311. 당신들은 대상을 점찍을 것이다. - あなたは目標を指さします。
8312. 확실해? - 間違いないですか？
8313. 네, 확실해. - はい、間違いありません。

8314. 접수하다 - 受け取る
8315. 나는 신청서를 접수했다. - 申し込みを受け取りました。
8316. 너는 문의를 접수한다. - 問い合わせを受け取ります。
8317. 그는 요청을 접수할 것이다. - 彼は依頼を受け取ります。
8318. 받았어? - 受け取りましたか？
8319. 네, 받았어. - はい、受け取りました。
8320. 접촉하다 - コンタクトを取る
8321. 그는 고객과 접촉했다. - 彼は顧客と連絡を取った。
8322. 그녀는 팀과 접촉한다. - 彼女はチームに連絡する。
8323. 우리는 파트너와 접촉할 것이다. - パートナーに連絡します。
8324. 준비됐어? - 準備はできていますか？
8325. 네, 준비됐어. - はい、準備はできています。
8326. 정복하다 - 征服する
8327. 그들은 산을 정복했다. - 彼らは山を征服した。
8328. 당신들은 과제를 정복한다. - あなたは課題を克服する。
8329. 그는 도전을 정복할 것이다. - 彼は課題を克服する。
8330. 가능해? - できますか？
8331. 네, 가능해. - はい、可能です。
8332. 정상화하다 - 正常化する
8333. 나는 시스템을 정상화했다. - 私はシステムを正常化した。
8334. 너는 상황을 정상화한다. - あなたは状況を正常化する。
8335. 그는 관계를 정상화할 것이다. - 彼は関係を正常化する。
8336. 해결됐어? - うまくいったのか？
8337. 네, 해결됐어. - はい、解決しました。
8338. 정착하다 - 解決する
8339. 그녀는 새 도시에 정착했다. - 彼女は新しい街に落ち着いた。
8340. 우리는 직장에 정착한다. - 私たちは仕事に落ち着く。
8341. 당신들은 커뮤니티에 정착할 것이다. - あなたは地域に落ち着くでしょう。
8342. 편해? - 快適ですか？
8343. 네, 편해. - はい、快適です。
8344. 정하다 - 落ち着く
8345. 나는 목표를 정했다. - 私は目標を立てた。
8346. 너는 계획을 정한다. - 計画を立てたのです。
8347. 그는 날짜를 정할 것이다. - 日程を決める

8348. 결정했어? - 決めた？
8349. 네, 결정했어. - はい、決めました。
8350. 제기하다 - 質問をする
8351. 그는 의문을 제기했다. - 彼は問題を提起した。
8352. 그녀는 이슈를 제기한다. - 彼女は問題を提起する。
8353. 우리는 문제를 제기할 것이다. - 問題を提起する。
8354. 맞아? - それでいいのですか？
8355. 네, 맞아. - はい、その通りです。
8356. 제동하다 - ブレーキをかける
8357. 나는 차를 제동했다. - 私は車にブレーキをかけた。
8358. 너는 속도를 제동한다. - スピードにブレーキをかける。
8359. 그는 진행을 제동할 것이다. - 彼は前進にブレーキをかける。
8360. 멈췄어? - 止まりましたか？
8361. 네, 멈췄어. - はい、止まりました。
8362. 제압하다 - 制圧する
8363. 그들은 반대를 제압했다. - 彼らは反対勢力を制圧した。
8364. 당신들은 문제를 제압한다. - あなたは問題を制圧した。
8365. 그는 상대를 제압할 것이다. - 彼は相手を制圧する。
8366. 이겼어? - 勝ったのですか？
8367. 네, 이겼어. - はい、勝ちました。
8368. 94. 명사 단어들 외우기, 필수 10개 동사의 단어들을 가지고 50문장 연습하기 - 94. 名詞の単語を暗記し、10個の必須動詞の単語を使って50文を練習しなさい。
8369. 건너갈 때 - 交差するとき
8370. 사용할 때 - 使う時
8371. 말할 때 - 話すとき
8372. 압박 - プレッシャー
8373. 긴장 - 緊張する
8374. 시간 - 時間
8375. 연구 - 研究
8376. 교육 - 教育
8377. 상담 - コンサルティング
8378. 실패 - 失敗
8379. 장애 - 障害

8380. 거부 - 拒否
8381. 프로젝트 - プロジェクト
8382. 회의 - ミーティング
8383. 혁신 - イノベーション
8384. 음식 - 食品
8385. 상품 - 商品
8386. 서비스 - サービス
8387. 피곤 - 疲れ
8388. 슬픔 - 悲しみ
8389. 부담 - 負担
8390. 문 - ドア
8391. 창문 - 窓
8392. 뚜껑 - 蓋
8393. 체중 - 重さ
8394. 관심 - 興味
8395. 거리 - 距離
8396. 소음 - ノイズ
8397. 비용 - 費用
8398. 조심하다 - 注意する
8399. 나는 건너갈 때 조심했다. - 横断するときは気をつけました。
8400. 너는 사용할 때 조심한다. - あなたはそれを使う時に気をつけている。
8401. 그는 말할 때 조심할 것이다. - 彼は話すときに注意する。
8402. 괜찮아? - 大丈夫ですか？
8403. 네, 괜찮아. - はい、大丈夫です。
8404. 조여오다 - 締める
8405. 그는 압박이 조여왔다. - 彼は圧力がきつくなるのを感じた。
8406. 그녀는 긴장이 조여온다. - 彼女は緊張がきつくなるのを感じる。
8407. 우리는 시간이 조여올 것이다. - 時間に追われそうだ。
8408. 버틸 수 있어? - 持ちこたえてくれますか？
8409. 네, 버텨. - はい、持ちこたえます。
8410. 종사하다 - 研究に没頭する
8411. 나는 연구에 종사했다. - 私は研究に従事していました。
8412. 너는 교육에 종사한다. - あなたは教育に従事している。
8413. 그는 상담에 종사할 것이다. - 彼はカウンセリングに従事しています。

8414. 좋아해? - 好きですか？
8415. 네, 좋아해. - ええ、好きです。
8416. 좌절하다 - 挫折する
8417. 그녀는 실패에 좌절했다. - 彼女は自分の失敗に苛立った。
8418. 우리는 장애에 좌절한다. - 障害に苛立つ。
8419. 당신들은 거부에 좌절할 것이다. - 拒絶されることに苛立つ。
8420. 힘들어? - 辛いですか？
8421. 네, 힘들어. - はい、難しいです。
8422. 주도하다 - リードする
8423. 나는 프로젝트를 주도했다. - 私はプロジェクトを率いた。
8424. 너는 회의를 주도한다. - あなたは会議をリードする。
8425. 그는 혁신을 주도할 것이다. - 彼がイノベーションをリードする。
8426. 준비됐어? - 準備はできていますか？
8427. 네, 준비됐어. - はい、準備はできています
8428. 주문하다 - 注文する
8429. 그녀는 음식을 주문했다. - 彼女は食べ物を注文した。
8430. 우리는 상품을 주문한다. - 私たちは商品を注文します。
8431. 당신들은 서비스를 주문할 것이다. - あなたはサービスを注文します。
8432. 뭐 주문할까? - 何を注文しましょうか？
8433. 피자 좋아. - 私はピザが好きです。
8434. 주저앉다 - だるくなる
8435. 나는 피곤에 주저앉았다. - 私は疲れている。
8436. 너는 슬픔에 주저앉는다. - あなたは悲しみに打ちひしがれている。
8437. 그는 부담에 주저앉을 것이다. - 彼はプレッシャーにくじける。
8438. 힘들어? - 疲れていますか？
8439. 네, 많이. - ええ、たくさん。
8440. 죄다 - とてもね
8441. 그는 문을 죄었다. - 彼はドアを締める。
8442. 그녀는 창문을 죈다. - 彼女は窓を絞る。
8443. 우리는 뚜껑을 죌 것이다. - 蓋を締める。
8444. 닫혔어? - 閉まっていますか？
8445. 네, 닫혔어. - はい、閉まっています。
8446. 줄다 - 体重を減らす
8447. 나는 체중이 줄었다. - 私は痩せた。

8448. 너는 관심이 줄었다. - あなたは興味を失った。
8449. 그는 거리가 줄 것이다. - 距離が縮まった
8450. 작아졌어? - 小さくなった？
8451. 네, 조금. - はい、少し。
8452. 줄이다 - 減らす
8453. 그녀는 소음을 줄였다. - 彼女は騒音を減らした。
8454. 우리는 비용을 줄인다. - 私たちは経費を削減します。
8455. 당신들은 시간을 줄일 것이다. - 時間を短縮します。
8456. 줄일까? - 減らす？
8457. 좋은 생각이야. - それはいい考えだ。
8458. 95. 명사 단어들 외우기, 필수 10개 동사의 단어들을 가지고 50문장 연습하기 - 95.名詞の単語を暗記し、10個の必須動詞の単語を使って50文練習する。
8459. 결정 - 決定
8460. 일 - 日
8461. 관계 - 関係
8462. 약속 - 約束
8463. 행동 - 行動
8464. 문제 - 問題
8465. 상황 - 状況
8466. 건강 - 健康
8467. 방 - 部屋
8468. 책상 - テーブル
8469. 자료 - データ
8470. 반복 - リピート
8471. 음식 - 食べ物
8472. 기다림 - ウェイト
8473. 목표 - ターゲット
8474. 꿈 - 夢
8475. 성공 - 成功
8476. 좋고 나쁨 - 善と悪
8477. 진실과 거짓 - 真実と嘘
8478. 중요한 것 - 大いに
8479. 우연히 - 偶然
8480. 친구 - 友人

8481. 기회 - 機会
8482. 도전 - 挑戦
8483. 위험 - 危険
8484. 변화 - 変化
8485. 적 - 敵
8486. 중요하다 - 重要
8487. 그는 결정이 중요했다. - 彼の決断は重要だった。
8488. 그녀는 일이 중요하다. - 彼女の仕事は重要だ。
8489. 우리는 관계가 중요할 것이다. - 私たちの関係は重要だろう。
8490. 중요해? - 重要？
8491. 네, 매우. - ええ、とても
8492. 지체하다 - 遅刻する
8493. 나는 약속에 지체했다. - 約束の時間に遅れた。
8494. 너는 결정에 지체한다. - あなたは決断が遅れている。
8495. 그는 행동에 지체할 것이다. - 彼は行動に遅れます。
8496. 늦었어? - 遅刻ですか？
8497. 조금 늦었어. - 少し遅れます。
8498. 진단하다 - 診断する
8499. 그녀는 문제를 진단했다. - 彼女は問題を診断した。
8500. 우리는 상황을 진단한다. - 状況を診断します。
8501. 당신들은 건강을 진단할 것이다. - あなたの健康を診断します。
8502. 건강해? - あなたは健康ですか？
8503. 네, 괜찮아. - はい、元気です。
8504. 질러놓다 - 散らかす
8505. 나는 방을 질러놓았다. - 部屋を片付けます。
8506. 너는 책상을 질러놓는다. - あなたは机を片付けます。
8507. 그는 자료를 질러놓을 것이다. - 彼は資料を片付けます。
8508. 정리할까? - 片付けましょうか。
8509. 나중에 할게. - 後でやります。
8510. 질리다 - に飽きる。
8511. 그는 반복에 질렸다. - 彼は繰り返しに飽きている。
8512. 그녀는 음식에 질린다. - 彼女は食事に飽きている。
8513. 우리는 기다림에 질릴 것이다. - 待ちくたびれる。
8514. 질렸어? - あなたは飽きましたか？

8515. 아직 아냐. - まだです。
8516. 질주하다 - 疾走する
8517. 나는 목표를 향해 질주했다. - 私は目標に向かって疾走した。
8518. 너는 꿈을 향해 질주한다. - あなたは夢に向かって疾走する。
8519. 그는 성공을 향해 질주할 것이다. - 成功に向かって疾走する。
8520. 빠르게? - 早く？
8521. 최선을 다해. - できる限り早く。
8522. 분별하다 - 見極める
8523. 그녀는 좋고 나쁨을 분별했다. - 彼女は善悪を見分ける。
8524. 우리는 진실과 거짓을 분별한다. - 私たちは真実と偽りを見分ける。
8525. 당신들은 중요한 것을 분별할 것이다. - 何が重要かを見分ける。
8526. 알아볼 수 있어? - 見分けられますか？
8527. 시도해볼게. - やってみます。
8528. 마주치다 - 出くわす
8529. 나는 우연히 그와 마주쳤다. - 私は偶然彼に出くわした。
8530. 너는 친구와 마주친다. - あなたは友人に出くわす。
8531. 그는 기회와 마주칠 것이다. - 彼はチャンスにぶつかる。
8532. 누구 만났어? - 誰に会ったの？
8533. 옛 친구야. - 古い友人。
8534. 직면하다 - 直面する
8535. 그는 도전과 직면했다. - 彼は困難に直面した。
8536. 그녀는 위험과 직면한다. - 彼女は危険に直面する。
8537. 우리는 변화와 직면할 것이다. - 我々は変化に直面するだろう。
8538. 겁났어? - 怖いか？
8539. 조금, 그래. - 少しね。
8540. 대면하다 - 直面する
8541. 나는 문제를 대면했다. - 私は問題に直面した。
8542. 너는 상황을 대면한다. - あなたは状況に直面する。
8543. 그는 적을 대면할 것이다. - 敵に立ち向かう。
8544. 준비됐어? - 準備はできていますか？
8545. 네, 준비됐어. - はい、準備はできています
8546. 96. 명사 단어들 외우기, 필수 10개 동사의 단어들을 가지고 50문장 연습하기 - 96. 名詞の単語を暗記し、10個の必須動詞の単語を使って50文を練習する。

8547. 기술 - テクノロジー
8548. 이슈 - 問題
8549. 감정 - 感情
8550. 동아리 - クラブ
8551. 커뮤니티 - コミュニティ
8552. 프로젝트 - プロジェクト
8553. 전략 - 戦略
8554. 생각 - 思想
8555. 의견 - 意見
8556. 지지 - サポート
8557. 친구 - 友人
8558. 팀 - チーム
8559. 선수 - プレーヤー
8560. 동생 - 兄弟
8561. 동료 - 同僚
8562. 정보 - 情報
8563. 자료 - データ
8564. 증거 - エビデンス
8565. 용기 - 勇気
8566. 사람들 - 人々
8567. 자금 - 資金
8568. 가족 - 家族
8569. 상대방 - 反対者
8570. 위험 - 危険
8571. 도전 - 挑戦
8572. 실패 - 失敗
8573. 다루다 - 対処する
8574. 그녀는 기술을 다루었다. - 彼女は技術に対処した。
8575. 우리는 이슈를 다룬다. - 私たちは問題に対処する。
8576. 당신들은 감정을 다룰 것이다. - あなたは感情を扱う。
8577. 어려워? - 難しいですか？
8578. 조금 어려워. - 少し難しい。
8579. 활동하다 - 活動する
8580. 나는 동아리에서 활동했다. - 私はクラブで活動していました。

8581. 너는 커뮤니티에서 활동한다. - あなたは地域で活動している。
8582. 그는 프로젝트에서 활동할 것이다. - 彼はプロジェクトで活動するでしょう。
8583. 재밌어? - 楽しいですか？
8584. 네, 많이. - はい、とても。
8585. 진화하다 - 進化する
8586. 그는 전략을 진화시켰다. - 彼は戦略を進化させた。
8587. 그녀는 생각을 진화시킨다. - 彼女は考え方を進化させる。
8588. 우리는 기술을 진화시킬 것이다. - 我々は技術を進化させる。
8589. 변했어? - 変わりましたか？
8590. 많이 변했어. - 大きく変わったよ。
8591. 표시하다 - 示す
8592. 나는 감정을 표시했다. - 私は自分の感情に印をつけた。
8593. 너는 의견을 표시한다. - 意見を述べる。
8594. 그는 지지를 표시할 것이다. - 彼は支持を示すだろう。
8595. 보여줄까? - 見せようか？
8596. 좋아, 보여줘. - いいよ、見せて。
8597. 응원하다 - 応援する
8598. 그녀는 친구를 응원했다. - 彼女は友人を応援する。
8599. 우리는 팀을 응원한다. - チームを応援する。
8600. 당신들은 선수를 응원할 것이다. - あなたは選手を応援します。
8601. 같이 갈래? - 一緒に行く？
8602. 네, 가자. - はい、行きましょう。
8603. 주의를 주다 - 注意を向ける
8604. 나는 동생에게 주의를 주었다. - 私は弟に注意を与えた。
8605. 너는 친구에게 주의를 준다. - あなたは友人に注意を向ける。
8606. 그는 동료에게 주의를 줄 것이다. - 彼は同僚に注意をする。
8607. 필요해? - 必要ですか？
8608. 네, 조심해. - はい、注意してください。
8609. 수집하다 - 収集する
8610. 그녀는 정보를 수집했다. - 彼女は情報を集めた。
8611. 우리는 자료를 수집한다. - 私たちは資料を集めます。
8612. 당신들은 증거를 수집할 것이다. - あなたは証拠を集める。
8613. 찾았어? - 見つけましたか？

8614. 네, 찾았어. - はい、見つけました。
8615. 모으다 - 集める
8616. 나는 용기를 모았다. - 私は勇気を集めた。
8617. 너는 사람들을 모은다. - あなたは人を集める。
8618. 그는 자금을 모을 것이다. - 彼は資金を集める。
8619. 준비됐어? - 準備はできたか？
8620. 거의 다 됐어. - もう少しだ
8621. 속이다 - 欺くために
8622. 그는 친구를 속였다. - 彼は友人をだました。
8623. 그녀는 가족을 속인다. - 彼女は家族をだます。
8624. 우리는 상대방을 속일 것이다. - 相手をだます。
8625. 알아챘어? - わかったかい？
8626. 아니, 몰라. - いいえ、わかりません。
8627. 꺼리다 - 渋々
8628. 나는 위험을 꺼렸다. - 私は危険を冒すことに消極的だった。
8629. 너는 도전을 꺼린다. - あなたは挑戦することに消極的だ。
8630. 그는 실패를 꺼릴 것이다. - 失敗することを渋るだろう。
8631. 두려워? - 恐れる？
8632. 조금, 그래. - 少しね。
8633. 97. 명사 단어들 외우기, 필수 10개 동사의 단어들을 가지고 50문장 연습하기 - 97. 名詞の単語を暗記し、10個の必須動詞の単語を使って50の文章を練習する。
8634. 소식 - ニュース
8635. 상황 - 状況
8636. 결과 - 結果
8637. 성공 - 成功
8638. 달성 - 達成
8639. 지연 - 遅延
8640. 소음 - 騒音
8641. 불편 - 不都合
8642. 실수 - ミス
8643. 성취 - 達成
8644. 팀 - チーム
8645. 성과 - 結果

8646. 늦음 - 遅刻
8647. 오해 - 誤解
8648. 친구의 성공 - 友人の成功
8649. 동료의 기회 - 同僚
8650. 이웃의 행복 - ご近所づきあい
8651. 동생의 인기 - 弟の人気
8652. 친구의 재능 - 友人の才能
8653. 동료의 성공 - 同僚の成功
8654. 의견 - 意見
8655. 규칙 - ルール
8656. 선택 - 選ぶ
8657. 계획 - 計画
8658. 슬프다 - 悲しい
8659. 그녀는 소식에 슬퍼했다. - 彼女はそのニュースに悲しんだ。
8660. 우리는 상황에 슬퍼한다. - 私たちはこの状況に悲しんでいる。
8661. 당신들은 결과에 슬퍼할 것이다. - あなたは結果を悲しむでしょう。
8662. 괜찮아? - 大丈夫ですか？
8663. 아니, 슬퍼. - いいえ、悲しいです。
8664. 기쁘다 - うれしいです。
8665. 나는 성공에 기뻐했다. - 成功を喜びました。
8666. 너는 소식에 기뻐한다. - あなたはその知らせを喜ぶ。
8667. 그는 달성에 기뻐할 것이다. - 達成を喜ぶだろう。
8668. 행복해? - 嬉しいですか？
8669. 네, 매우. - ええ、とても。
8670. 짜증나다 - 迷惑をかける
8671. 그는 지연에 짜증났다. - 彼は遅刻に腹を立てている。
8672. 그녀는 소음에 짜증난다. - 彼女は騒音に悩まされている。
8673. 우리는 불편에 짜증날 것이다. - 私たちはその不便さにイライラするでしょう。
8674. 짜증나? - 迷惑？
8675. 네, 많이. - ええ、とても。
8676. 부끄럽다 - 恥ずかしい
8677. 나는 실수에 부끄러워했다. - 私はそのミスが恥ずかしかった。
8678. 너는 상황에 부끄러워한다. - あなたはその状況に照れている。

8679. 그는 결과에 부끄러워할 것이다. - 彼は結果によって恥ずかしい思いをする。
8680. 어색해? - 気まずい？
8681. 네, 조금. - はい、少し。
8682. 자랑스럽다 - 誇り
8683. 그녀는 성취에 자랑스러워했다. - 彼女は自分の達成を誇りに思った。
8684. 우리는 팀에 자랑스러워한다. - 私たちはチームを誇りに思います。
8685. 당신들은 성과에 자랑스러워할 것이다. - 自分の成果を誇りに思うべきだ。
8686. 뿌듯해? - 誇り？
8687. 네, 많이. - ええ、とても。
8688. 미안하다 - ごめんなさい
8689. 나는 실수로 미안했다. - 私のミスで申し訳ありませんでした。
8690. 너는 늦음에 미안하다. - 遅刻してすみませんでした。
8691. 그는 오해에 미안할 것이다. - 彼は誤解を謝るだろう。
8692. 사과할래? - 謝りますか？
8693. 네, 사과할게. - はい、謝ります。
8694. 부러워하다 - 妬む
8695. 그는 친구의 성공을 부러워했다. - 彼は友人の成功をねたむ。
8696. 그녀는 동료의 기회를 부러워한다. - 彼女は同僚のチャンスをねたむ。
8697. 우리는 이웃의 행복을 부러워할 것이다. - 隣人の幸せをねたむ。
8698. 부럽지? - 妬む、ですか？
8699. 응, 부럽다. - そう、ねたむ。
8700. 질투하다 - 嫉妬する
8701. 나는 동생의 인기를 질투했다. - 弟の人気に嫉妬する。
8702. 너는 친구의 재능을 질투한다. - 友人の才能に嫉妬する。
8703. 그는 동료의 성공을 질투할 것이다. - 同僚の成功に嫉妬する。
8704. 질투해? - 嫉妬する？
8705. 좀, 그래. - 少しはね。
8706. 강요하다 - 押し付ける
8707. 그녀는 의견을 강요했다. - 彼女は自分の意見を押し付けた。
8708. 우리는 규칙을 강요한다. - 私たちは規則を押し付ける。
8709. 당신들은 선택을 강요할 것이다. - あなたは選択を押し付ける
8710. 필요해? - 必要ですか？
8711. 아니, 선택해. - いいえ、あなたが選ぶのです。

8712. 공표하다 - 公布する
8713. 나는 계획을 공표했다. - 私は計画を公布する。
8714. 너는 의견을 공표한다. - あなたは意見を表明する。
8715. 그는 결과를 공표할 것이다. - 結果を公表する
8716. 알렸어? - 発表したのですか？
8717. 네, 모두에게. - はい、みんなに。
8718. 98. 명사 단어들 외우기, 필수 10개 동사의 단어들을 가지고 50문장 연습하기 - 98. 名詞の単語を暗記し、10の必須動詞の単語を使って50の文を練習しなさい。
8719. 억압 - 抑制
8720. 부정 - 拒否
8721. 위협 - 脅威
8722. 분쟁 - 論争
8723. 갈등 - 衝突
8724. 문제 - 問題
8725. 조건 - 条件
8726. 요구 - 要求
8727. 계획 - 計画
8728. 신호 - シグナル
8729. 경고 - 警告
8730. 증거 - 証拠
8731. 우정 - 友情
8732. 건강 - 健康
8733. 지식 - 知識
8734. 기회 - 機会
8735. 관계 - 関係
8736. 추억 - 記憶
8737. 명령 - コマンド
8738. 자료 - データ
8739. 자금 - 資金
8740. 환자 - 患者
8741. 위험 - 危険
8742. 감염 - 感染
8743. 위기 - 危険

8744. 도전 - 挑戦
8745. 대항하다 - 立ち向かう
8746. 그는 억압에 대항했다. - 彼は抑圧に立ち向かった。
8747. 그녀는 부정에 대항한다. - 彼女は不正に立ち向かう。
8748. 우리는 위협에 대항할 것이다. - 私たちは脅威に立ち向かう。
8749. 이겼어? - 勝ったのか？
8750. 아직 모르겠어. - まだ分からない
8751. 중재하다 - 調停する
8752. 나는 분쟁을 중재했다. - 私は争いを調停した。
8753. 너는 갈등을 중재한다. - あなたは争いを調停する。
8754. 그는 문제를 중재할 것이다. - 彼が問題を調停する
8755. 해결됐어? - 解決しましたか？
8756. 네, 해결됐어. - はい、解決しました。
8757. 타협하다 - 妥協します
8758. 그녀는 조건에 타협했다. - 彼女は条件に妥協した。
8759. 우리는 요구에 타협한다. - 私たちは要求について妥協します。
8760. 당신들은 계획에 타협할 것이다. - あなたは計画に妥協する。
8761. 동의해? - 同意しますか？
8762. 네, 동의해. - はい、同意します。
8763. 간과하다 - 見落とす
8764. 나는 신호를 간과했다. - 私は信号を見落とした。
8765. 너는 경고를 간과한다. - あなたは警告を見落とす。
8766. 그는 증거를 간과할 것이다. - 彼は証拠を見落とす。
8767. 못 봤어? - 見なかったのか？
8768. 아니, 못 봤어. - いいえ、見ませんでした。
8769. 가치를 두다 - 評価する
8770. 그녀는 우정에 가치를 두었다. - 彼女は友情を大切にした。
8771. 우리는 건강에 가치를 둔다. - 私たちは健康を大切にする。
8772. 당신들은 지식에 가치를 둘 것이다. - 知識を大切にする。
8773. 중요해? - それは重要ですか？
8774. 네, 매우. - はい、とても。
8775. 소중히 여기다 - 大切にする
8776. 나는 기회를 소중히 여겼다. - 私は機会を大切にしました。
8777. 너는 관계를 소중히 여긴다. - あなたは人間関係を大切にする。

8778. 그는 추억을 소중히 여길 것이다. - 彼は思い出を大切にするでしょう
8779. 소중해? - 大切に？
8780. 네, 매우 소중해. - ええ、とても貴重なものです
8781. 대기하다 - 待つ
8782. 나는 명령을 대기했다. - 私は命令を待った。
8783. 너는 신호를 대기한다. - あなたは合図を待つ。
8784. 그는 기회를 대기할 것이다. - 彼は機会を待つ。
8785. 준비됐어? - 準備はできていますか？
8786. 네, 됐어. - はい、準備はできています。
8787. 예비하다 - 準備する
8788. 그는 자료를 예비했다. - 彼は資料を準備した。
8789. 그녀는 계획을 예비한다. - 彼女は計画を準備する。
8790. 우리는 자금을 예비할 것이다. - 資金を準備する。
8791. 준비할까? - 準備しましょうか？
8792. 네, 해야 해. - はい、そうしましょう。
8793. 격리하다 - 隔離する
8794. 그녀는 환자를 격리했다. - 彼女は患者を隔離した。
8795. 우리는 위험을 격리한다. - 我々はリスクを隔離する。
8796. 당신들은 감염을 격리할 것이다. - あなたは感染を隔離する。
8797. 안전해? - 安全ですか？
8798. 네, 안전해. - はい、安全です。
8799. 대처하다 - 対処する
8800. 나는 위기를 대처했다. - 私は危機に対処した。
8801. 너는 문제를 대처한다. - あなたは問題に対処する。
8802. 그는 도전을 대처할 것이다. - 彼は課題に対処する。
8803. 가능해? - 可能ですか？
8804. 네, 가능해. - はい、可能です。
8805. 99. 명사 단어들 외우기, 필수 10개 동사의 단어들을 가지고 50문장 연습하기 - 99. 名詞の単語を暗記し、10個の必須動詞の単語を使って50文を練習する。
8806. 적 - 敵
8807. 위협 - 脅威
8808. 경쟁 - 競う
8809. 함정 - 罠

8810. 오해 - 誤解
8811. 위기 - 危険
8812. 자리 - シート
8813. 의견 - 意見
8814. 기회 - 機会
8815. 운명 - 運命
8816. 도전 - 挑戦
8817. 이해관계 - 利害関係
8818. 상대 - 相手
8819. 세부사항 - 詳細
8820. 약속 - 約束
8821. 하늘 - 空
8822. 그림 - 絵画
8823. 전망 - 見る
8824. 비밀 - 秘密
8825. 조언 - アドバイス
8826. 계획 - 計画
8827. 기쁨 - 喜び
8828. 슬픔 - 悲しみ
8829. 승리 - 勝利
8830. 사과 - 謝る
8831. 의문 - 質問
8832. 정보 - 情報
8833. 맞서다 - 立ち向かう
8834. 그는 적을 맞섰다. - 彼は敵に立ち向かった。
8835. 그녀는 위협을 맞선다. - 彼女は脅威に立ち向かった。
8836. 우리는 경쟁을 맞설 것이다. - 私たちは競争に立ち向かいます。
8837. 두려워? - 怖いですか？
8838. 아니, 안 두려워. - いや、恐れていない。
8839. 빠지다 - に陥る
8840. 그녀는 함정에 빠졌다. - 彼女は罠にはまる。
8841. 우리는 오해에 빠진다. - 私たちは誤解に陥る。
8842. 당신들은 위기에 빠질 것이다. - 危機に陥る。
8843. 괜찮아? - 大丈夫ですか？

8844. 네, 괜찮아. - はい、大丈夫です。
8845. 양보하다 - 道を譲る
8846. 나는 자리를 양보했다. - 私は席を譲った。
8847. 너는 의견을 양보한다. - あなたは意見をゆだねる。
8848. 그는 기회를 양보할 것이다. - 機会をゆずる。
8849. 필요해? - 必要ですか？
8850. 아니, 괜찮아. - いえ、大丈夫です。
8851. 맞다 - 右へ
8852. 그는 운명을 맞았다. - 彼は運命に出会う。
8853. 그녀는 기회를 맞는다. - 彼女はチャンスを得る。
8854. 우리는 도전을 맞을 것이다. - 私たちは挑戦を受ける。
8855. 준비됐어? - 準備はできていますか？
8856. 네, 준비됐어. - ああ、準備はできている
8857. 충돌하다 - 衝突する
8858. 나는 의견이 충돌했다. - 私は意見の衝突がある。
8859. 너는 이해관계가 충돌한다. - あなたは利害が対立している。
8860. 그는 상대와 충돌할 것이다. - 相手と衝突する。
8861. 괜찮아? - 大丈夫ですか？
8862. 네, 괜찮아. - はい、大丈夫です。
8863. 놓치다 - 逃す
8864. 그녀는 기회를 놓쳤다. - 彼女は機会を逃した。
8865. 우리는 세부사항을 놓친다. - 詳細を見逃す。
8866. 당신들은 약속을 놓칠 것이다. - あなたは約束を逃します。
8867. 걱정돼? - ご心配ですか？
8868. 아니, 괜찮아. - いいえ、大丈夫です。
8869. 쳐다보다 - を見上げる
8870. 나는 하늘을 쳐다보았다. - 私は空を見つめた。
8871. 너는 그림을 쳐다본다. - あなたは絵を見つめる。
8872. 그는 전망을 쳐다볼 것이다. - 景色を見つめるだろう。
8873. 예쁘지? - きれいでしょう？
8874. 네, 예뻐. - ええ、きれいです
8875. 속삭이다 - ささやく
8876. 그는 비밀을 속삭였다. - 彼は秘密をささやく。
8877. 그녀는 조언을 속삭인다. - 彼女はアドバイスをささやく。

8878. 우리는 계획을 속삭일 것이다. - 私たちは計画をささやく。
8879. 들렸어? - 今の聞こえた？
8880. 아니, 못 들었어. - いいえ、聞こえませんでした。
8881. 외치다 - 叫ぶ
8882. 나는 기쁨을 외쳤다. - 私は喜びを叫んだ。
8883. 너는 슬픔을 외친다. - あなたは悲しみを叫ぶ。
8884. 그는 승리를 외칠 것이다. - 勝利を叫ぶ。
8885. 들려? - 聞こえますか？
8886. 네, 들려. - ああ、聞こえる。
8887. 물다 - 噛む
8888. 그녀는 사과를 물었다. - 彼女はリンゴを頼んだ。
8889. 우리는 의문을 묻는다. - 私たちは質問をする。
8890. 당신들은 정보를 물을 것이다. - あなたは情報を求めます。
8891. 아파? - 痛いですか？
8892. 아니, 안 아파. - いいえ、痛くありません。
8893. 100. 명사 단어들 외우기, 필수 10개 동사의 단어들을 가지고 50문장 연습하기 - 100.名詞の単語を覚え、10の必須動詞の単語を使って50の文を練習する。
8894. 사과 - 謝る
8895. 껌 - チューインガム
8896. 채소 - 野菜
8897. 커피 - コーヒー
8898. 곡물 - 穀物
8899. 향신료 - スパイス
8900. 스프 - スープ
8901. 샐러드 - サラダ
8902. 소스 - ソース
8903. 빵 - パン
8904. 과일 - フルーツ
8905. 김치 - キムチ
8906. 맥주 - ビール
8907. 빵 반죽 - パン生地
8908. 치즈 - チーズ
8909. 와인 - ワイン

8910. 고기 - 肉
8911. 길 - 道路
8912. 다리 - 足
8913. 강 - 川
8914. 집 - 家
8915. 시작점 - 出発点
8916. 고향 - 故郷
8917. 씹다 - 噛む
8918. 나는 사과를 씹었다. - 私はリンゴを噛んだ。
8919. 너는 껌을 씹는다. - あなたはガムを噛む。
8920. 그는 채소를 씹을 것이다. - 野菜を噛むでしょう。
8921. 맛있어? - おいしいですか？
8922. 네, 맛있어. - はい、おいしいです。
8923. 갈다 - 挽く
8924. 그녀는 커피를 갈았다. - 彼女はコーヒーを挽いた。
8925. 우리는 곡물을 간다. - 私たちは穀物を挽く。
8926. 당신들은 향신료를 갈 것이다. - あなたたちはスパイスを挽く。
8927. 준비됐어? - 準備はいいですか？
8928. 네, 준비됐어. - はい、準備できています。
8929. 분쇄하다 - 挽く
8930. 나는 약을 분쇄했다. - 私は薬を砕く。
8931. 너는 돌을 분쇄한다. - あなたは石を砕く。
8932. 그는 씨앗을 분쇄할 것이다. - 彼が種を砕く
8933. 필요해? - 必要ですか？
8934. 네, 필요해. - はい、必要です。
8935. 휘젓다 - かき混ぜる
8936. 그녀는 스프를 휘저었다. - 彼女はスープをかき混ぜた。
8937. 우리는 샐러드를 휘젓는다. - 私たちはサラダを泡立てる。
8938. 당신들은 소스를 휘젓을 것이다. - 君たちはソースを泡立てるんだ。
8939. 잘 섞였어? - よく混ざっていますか？
8940. 네, 잘 섞였어. - はい、よく混ざっています。
8941. 담그다 - 浸す
8942. 나는 빵을 우유에 담갔다. - パンを牛乳に浸しました。
8943. 너는 과일을 물에 담근다. - あなたは果物を水に浸します。

8944. 그는 채소를 절임에 담글 것이다. - 彼は野菜をピクルスに漬けます。
8945. 시간 됐어? - 時間ですか？
8946. 네, 됐어. - はい、準備できました。
8947. 발효시키다 - 発酵させる
8948. 그녀는 김치를 발효시켰다. - 彼女はキムチを発酵させた。
8949. 우리는 맥주를 발효시킨다. - ビールを発酵させます。
8950. 당신들은 빵 반죽을 발효시킬 것이다. - パン生地を発酵させるんだ。
8951. 준비됐어? - 準備はいいですか？
8952. 네, 준비됐어. - はい、できています。
8953. 숙성시키다 - 熟成させる
8954. 나는 치즈를 숙성시켰다. - チーズを熟成させました。
8955. 너는 와인을 숙성시킨다. - あなたはワインを熟成させる。
8956. 그는 고기를 숙성시킬 것이다. - 彼が肉を熟成させる。
8957. 맛있겠다, 안 그래? - 美味しくなりますよね？
8958. 네, 맛있겠어. - ええ、美味しくなりますよ。
8959. 건너가다 - 道を渡る
8960. 그녀는 길을 건너갔다. - 彼女は道を渡った。
8961. 우리는 다리를 건너간다. - 私たちは橋を渡ります。
8962. 당신들은 강을 건너갈 것이다. - 川を渡ります。
8963. 위험해? - 危険ですか？
8964. 아니, 안 위험해. - いいえ、危険ではありません。
8965. 되돌아가다 - 戻る
8966. 나는 집으로 되돌아갔다. - 私は自分の家に戻った。
8967. 너는 시작점으로 되돌아간다. - あなたは出発点に戻る。
8968. 그는 고향으로 되돌아갈 것이다. - 彼は故郷に戻る。
8969. 늦었어? - もう遅い？
8970. 아니, 안 늦었어. - いや、遅くはない。

MP3 파일들 다운로드 - 밑의 주소를 클릭하시거나 큐알 코드를 스마트폰으로 접속후 비밀번호를 넣으시면 다운로드가 가능합니다.

비밀번호 1456

https://naver.me/GUtejTvr

또는

https://www.dropbox.com/scl/fo/ybwwfjh5gjpyl4y0nkuok/h?rlkey=k32nwlgkqw41lv9hs6fgrq14l&dl=0

QR 코드를 스마트폰을 찍으시면 보실 수 있습니다. 비밀번호는? 1456입니다.

1천 동사 5천 문장을 듣고 따라하면 저절로 암기되는 일본어 회화(MP3)

발　행 | 2024년 4월 16일
저　자 | 정호칭
펴낸이 | 한건희
펴낸곳 | 주식회사 부크크
출판사등록 | 2014.07.15.(제2014-16호)
주　소 | 서울특별시 금천구 가산디지털1로 119 SK트윈타워 A동 305호
전　화 | 1670-8316
이메일 | info@bookk.co.kr

ISBN | 979-11-410-8117-1

www.bookk.co.kr